THE WAR TOYS 1
KRIEGSSPIELZEUG

THE WAR TOYS 1

KRIEGSSPIELZEUG

The Story of/Die Geschichte von Hausser-Elastolin

Reggie Polaine & David Hawkins

New Cavendish Books

London

First edition published in Great Britain by
New Cavendish Books, 1976

First revised English/German edition published
in Great Britain by New Cavendish Books, 1991

Copyright © New Cavendish Books, 1991

Design: John Cooper and Jacky Wedgwood
Photography: Rob Inglis and Marcus Lyon

Typeset by Computape (Pickering) Ltd, North Yorkshire

Printed and bound in Hong Kong under the supervision of
Mandarin Offset, London

New Cavendish Books Ltd
3 Denbigh Road, London W11 2SJ

ISBN 0 904568 73 3

Other books in *The War Toys* series:

Volume 2 The Story of Lineol
Dennis Fontana   0 904568 29 6

Volume 3 Hausser-Elastolin from 1945 to 1983
David Hawkins   1 872727 90 5

Acknowledgements/Danksagung

Special thanks are due to Mr Kurt Hausser and to Mr
Richard Küentzle, of O & M Hausser, for their many hours
spent checking the authenticity of the text. In addition the
book would not have been possible without the help, research
and cooperation of the following, whom the author wishes to
thank for their valuable assistance:

Besonderer Dank gebührt auch Herrn Kurt Hausser und
Herrn Richard Küentzle von der Firma O & M Hausser, die
unzählige lange Stunden mit der Überprüfung der
Authentizität des Textes verbracht haben. Außerdem ware
dieses Buch nbicht zustandegekopmmen ohne die Hilfe, den
Nachforschungen und der Mitarbeit der folgenden Personen,
denen der Autor für ihre wertvolle Unterstutzung danken
mochte:

Dr Carlernst Baecker, Hanna and Alan Black, Block House
Inc, M Bossi, Count Giansanti Coluzzi, F Erkens, Chris
Farlowe, C Gilot, Le Grenier du collectioneur, J Hannington,
I Hunt, U Moller, T Oliver, Mike and Sue Richardson,
Signal Magazine, H Schoefer, P Sugarman, Wehrtecnische
Modelle.

Finally, I would like to thank to my sister Rita, who typed all
the manuscripts and spent weary hours proof reading.

Schließlich meiner Schwester Rita, die alle Manuskripte mit
der Maschine schrieb und zermürbende Stunden mit
Korrekturlesen verbrachte, herzlichen Dank.

Publisher's note

Since the first edition of this book was published in 1976, the
publishers have been fortunate in making contact with David
Hawkins, who is not only a longtime collector of and expert on
Hausser and Lineol figures and accessories, but is also a
lecturer in German history. His informative additional text
and his commentary on the first edition will prove invaluable
to collectors. Finally, the publishers are very grateful for being
allowed photographic access to the magnificent Bruce Scott
collection which is featured in a completely new 16 page
colour section.

Nachdem die erster Ausgabe dieses Buches 1976 veröffentlicht
wurde, kamen die Verleger in Kontakt mit David Hawkins,
der als langjähriger Sammler von Hausser und Lineol Figuren
und Zubehör nicht nur ein Fachmann auf diesem Gebiet ist,
sondern auch Dozent in deutscher Geschichte. Sein
aufschlußreicher zusätzlicher Text und sein Kommentar zur
ersten Ausgabe sind für andere Sammler unersetzlich. Der
Verlag ist auch dankbar, photographisch Zugang zur
prachtvollen Bruce Scott Sammlung erhalten zu haben, die in
einem völlig neuen, 16 Seiten starken Farbteil abgebildet ist.

Der Verlag

Contents

Inhalt

PART 1/ TEIL 1

First Edition/Erste Ausgabe

Reggie Polaine

THE FOUNDERS   DIE GRÜNDER

Otto Hausser

Max Hausser

Introduction

Einleitung

Sawdust and Glue might have been a sub-title for a book about Elastolin figures and Hausser vehicles, but in point of fact it could not be more appropriate because sawdust and glue is almost exactly the main composition of these figures.

While this book forms the first comprehensive review of the products of Hausser – Elastolin, it is also intended for toy and model soldier collectors of all ages as an addition to the body of literature on this fascinating hobby.

In view of certain material included hereafter no inference should be drawn as to the political views of the author, contributors, or indeed the firm of O & M Hausser, during the period described, or indeed today. As Mr. Kurt Hausser remarked in recent discussions; 'We were a commercial company trying to do business during the sixty most cataclysmic years the world has ever known, The First World War, rampant inflation, economic depression, The Third Reich, The Second World War, post war reconstruction. What a period, unlike no other in modern history.'

I briefly intend not only to tell the history of Hausser, but to describe the manufacturing methods employed giving dates etc. wherever possible. There may be some duplication in the book but it will always be relevant to the time discussed.

Sägemehl und Leim scheint ein sonderbarer Titel für ein Buch über Elastolin-Figuren und Hausser-Fahrzeuge zu sein, aber in der Tat könnte er nicht passender lauten, da Sägemehl und Leim eigentlich die Hauptbestandteile dieser Figuren sind.

Dieses Handbuch soll kein reines Nachschlagewerk sein sondern lediglich allen Soldatensammlern und Jungen jeden Alters als ein angenehmer Beitrag zur Vervollkommnung der Kenntnisse über diese Spielzeugsoldaten dienen.

Es sollten keine Rückschlüsse auf die politischen Anschauungen des Autors, der Mitwirkenden oder sogar der Firma O & M Hausser in der geschilderten oder der jetzigen Zeit gezogen werden. Wie Herr Kurt Hausser mir in den jüngsten Besprechungen sagte, sind sie eine Firma, die während der verheerendsten 60 Jahre, welche die Welt jemals erlebt hat, versuchte Geschäfte zu machen. Erster Weltkrieg, zügellose Inflation, Wirtschaftskrise, Drittes Reich, Zweiter Weltkrieg, Wiederaufbau: was für eine Zeit – ohnegleichen in der Geschichte.

Ich will nicht nur kurz über die Geschichte der Firma Hausser berichten, sondern auch die angewandten Herstellungsmethoden beschreiben, Daten geben usw. Es werden einige Wiederholungen in diesem Buch vorkommen, jedoch sind sie immer von Bedeutung für die gerade erörterte Zeit.

Seitdem hat sich die Firma ständig vergrößert. Heute wird nur noch Plastikmaterial für die Figuren verwendet, jedoch hat man dabei immer nur ein erreichbares Ziel im Auge: Qualität.

Sogar heute können Elastolin-Figuren und -Spielwaren in ihrer Qualität night übertroffen werden. Die gegenwärtige Produktion werden wir am Ende des Buches besprechen.

History of the Company
Geschichte der Firma

The firm of O & M Hausser was founded in 1904 by the two brothers Otto and Max at Ludwigsberg, near Stuttgart in Southern Germany.

Before 1904, the brothers traded under the name Muller & Freyer, manufacturers and wholesalers of toys and haberdashery, with special emphasis on dolls. Their method of making dolls had been used for some fifty years previously in this area of Germany. It was obvious to the brothers therefore that if they could make small size figures in this material, they would open up a completely new field of toy sales. Aspects of this will be discussed later in the book.

About 1912, they manufactured figures from 10 − 14 cm, and later added some 7 cm size figures. The firm offered figures in all positions and of many nations. They employed roughly two hundred people, partly in the factory and partly

Die beiden Brüder Otto und Max gründeten 1904 die Firma O & M Hausser in Ludwigsburg, das nahe Stuttgart in Süddeutschland liegt.

Vorher betrieben diese beiden Brüder unter dem Firmennamen Müller & Freyer eine Großhandlung in Spielwaren und Kurzwaren, wobei sie besonderes Gewicht auf Puppen aus Mischmaterial gelegt hatten. Diese Methode der Puppenherstellung war schon mehr als 50 Jahre vorher in dieser Gegend von Deutschland angewandt worden. Es war den beiden Brüdern klar, daß sie sich ein völlig neues Gebiet des Spielwarenmarktes erschließen würden, wenn es ihnen gelänge, kleine Figuren aus diesem Material herzustellen. Wir werden in diesem Buch später darauf zurückkommen.

Ab 1912 wurden Figuren in den Größen von 10–14 cm hergestellt, wozu später solche in der 7 cm Größe kamen.
Die Firma offerierte Figuren "in allen Stellungen und von allen Nationen". Es wurden rund 200 Personen beschäftigt, teils in der

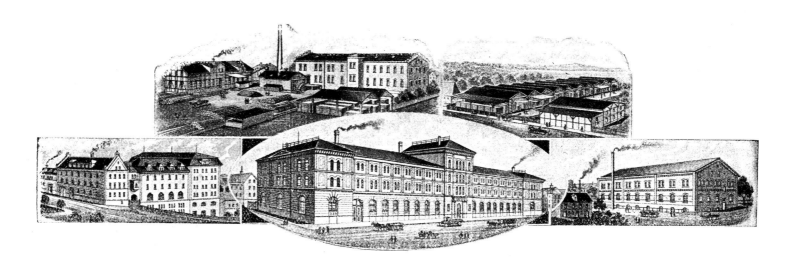

through the employment of outdoor workers. In 1912 the company was registered in the Official Trade Register.

One of the brothers, Mr. Max Hausser, was killed in action on the Western Front in 1915, and never saw the international success that the company was later to enjoy.

The name Elastolin was invented by the Hausser brothers, and was used almost from the beginning, and certainly long before, the First World War, but was not in fact registered until 1926. Even today it is still moulded on to every figure made by the company.

Both sons of Mr. Otto Hausser, Kurt and Rolf, joined the company around 1930 and are still actively employed: Mr. Kurt Hausser on the sale and promotion side, and Mr. Rolf Hausser on the technical side. They are the only active owners of the company, together with Frau Berndt—Hausser, daughter of Mr. Kurt Hausser. Mr. Otto Hausser, the joint co-founder, died in 1956.

Fabrik und teils als Heimarbeiter. Im Jahre 1912 wurde das Unternehmen auch im Handelsregister eingetragen.

Einer der Brüder, Herr Max Hausser, fiel 1915 an der Westfront und erlebte niemals den internationalen Erfolg, den die Firma später hatte.

Die beiden Brüder Hausser erdachten sich den Namen Elastolin und gebrauchten ihn seit der Gründung der Firma vor dem Ersten Weltkrieg. Jedoch war es vor 1926 nicht möglich, ihn gesetzlich schützen zu lassen. Heute wird der Name noch immer in jede Figur mit eingegossen, die von der Firma hergestellt wird.

Beide Söhne von Otto Hausser, Kurt und Rolf, traten der Firma um 1930 bei und sind noch immer aktiv tätig. Kurt Hausser in der

*Albert Speer, Minister of Armaments & Munitions, Inside the Third Reich: "Even at the beginning of 1942, consumer industries were producing at a rate only 3% below the peacetime level. On 28–29 June 1942, Hitler decreed that the fabrication of products for the general supply of the population must be resumed."

*Albert Speer, Minister für Waffen und Munition Im dritten Reich erklärte, daß Anfang des Jahres 1942 die Verbrauchsgüter-Industrie nur 3% weniger produzierte als in Friedenszeiten. Im Juni 1942 erklärte Hitler, daß die Herstellung von Waren für den allgemeinen Verbrauch wieder aufgenommen werden muß.

The Neustadt bei Coburg factory into which the Company transferred its manufacturing in the mid 1930's.

Die Fertigungsstätten Neustadt b. Coburg, in die das Unternehmen seine Produktion in der Mitte der 1930er Jahre verlegte.

The warehouse and administrative block at Neustadt bei Coburg.

Lager- und Verwaltungsgebäude in Neustadt b. Coburg.

The company continued toy production up until 1943. It is not universally accepted that the German war effort was not total at this time. After the fall of France, Hitler particularly ordered that goods for home consumption be increased, as he felt that the war was won. In fact, German war production did not reach its peak until July 1944. From 1943 onwards, Hausser switched to the manufacture of mainly wooden items. After the defeat of Germany, the production of toys was started again around 1946/7, with the agreement of the American Military Government Control Commission, Coburg Office.

Since then, the company has gone from strength to strength, now only employing plastic materials for the figures, but always with only one attainable object in mind — quality. Even today, Elastolin figures and toys cannot be surpassed and are amongst the finest in their class as can be evidenced from their current production which is reviewed at the end of the book.*

Verkaufsförderung und Rolf Hausser auf dem technischen Gebiet. Außerdem ist die Tochter von Kurt Hausser, Frau Berndt-Hausser in der Firma aktiv tätig. Der Mitbegründer Otto Hausser starb im Jahre 1956.

Die Firma setzte die Spielwarenherstellung bis 1943 fort. Es wird nicht allgemein anerkannt, daß die deutschen Kriegsanstrengungen zu jener Zeit nicht ihr Äußerstes erreicht hatten. Nach der Niederlage Frankreichs ordnete Hitler insbesondere die Erhöhung der Produktion für den Inlandsverbrauch an, da er glaubte, der Krieg sei gewonnen. Eigentlich erreichte die Kriegsproduktion ihren Höhepunkt nicht vor Juli 1944. Von 1943 an stellte sich die Firma Hausser hauptsächlich auf die Herstellung von Holzartikeln um. Nachdem Deutschland besiegt war, nahm man die Spielwarenherstellung wieder um 1946/47 herum mit der Zustimmung der Amerikanischen Militärregierung, Büro Coburg, auf.*

---

* 'Current production' (pp. 110–25) refers to the period when this book was first published in 1976. Elastolin ceased trading in 1983.

* 'Derzeitige Fertigung' s. 110–25 stellt das Warenangebot der Firma Hausser-Elastolin zur Zeit der 1. Auflage dieses Buches 1976 dar. 1983 stellte die Firma den Betrieb ein.

Service Colour Guide
Waffenfarben

Armed Forces "Wehrmacht"
Army "Reichsheer"
Air Force "Luftwaffe"
Navy "Marine"

	Colour of Uniform	Service Colour		"Waffenfarben"
Army "Reichsheer WH"	Field grey "Feld Grau" Panzer Black "Panzer Truppe Schwarz"	Infantry "Infanterie" Cavalry "Reiterei" Artillery "Artillerie" Motorised "Kraftfahrer" Pioneer "Pioniere" Signals "Nachrichtentruppe"	I R A K P N	White "Weiss" Yellow "Gelb" Red "Rot" Pink "Rosa" Black "Schwarz" Lemon Yellow "Hellgelb"
Air Force "Luftwaffe WL"	Grey Blue "Graublau"	Flying Section "Fliegertruppe" Ack Ack "Flak Artillerie" Signal "Luftnachrichtentruppe"		Yellow "Gelb" Red "Rot" Brown "Braun"
Navy "Marine WM"	Blue "Blau" In Summer White "In Sommer Weis"	No service colour guide		Nicht "Waffenfarben"

Method of Manufacture
Herstellungsmethode

Elastolin is now accepted as a generic term for almost any composition figure. The method of manufacture was discovered in about 1898 by a company called Pfeiffer of Vienna, whose trade mark was "Tipple Topple", and whom incidentally Hausser acquired in 1925. Basically, the manufacturing method is that a mould of a particular figure is made, but in two halves. A porridge-like mixture of sawdust, cassein glue and kaolin is pressed with a hand press into both separate halves of an accurately machined brass mould, and a wire strengthener is placed on one half. The two halves of the mould are joined and pre-dried in the air, and afterwards heated for a period, at no more than 80°C. The length of the cooking time depends on the thickness of the figure, the quality of the figure depends upon skilled mixing and appropriate drying. The figures are then, after cooling, taken out, trimmed and painted by hand. There were no base coats, fillers or undercoats whatever; the moulding was of a sufficiently high quality to take paint straightaway. German troops were always fairly authentically painted in the correct

Elastolin wird heute als ein Oberbegriff für nahezu jede Figur aus Mischmaterial akzeptiert. Die Herstellungsmethode wurde um 1898 von einer Firma namens Pfeiffer in Wien entdeckt. Grundsätzlich besteht die Herstellungsmethode daraus, daß eine Form, die aus zwei Hälften besteht, von einer bestimmten Figur angefertigt wird. Eine breiähnliche Mischung aus Sägemehl, Kasein-Leim und Kaolin wird mit einer Handpresse in beide separate Hälften einer genauen, maschinell hergestellten Messingform gepreßt. Vorher wird eine Drahtverstärkung in eine der Hälften gegeben. Nach dem Preßvorgang kommen die Figuren in den Trockenofen und werden dort bis zu 80°C erhitzt. Die Dauer der Erhitzung ist von dem Durchmesser und der Formgebung der Figur abhängig. Die Qualität der Figur hängt von der fachgerechten Mischung des Materials und der angemessenen Trocknung ab. An das Trocknen schließt sich das Entgraten der Figuren an. Es gab keinen Grundanstrich, weder Zusatzmittel noch sonst eine Grundierung. Die Formgebung war von genügend hoher Qualität, um den Farbanstrich sofort aufnehmen zu können. Die deutschen Truppen wurden immer recht authentisch mit der korrekten Waffenfarbe versehen. Bei fremden Truppen war jedoch die Übereinstimmung mit der Wirklichkeit nicht immer hundertprozentig.

The current showroom at Neustadt illustrating the wide range of vaccum formed forts manufactured by the Company.

Der derzeitige Musterzimmer in Neustadt, das die unfangreiche Kollektion vakuum-gezogener Burgen zeigt, die von dem Unternehmen hergestellt werden.

13

service colour, "Waffenfarben", but foreign troops were often incorrectly painted.

Since the mid 1850s, this method of manufacture had been extensively used by doll manufacturers, indeed Neustadt bei Coburg, where Hausser have had their factory since 1936, is also called 'doll town', "Puppenstadt". It was not until Pfeiffer perfected their method of manufacturing that the small figures came into being. The basic raw materials, sawdust and glue, were always at hand and very cheap. One fundamental ingredient, without which the operation would not have been viable, was also freely available — namely labour. The boom after the First World War ensured a healthy market for Hausser's products. During the Third Reich, the market was continually expanding, in unison with the expanding interest.

After the Second World War, again the market was hungry for toy products of any description. Later on, when demand slackened and labour costs rose, Haussers turned to plastics in order to maintain their viability.

Seit Mitte 1850 wurde diese Herstellungsmethode weitgehend von Puppenherstellern angewandt und Neustadt bei Coburg, wo die Firma Hausser ihre Fabrik seit 1936 stehen hat, wird übrigens auch "Puppenstadt" genannt. Als die Firma Pfeiffer ihre Methode der Herstellung vervollkommnet hatte, konnten diese kleinen Figuren hergestellt werden. Das die Grundlage bildende Rohmaterial, Sägemehl und Leim, war immer verfügbar und sehr billig. Ein wichtiges Element, ohne das der Arbeitsvorgang nicht durchführbar gewesen wäre, war auch vorhanden: Arbeitskräfte. Diese Arbeitskräfte waren im Überfluß vorhanden. Nach ausführlicher Einarbeitung ließ sich ein leistungsfähiger Stamm heranbilden. Auf dieser Grundlage war es möglich, ein konkurrenzfähiges Produkt herzustellen. Der Boom nach dem Ersten Weltkrieg sicherte den Produkten der Firma Hausser einen gesunden Markt. Während des Dritten Reiches war es der militärische Aufschwung, der den Markt ständig expandieren ließ.

Nach dem Zweiten Weltkrieg bestand allgemein ein großer Nachholbedarf in Waren aller Art. Als später die Nachfrage geringer wurde und sich dadurch der Wettbewerb verstärkte, war die Firma Hausser bereits in der Lage, den Einsatz von Kunststoff zu nutzen.

Historical Review
Historische Betrachtungen

The company commenced production around 1904. As little archive material now exists, due to the events of the Second World War, it is almost impossible to make accurate statements about the early days of the company. Both co-founders are dead. It is however certain that the company grew significantly until the First World War.

During the First World War production was considerably slowed down, not so much by the lack of labour or by the demands of war production, but mainly through the lack of suitable materials. Animal glues for instance were badly needed in the war effort, not only for armaments but to feed people, as indeed they are still used in many foods today. Vigorous attempts were made to use substitute materials. Plaster for example was used with some success.

The figures from 1904 until the early 20's show a remarkable vigor and elan and are a true reflection of their time in that the women who painted these figures, painted the faces of the men that they knew, with twirling moustaches and fierce eyes. By the end of the First World War the painted moustachio had gone because, in the trenches, soldiers had not time to cultivate large flowing moustaches. Figures were now totally clean shaven or painted with a small toothbrush moustache. The man in the street followed the trend and on the whole, the moustache did not come back into fashion until the late 1960's.

As I have mentioned, virtually all of Haussers records from 1904 until 1946 were lost or destroyed during the war and so it is quite difficult to accurately date figures except by using a basic knowledge of social history.

Die Firma begann um 1904 mit der Produktion. Da heute auf Grund der Vorgänge während des Zweiten Weltkrieges kein Archivmaterial mehr existiert, ist es nahezu unmöglich, genaue Angaben über das Anfangsstadium des Unternehmens zu machen. Beide Mitgründer sind gestorben. Es ist jedoch sicher, daß die Firma bis zum Ersten Weltkrieg ständig gewachsen ist.

Während des Ersten Weltkrieges hat sich die Produktion beträchtlich verringert. Der Grund dafür war weniger der Mangel an Arbeitskräften sondern hauptsächlich das Fehlen von geeigneten Materialien. Tierische Leime wurden z. B. dringend für die Kriegsbestrebungen gebraucht, nicht nur für Waffen sondern auch um das Volk zu ernähren, ebenso wie man heute noch für viele Nahrungsmittel tierische Leime verwendet. Energische Versuche wurden unternommen, um Ersatzmaterialien zu finden. Gips z. B. wurde mit einigem Erfolg verwendet.

Die von 1904 bis zu Beginn der 20er Jahre entstandenen Figuren zeigen bemerkenswert viel Kraft und Schwung und sind ein wahres Spiegelbild ihrer Zeit, in der die Frauen, die diese Figuren bemalten, die Gesichter der ihnen bekannten Männer mit gezwirbelten Bärten und wilden Augen malten. Zu Ende des Ersten Weltkrieges war der gemalte Schnurrbart verschwunden, da die Soldaten in den Schützengräben nicht die Zeit hatten, ihre langen wallenden Bärte zu pflegen. Die Figuren waren nun vollkommen glattrasiert oder mit einem kleinen Bürstenbart bemalt. Der Mann auf der Straße folgte diesem Trend und im großen und ganzen kam der Schnurrbart vor Ende der 60er Jahre nicht wieder in Mode.

Wie ich bereits erwähnt habe, sind größtenteils die Aufzeichnungen der Firma Hausser aus der Zeit von 1904–1946 durch die Kriegsereignisse verlorengegangen. Deshalb ist es ziemlich schwierig, genaue Daten anzugeben.

From the very inception Hausser made all their own vehicles, flags, etc. There was a separate research and design department at the factory, employing about five to ten people, who made the prototypes, using accurate dimensions from photographs etc., and then the tools. Another department then actually devised the methods for mass production.

The 1920 catalogue F has 21 pages, the 1932 catalogue F has 38 pages showing the increase in the types and variety of toys produced in the intervening years, although in 1932 only ten pages were devoted to the military side. Catalogues were produced in the intervening years but seemingly none have survived.

Figures available ranged from Americans to Zouaves, A – Z. In fact the company stated that any army, complete with flags etc., could be produced at the same cost, to customers' specific market requirements. An example of this was Japanese troops in the Manchurian campaign. Hausser did not manufacture these as normal production, customers literally ordered any particular army they wanted.

One amazing rationalisation was evidenced by the fact that more than 50% of the figures made utilized the same basic German Army torso, merely having the correct heads plugged in and then being overpainted in the appropriate colours.
So it's quite usual to have American, Cuban and French troops with an over-painted German torso, complete with German gas mask case and over-painted Jack Boots. Some odd figures were made which were not included in catalogues like the German Athletic Club, "Deutsche Turner Bund", produced for two years between 1928-30.

From the very inception, military figures did not constitute the major part of Hausser's business. They made all types of cowboys, Indians, table games and wooden toys.

An event happened in 1933 which not only changed the course of the world but had a profound effect on all military toymakers, including Hausser. Adolf Hitler, leader of the National Socialist German Workers Party, NSDAP, or as they were commonly called abroad, Nazis, came to power as Reich Chancellor.

Schon von Anfang an produziert die Firma Hausser alle ihre Fahrzeuge, Flaggen usw. selbst. Es gab eine separate Abteilung für Forschung und Planung, in der zwischen fünf und zehn Personen beschäftigt waren, die Prototypen unter Verwendung genauer Abmessungen von Photographien usw. entwarfen und dann die Werkzeuge anfertigten. Eine andere Abteilung begann dann mit der eigentlichen Massenproduktion.

Der Katalog F von 1920 hat 21 Seiten und, obwohl 1932 nur 10 Seiten den militärischen Spielwaren gewidmet sind, hat der Katalog F von 1932 schon 38 Seiten, die das Anwachsen der Arten und die Auswahl der Spielwaren zeigen, welche in den dazwischenliegenden Jahren hergestellt worden sind. Kataloge wurden auch in den dazwischenliegenden Jahren gedruckt, jedoch scheint keiner davon überdauert zu haben.

Die erhältlichen Figuren reichten von A–Z, in der Tat, denn die Firma gab an, daß jede Armee komplett mit Flaggen usw. nach den Bedürfnissen der Kunden zum gleichen Preis hergestellt werden könne. Ein Beispiel dafür waren die japanischen Truppen auf ihrem Feldzug in der Mandschurei. Die Firma Hausser stellte sie nicht in der normalen Produktion her, sondern nach dem individuellen Bedarf des Kunden. Die Kunden bestellten eigentlich jede Armee, die sie wollten.

Das erscheint als eine unglaubliche Leistung, jedoch verwendete man bei mehr als 50% der hergestellten Figuren den gleichen Rumpf, der auch für die deutsche Armee diente, setzte nur den richtigen Kopf ein und übermalte alles mit der richtigen Farbe. So ist es recht üblich, daß man amerikanische, kubanische oder französische Truppen mit einem übermalten kompletten deutschen Rumpf einschließlich deutschem Gasmaskenbehälter und übermalten Reitstiefeln hat. Es wurden auch einige seltsame Figuren, wie z. B. der Deutsche Turnerbund entworfen, die zwischen 1928 und 1930 für zwei Jahre hergestellt wurden und in keinem Katalog erschienen sind.

Am Anfang bildeten die Militärfiguren keineswegs den Hauptbestandteil des Umsatzes der Firma Hausser. Es wurden alle Arten von Indianern, Cowboys etc. sowie Beschäftigungsspiele und Holzspielwaren hergestellt.

Im Jahre 1933 kam es zu einem Ereignis, das nicht nur den Lauf der Welt veränderte sondern auch eine tiefgreifende Auswirkung auf alle Militär-Spielwarenhersteller hatte. Adolf Hitler, der Führer der Nationalsozialistischen Deutschen Arbeiterpartei, NSDAP, oder der

One of his earliest moves was to recreate the German Armed Forces, Wehrmacht, with all its ramifications; namely, new uniforms, flags, banners, equipment and tanks, planes and ships. At the same time, he completely subjugated all other organisations, from trade unions to gliding clubs, to the Nazi party machine, and instilled a sense of purpose into a German nation, humbled by the Treaty of Versailles and at the point of economic ruin.

Pfeiffer's sister company, Durolin, founded at Brun in Czechoslovakia, was also taken over by Hausser, in 1936. In 1946, this company was repossessed by the Czech Government. Tipple Topple continued to manufacture their own range and Duro and Durolin made a much cheaper range of figures not dissimilar to the Wm. Britains Woolworth range. These cheap figures were much cruder, not as well painted and were sold to outlets like Wertheim, the big chain toy stores, and Tipp & Co., the tinplate toymakers and wholesalers of Nuremburg. Tipp & Co. was confiscated in 1933 and taken over by the German State, when the owner, Mr. Phillip Ullman, fled to England for political reasons. He later founded Mettoy. Tippco, as they were known, made a nice range of tinplate planes and cars, including military vehicles. All the cars, lorries, half-tracks, etc. included composition figures made by Hausser. At the same time, Hausser supplied a very good quality black uniformed Panzerman to the toy tank manufacturers — among them Gama and Gesha.

Duro and Durolin ceased manufacture in 1938 with the annexation of Czechoslavakia. During this period Hausser did grant manufacturing licenses to several countries including possibly France, although no documentation now exists. Leyla of Nuremburg, Schusso, Durso and Armee were always competitors in the Woolworth range and unconnected with Hausser. At no time were Hausser and Lineol working together or using the same technicians. A state of friendly rivalry always existed between the two companies.

The growth of Hausser is a direct reflection of the growth of Germany in the 1930's.
In 1936, the company moved to Neustadt bei Coburg, where they are still actively located today. Neustadt lies at a distance of 4 km from Sonneberg, the former internationally known centre of the German doll and toy exporting industry, from

Nazis, wie sie gewöhnlich im Ausland genannt wurden, kam als Reichskanzler an die Macht.

Einer seiner ersten Maßnahmen war die Erneuerung der deutschen Wehrmacht mit all den dazugehörigen Gebieten, namentlich neuen Uniformen, Fahnen, Ausrüstung und Panzern, Flugzeugen und Schiffen. Gleichzeitig unterstellte er alle anderen Organisationen, von der Gewerkschaft bis zum Segelklub, der Parteimaschinerie der Nazis und impfte der deutschen Nation einen Sinn für ein Ziel ein.

Die Firma Pfeiffer in Wien, Schutzmarke Tipple Topple, wurde im Jahr 1925 von der Firma Hausser übernommen. Bei den Erzeugnissen Duro bzw. Durolin aus Brünn in der Tschechoslowakei handelte es sich um die Schwesterfirma der Firma Pfeiffer in Wien, die bereits vor der deutschen Annexion der CSR gegründet wurde. Im Jahr 1946, also nach Kriegsende wurde dieser Betrieb vom tschechoslowakischen Staat beschlagnahmt.

Das Wachstum der Firma Hausser ist ein deutliches Spiegelbild der Wirtschaft Deutschlands in den 30er Jahren.

1936 zog die Firma nach Neustadt bei Coburg, (4 km von Sonneberg, dem damaligen Zentrum der deutschen Puppenindustrie und des deutschen Spielwarenexports "Weltspielwarenstadt"), wo sie auch heute noch ihren Sitz hat. Dieser Umzug erleichterte auch eine Rationalisierung in der Anzahl der hergestellten Figurengrößen. Besonderes Gewicht wurde nun auf die Normalgröße von 7 cm gelegt. Die Miniaturgröße von 4 cm wurde als Alternative vorgesehen. Alle anderen Größen wurden nun vermieden. Der Katalog von 1936 zeigt eine leichte Verschiebung des Schwerpunktes. Das Deckblatt, das gewöhnlich bis auf einige Worte leer war, zeigt nun schwere Artillerie mitsamt der Mannschaft im Gefecht. Die Soldaten von A–Z waren verschwunden. Nur einige Abbildungen von englischen und französischen Figuren waren übrig geblieben, verloren in dem Wirrwarr von wiederbelebten Wehrmachtsfiguren.

Es überrascht nicht, daß dies so kommen sollte, denn das ganze Land befand sich in einem Zustand der Wiederbelebung.

Figuren von Nationalsozialisten waren reichlich vorhanden. Gut vertreten waren auch alle Waffengattungen der Wehrmacht: das Heer, die Luftwaffe, die Kriegsmarine, Panzer und Flak-Artillerie. Alle waren sie dabei, im Parademarsch oder stillgestanden, im Marsch mit der Fahne, der Pauke und der Standarte, beim Arbeitsdienst mit Hacke und mit Spaten. Offiziere waren in vielen verschiedenen Stellungen erhältlich. Kapellen konnten von jeder der verschiedenen

which it is now separated by the "Iron Curtain", the East German border. This move also facilitated a rationalisation of the number of sizes of figures made. Emphasis was now placed on 7 cm as the standard normal size, "Normalgrosse", 4 cm, as the alternative, "Minatur", was also encouraged. All other sizes were now actively discouraged. The 1936 catalogue shows a subtle shift in emphasis. The catalogue cover, usually plain with some wording, now shows heavy artillery in action, with its crews. Gone are the soldiers from A−Z. All that are left are some illustrations of English and French figures, lost in a welter of revitalized Wehrmacht figures.

It is not surprising, since the whole country was in a state of intense nationalism and unlike some other toy makers of the time less reliant on foreign markets and tastes. National Socialist figures, "Nationalsozialisten", abound. On the Wehrmacht side, all arms are well represented. The Army, "Das Heer"; Air Force, "Luftwaffe"; Navy, "Kriegsmarine"; Panzers and Flak. All are here, on and off parade, marching with flags, drums and banners, doing fatigues with pick and shovel. Officers were listed in many different postures. Bands could be bought of any of the different services, including drums, the jingling johnny, "Schellenbaum", fifes, horns, trumpets, dogs, etc. It was not possible to illustrate in the catalogue, all the types available, merely a sample of each, together with lists of those made.

A technical problem presented itself with bands in that often, the figures arms were at right angles, or even more acute, at the elbow, thus causing weakness. This was overcome by Haussers technical department, incorporating a complete arm, or pair of arms and instrument, into the figure at the moulding stage. These arms etc. were made of a light metal alloy, but when painted, were virtually undetectable.

Fighting figures, "Sturm", were not forgotten. They abound from soldiers charging with rifles, machine guns and flame-throwers, possibly even wearing gas masks, to officers with drawn swords, pistols and binoculars. Even when wounded or resting, there are hundreds of different figures and combinations, from soldiers carrying a wounded comrade to men eating around a camp fire bivouac.

Waffengattungen einschließlich Pauken, Schellenbaum, Querpfeifen, Posaunen, Trompeten und Hunden gekauft werden. Es war nicht möglich, in dem Katalog alle erhältlichen Ausführungen abzubilden. Es wurde nur je ein Muster zusammen mit einer Liste der Figuren abgebildet, die hergestellt wurden.

Bei den Musikern zeigte sich sehr oft ein technisches Problem insofern, daß die Arme der Figuren einen rechten Winkel zum Körper bildeten, oder sogar einen spitzen Winkel am Ellenbogen, und so einen schwachen Punkt verursachten. Dieses Problem wurde von der technischen Abteilung der Firma Hausser bewältigt, indem man einen kompletten Arm oder ein Paar Arme und das Instrument schon im Stadium des Formens in die Figur einbaute. Diese Arme usw. wurden aus einer Leichtmetall-Legierung hergestellt und waren praktisch nicht als solche zu bemerken, sobald sie bemalt waren.

Kämpfende Figuren im Sturm waren ebenfalls nicht vergessen worden. Sie reichten von angreifenden Soldaten mit Gewehren, Maschinengewehren und Flammenwerfern, eventuell sogar Gasmasken tragend, bis zu Offizieren mit gezogenem Säbel, Pistolen oder Feldstechern. Sogar von verwundeten oder lagernden Soldaten gab es hunderte von verschiedenen Figuren und Kombinationen, die von Soldaten, die ihre verwundeten Kameraden trugen, bis zu Männern reichten, die um ein Lagerfeuer biwakierten und aßen.

Wenn man das alles zusammen mit den verschiedenen Geschützen aller Größen, von Pferden gezogenen Sanitätswagen, Feldküchen und Bäckereien, Autos, Lastwagen, Flak-Geschützen und Scheinwerfern und dann all den hölzernen Befestigungen, Schützengräben, Bunkern und Stellungen sieht, so erscheint es unwahrscheinlich, daß dies alles hergestellt werden konnte. Es wurde jedoch hergestellt und die Spielsachen waren ein Spiegelbild ihrer Zeit. Die politische Seite Deutschlands mußte mit einbezogen werden.

Hitlers Straßenschläger, die Sturmabteilung (SA), Hitlers persönliche Leibwache, die Schutzstaffel (SS), der Reichsarbeitsdienst, die Hitlerjugend, der Bund Deutscher Mädel, alle wurden sie hergestellt. Die SA war gut vertreten, mit Fackeln, die tatsächlich leuchteten, mit Musikern zu Fuß oder zu Pferd, mit allen Nazi-Fahnen und Standarten.

Es gab keine öffentliche Unterstützung für die Herstellung dieser politisch basierten Figuren, aber das politische Klima war von einer Art, daß man schnell den öffentlichen Unwillen erregt haben würde und auf wirtschaftlicher Ebene ein Verkaufsverlust eingetreten wäre, hätte man diese Figuren nicht hergestellt.

When taken in conjunction with the various guns of all sizes, horse drawn ambulances, field kitchens and bakeries, cars, lorries, flak guns and searchlights and then all the wooden fortifications, trenches, bunkers, emplacements, it seems impossible that it could all have been made. However, it was made, and toys being a reflection of their time, the political side of Germany also had to be included thus Hitler's street thugs, the S.A., "Sturmabteilung", Hitlers personal body-guard, the S.S. "Schutzstaffel", the Reich Labour Corps, "Reichsarbeitsdienst", the Hitler Youth, "Hitler Jugend", the girls section "Bund Deutsche Maedchen"; were all available. The S.A. were well represented, marching with torches which actually light, musicians on foot or horse, with all the Nazi flags, banners and standards.

There was no official encouragement of the manufacture of these politically based figures, but the political climate was such, that not to have produced them, would have quickly brought about official displeasure and on a commercial plane, a loss of sales.

All new vehicles contemplated had to receive official clearance, to ensure that security was not unintentionally breached. This was particularly true of the 88 mm Anti Aircraft Gun, and the new Panzers. This official clearance started from the moment photographs and dimensions were requested, down to the complete toy. Before 1933, the company produced any figure they liked — also of other political groups as the NSDAP ("Reichsbanner, schwarz-rot-gold", an organisation of the Social Democratic Party of Germany), and "Stahlhelm" (ex army association) for instance. After 1933, they were officially forbidden to produce these figures. After the rebuilding of the German Army, the demand for SA and SS figures and National Socialist formations declined.

1936 also saw the introduction of personality figures with porcelain heads and these will be reviewed under the Personality figures section.

The production of figures in the early 30's was probably around 500,000 annually but, by the end of the 30's, production was up to 3,000,000 figures per year.

1938 saw the introduction of goose-stepping figures, en masse, with a single page illustration in the catalogue, together with

Alle neuen Fahrzeuge, die man herzustellen gedachte, bedurften der offiziellen Erlaubnis um sicherzugehen, daß nicht unbeabsichtigt die Sicherheit verletzt wurde.

Das galt besonders für die 88 mm – Flugabwekhrkanone und für die neuen Panzer. Diese offizielle Erlaubnis war von dem Moment des Ersuchens um Photographien und Abmessungen an bis hin zum kompletten Spielzeug notwendig.

Bis zu dem offiziellen Verbot durch die Behörde wurden bis 1933 auch Figuren der anderen politischen Gruppierungen hergestellt, z. B. Reichsbanner, schwarz-rot-gold, Stahlhelm etc. Nach dem Wiederaufbau der Wehrmacht ließ die Nachfrage nach SA und SS-Figuren und der anderen NS-Formationen fast gänzlich nach.

Im Jahre 1936 wurden auch Figuren mit Porzellanköpfen von führenden Persönlichkeiten eingeführt. Doch dies wird unter dem Kapitel der Figuren von Persönlichkeiten besprochen.

Zu Beginn der 30er Jahre betrug die Produktion vermutlich ca. 500.000 Figuren im Jahr. Am Ende der 30er Jahre waren es jedoch schon 3.000.000 Figuren jährlich.

1938 wurden die Parademarsch-Figuren im großen eingeführt. Im Katalog waren sie auf einer Seite zusammen mit einer Übersicht, um die verschiedenen Waffenfarben zu veranschaulichen, abgebildet. Diesmal waren Schützen, die Granaten und Maschinengewehre mit elektrischer Zündung abfeuerten, eine besondere Attraktion. Die Panzerkampfwagen-Mannschaft, die Flieger und die Flak-Artillerie waren erweitert worden. In diesem Jahr wurden auch drei verschiedene Rad-Typen für die von Pferden gezogenen Wagen verwendet: Die gewöhnlichen Speichenräder aus Zinn, Räder mit aus gepreßtem Zinn nachgeahmter Gummibereifung und jene mit tatsächlicher Gummibereifung.

Nach der Röhm-Affäre von 1934, als Ernst Röhm und einige andere Bewerber um die Führung der NSDAP liquidiert worden waren, ging es mit der SA abwärts. Die SS, stark vergrößert, erlebte zusammen mit der HJ und dem BDM einen Aufstieg.

Ab den frühen 1930er-Jahren wurden die Hausser-Kataloge für einen zweijährigen Zeitabschnitt herausgebracht. Daher folgende Ausgaben: 1936/37, 1937/38, 1938/39 und 1939/40. Der zweijährige Zyklus gestattete mehr Flexibilität sowohl hinsichtlich Katalogdruck, als auch in der Figurenherstellung. Dies war notwendig um den ständigen Wechsel an Persönlichkeiten in den einzelnen Jahresproduktionen zu

a chart to show the different service colours, "Waffenfarben."
This time riflemen firing explosive caps and electric rat tat tat machine gunners, were a special feature. The Panzermen, the Flyers and Flak had all been expanded. This year also, three different types of wheels were used on horse drawn vehicles. The usual spoked in tinplate, pressed tin simulated rubber tyred and actual rubber tyred.

In 1934, after the 'Night of the Long Knives,' when Ernst Roehm and any other contender for Nazi party leadership was liquidated, the S.A. was on the way down and the S.S., greatly expanded, together with the H.J. and the B.D.M, was on the way up, the latter figures assumed greater prominence.

Hausser catalogues were, from the early thirties, produced to cover a two-year period. Thus catalogues run as follows: 1936/37, 1937/38, 1938/39, 1939/40. The two-year period allowed a greater degree of flexibility in both catalogue and figure production, which was necessary if the ever-changing personalities were to be included in any particular year's production. Thus it often happened that by the time a personality was in production he had been deposed or fallen from favour – Roehm 1934, Blomberg 1938. Thus, the 1936 catalogue shows the SA in the ascendency when in reality they were in decline, while the 1937 catalogue shows a much reduced SA contingent.
Commercial survival had to rule the day and, therefore, out of favour figures were either repainted, renamed or even 're-headed'!
There is, incidentally, no evidence of any catalogues being produced after 1940 until about 1954.

With the annexation of Austria in 1938, this year saw the introduction of traditional Austrian soldiers and flags. Trenches had been expanded to include modern Maginot Line forts and a shell shattered church.

Whilst Hausser did not include in this year's catalogue figures representing the Italian Abbysinian war, it is interesting to note that Haussers principal rival, Lineol, made a great feature of them, having one whole page devoted to the subject. The figures included were Italian Infantry, Alpine troops, Bersaglieiri and Fascisti. The Lion of Judah, Emperor Haille Selassie was shown with a bearer holding an umbrella;

erfassen. So geschah es oft, daß zu dem Zeitpunkt als eine Persönlichkeit in der Fertigung war, sie abgesetzt wurde, order in Ungnade fiel – Röhm 1934, Blomberg 1938. Daraus erklärt sich, daß der Katalog von 1936 die SA in aufsteigender Linie zeigt, obwohl sie in Wirklichkeit im Absteigen war, während der Katalog von 1937 einen viel geringeren Anteil in SA-Figuren aufweist.

Geschäftliches Überleben war das Gebot der Stunde und deshalb wurden Figuren, denen die Gunst entzogen war, entweder übermalt, umbenannt, oder sogar mit neuen Köpfen versehen! Es gibt, nebenbei bemerkt, keine Anzeichen dafür, daß nach 1940 bis um 1952 weitere Kataloge aus dem Druck kamen.

Mit dem Anschluß Österreichs 1938 erlebte dieses Jahr die Einführung traditioneller österreichischer Soldaten und Standarten. Die Schützengräben mußten erweitert werden, um moderne Festungen der damaligen Maginot-Linie sowie eine zerschossene Kirche aufnehmen zu können.

Da Hausser in seinem damals erscheinenden Katalog keine Figuren des gerade in diesem Jahr stattfindenden italienisch-abessinischen Krieges aufnahm, sicherte sich ein bekannter Hersteller namens Lineol den großen Verkaufserfolg, indem er diesem Thema eine ganze Seite widmete. Die ins Programm aufgenommenen Figuren waren italienische Infanterie-Gebirgstruppen, Bersaglieri (italienische Elite-Jägertruppen) sowie Faschisten; ferner der Löwe von Juda, Kaiser Haile Selassie, mit Baldachin, äthiopische Truppen in Uniform mit Mützen oder Fez, mit Fließgewändern und beladenen Packeseln.

Zu jener Zeit änderte die Firma Hausser, in Übereinstimmung mit der Wehrmacht, auch die Tarnfarbe der Fahrzeuge "Mimikri". Der Splitteranstrich wurde durch verschiedenfarbige Bänder ersetzt: schmutz- und lohfarben, sandfarben, braun etc. Auch belüftete Stahlhelme insbesondere für Scharfschützen fielen weg, obwohl Soldaten mit dieser besonderen Helmart sowie mit Gasmasken auch noch lange nach 1938 erhältlich waren. Wappenschilder, sogenannte "Decals", mit den Nationalfarben auf der einen Seite sowie dem Hoheitszeichen auf der anderen Seite, waren nicht so einfach erhältlich. Diese "Decals" wurden offiziell 1940 abgeschafft (B.L. Davies, "German Army Uniforms and Insignia" = "Deutsche Armeeuniformen und Abzeichen"), jedoch wurden sie noch einige Zeit danach weiterhin inoffiziell geduldet.

Es liegt an der Vielzahl der Uniformen und Abzeichen und daran, daß man das Tragen von bereits längst Abgeschafftem noch häufig weiterhin tolerierte, nicht zu vergessen manche "dichterische Freiheit"

Ethiopian troops in uniform with caps or Fez, with flowing robes and pack donkeys carrying supplies.

At this time, in keeping with the Wehrmacht, Hausser changed the vehicle camouflage, "Mimikri", from splinter type, to bands of varying colour: mud, sand, tan, brown etc. Also steel helmets, with ventilator cum sniper attachment plugs were discontinued, although it was possible to buy soldiers with this type of helmet, especially wearing gas masks, until late 1938. Helmet transfers, "Decals", national colours one side, national emblem other side, were not normally available. "Decals" were officially discontinued in 1940; (B.L. Davies, "German Army Uniforms and Insignia") although in real terms, "Decals" were unofficially tolerated for some time after.

It is the multiplicity of official comings and goings together with the unofficial tolerance of that which has been disbanded, coupled to the toy manufacturers poetic license and manufacturing time lags, that renders accurate dating of these figures almost impossible, except by examining historical reference books to determine when any particular unit, flag, piece of equipment was instituted or disbanded.

The 1940 catalogue shows still further additions: mountain troops, "Gebirgs Jager" in soft forage type caps, rucksacks and climbing boots, (mountain troops, commanded by General Dietel, climbed Mount Elbrus in the Caucasus during the Russian campaign); Hitler's bodyguard, "Leibstandarte Adolf Hitler", with cuffbands; recruits, wearing off-white fatigue uniforms, goose-stepping or doing knee bends with upraised rifles; fanfare trumpeters with swastika banners; and riflemen shooting up at aeroplanes. Cavalry included an English General, King Leopold of the Belgians, and horses at full gallop, bearing in mind that a great deal of the German Army was still horse-drawn. In fact, as late as 1942, Cavalry divisions were still being formed, Waffen SS 8th Kavallerie Division "Florian Geyer" being a notable example.

There were tripod machine guns for aerial defence, MG34 crewmen with foliage in their helmets; horse drawn multiple anti aircraft machine guns. For the first time the motor vehicle section was vastly expanded to include light passenger vehicles, Kubelwagen; six wheeled Krupp prime movers; half track infantry carriers; eight wheeled armoured cars.

von Spielwarenherstellern oder Produktionsverzögerungen, daß es heute fast unmöglich ist, diese Figuren zeitlich genau einzuordnen, es sei denn, man befragt Bücher oder sonstige Dokumente historischen Inhalts nach dem Zeitpunkt der Einführung oder der Abschaffung der verschiedensten militärischen Ausrüstungen, Standarten, Gegenstände usw.

Der 1940 herausgegebene Katalog zeigt weitere Ergänzungen: Gebirgsjäger in zünftiger Feldkleidung, mit Mütze, Rucksack und in Kletterstiefeln (unter der Führung von General Dietl bestiegen Gebirgsjäger während des Rußlandfeldzugs die Elbrus-Gebirgskette im Kaukasus), Adolf Hitlers Leibstandarte mit Manschettenbändern, Rekruten in altweißen Arbeitsanzügen, im Stechschritt oder niederkniend mit dem Gewehr im Anschlag, Fanfarenbläser mit Hakenkreuzbanner sowie Schützen nach Fliegern schießend. Die Kavallerie wurde ergänzt durch einen englischen General, König Leopold von Belgien, sowie durch Pferde im Galopp. Letzteres unter der besonderen Berücksichtigung, daß ein Großteil der deutschen Wehrmacht sich noch immer mit Pferdegespannen fortbewegte. Tatsache ist, daß noch 1942 Kavalleriedivisionen gebildet wurden, wie z. B. die 8. Kavalleriedivision der Waffen-SS "Florian Geyer".

Es gab Luftwaffen-Maschinengewehre auf Dreibeinen, MG 34 – Mannschaften mit Tarnblattwerk an den Helmen und pferdegezogene Mehrfach-Luftabwehr-Maschinengewehre. Erstmalig wurde die Fahrzeugabteilung durch leichte Passagierwagen (Kübelwagen), sechsrädrige Krupp-Zugmaschinen, Halbketten-Infanterietransporter sowie durch achträdige Panzerwagen erweitert.

Das Angebot der Festungen wurde durch Bunker der Siegfried-Linie und Panzerwagen-Höckerhindernisse etc. erweitert.

Die Produktion wurde bis 1942/43 fortgesetzt. Während dieser Zeit wurde die Herstellung von Rädern aller Art eingestellt, nur die Räder aus Mischmaterial blieben weiterhin im Programm.

Ebenso wie die Wehrmacht auf Grund verschiedener Ereignisse Änderungen erfuhr, änderten sich auch die Elastolin-Figuren. Die Produktion gegen Kriegsende umfaßte Tarnumhänge für Kopf und Schulter sowie Moskito-Netze; andere Umhänge wiederum hatten Helmschutz.

Die Fahrzeuge wurden nun mit einer einzigen Rundumlackierung in dunkelgrau versehen, sogenanntes Panzergrau. Die Antimagnetpaste Zimmerit zur Abwehr von Haftminen oder -bomben hatte dieselbe

Fortifications now included Siegfried line type bunkers and dragons teeth tank obstacles etc.

Production continued until late 1942/3. During this time all types of wheels were discontinued except those made in composition.

As the Wehrmacht changed owing to circumstance, so did Elastolin figures. Late war production were offered with camouflage sacking on head and shoulders or mosquito netting; others had helmet covers. Vehicles were now painted in a single overall darkish grey colour called Panzer grey. Zimmerit anti-magnetic paste, to combat limpet type mines or bombs, was conducive to this colour and this colour was continued both on toys and in reality on tanks until the end of both production and the war.

Figure paint now varied according to the paint available at the time, thus it is quite possible to have late war production figures in one colour only, brown, blue-grey, except for the face and hands. The figures themselves were not so well made, as materials became scarce so the quality of the moulding decreased. Thus these figures tend to split and corrode, but must be seen as representative of their time. It is often these late war production figures which bring all Elastolin type figures into disrepute. They still had a vigour that no other figures possess. Without doubt, in time they will become just as sought after as any other toy soldiers.

Farbe und diese Farbe wurde bis zum Kriegs- bzw. Produktionsende für Panzerwagen wie auch für Spielzeug-Militärfahrzeuge verwendet.

Zu dieser Zeit änderte sich auch die Farbe der Figuren. Da nicht mehr jede Farbe erhältlich war, konnte es sehr gut vorkommen, daß man Figuren der Kriegsendproduktion oft nur in einheitlichen Farben erhielt, z. B. braun oder blaugrau. Nur Gesicht und Hände waren andersfarbig. Die Qualität der Figuren war auch nicht mehr so gut. Da das Material knapp wurde, verschlechterte sich die Qualität der Formgebung. Oft geschah es, daß Figuren splitterten oder sich zersetzten – ein allgemeingültiges Attribut jener Zeit. Häufig war es gerade diese schlechte Produktion gegen Kriegsende, die Elastolin-Figuren in Mißkredit brachte, ihnen jedoch noch immer eine Aussagekraft verlieh wie sonst kaum irgendeiner Figur der damaligen Zeit. Zweifelsohne werden sie mit der Zeit genauso begehrt sein wie jeder andere Spielzeugsoldat auch.

In all cases figures illustrated are 7 cm high, unless indicated otherwise.

Soweit nichts anderes vermerkt, handelt es sich bei den abgebildeten Figuren um die 7 cm Größe.

10 cm Prussian guards, dress uniform. Early figures, which are not the same period of manufacture. Note the rectangular bases on the rear figures and their wizened appearance (see commentary on identification page 198). Also, helmet covers were not moulded, so they can only be detected by the lighter tone of the colour in a black and white photograph.

10 cm Preußische Garde, Paradeanzug. Die Figuren stammen nicht aus derselben Zeit. Beachten Sie den rechteckigen Sockel bei den hinteren Modellen und das runzelige Aussehen. Näheres im Kapital ''Identifizierung''. Der Helmschutz war zudem nicht modelliert und kann auf der Schwarzweiß-Aufnahme daher nur anhand des helleren Tons identifiziert werden.

Same period, but in field dress. Note the helmet covers on Picklehaube.   Aus derselben Zeit, jedoch in Felduniform.

Same figure as previous picture, but in winter clothing.

Note the full equipment on rear view.

Bemerkenswert ist die vollständige Ausrüstung, wie sie bei der Hinteransicht erkenntlich ist.

The West Point Cadet was made until 1936. The one shown is 10 cm and he had a 7 cm equivalent in the same old-fashioned style. After the war an improved 7 cm model was made, together with an officer with sword.

Der West Point Kadett wurde bis 1936 hergestellt. Das abgebildete Modell ist 10 cm groß, und es gab die Figur in derselben altmodischen Ausführung in 7 cm Größe. Nach dem Krieg wurde ein besseres 7 cm Modell hergestellt, wie auch ein Offizier mit Schwert.

Dieselbe Figur wie vorhergehende Abbildung, jedoch in Winterkleidung.

24

This later type of horse was made until 1936. The rider wears a navy blue uniform with yellow piping and hat band. He has a silver badge on his left chest. The horse's saddle cloth is brown with yellow edging. He was not an Imperial army officer. The double-breasted tunic of the Uhlans was quite a different cut. He is an honest New York Mounted Policeman.

Dies ist die spätere Pferdeart, die bis 1936 hergestellt wurde. Der Reiter trägt eine marineblaue Uniform mit gelbem Besatz und Mützenband. An der linken Brust ist eine Silbermedaille. Es war kein kaiserlicher Heeresoffizier! Der zweireihige Waffenrock der Ulane hatte einen ganz anderen Schnitt. Dies ist ein richtiger berittener New Yorker Polizist.

Horse-drawn British machine gun crew, with opening ammunition box under seat of the limber.

Pferdegezogenes britisches Maschinengewehr mit Mannschaft und Munitionsbehälter unter dem Sitz des ersten Wagens.

Baggage wagons. Available with two, four or six horses.

Bagage-Wagen, mit zwei, vier oder sechs Pferden erhältlich.

Hausser horse-drawn field ambulance. British crew. The two horses though quite different, but correct. 5 cm scale.

Hausser horse-drawn gun, limber etc, 6 cm size circa 1925.

Hausser pferdebespanntes Geschütz.

Bespannter Hausser-Feldkrankenwagen. Britische Mannschaften. Die zwei Pferde sind ganz verschieden aber richtig.

Horse-drawn field kitchen (also available in field grey).   Pferdebespannte Feldküche (auch in feldgrau erhältlich).

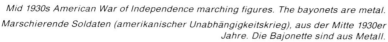

Prussian officer, standard bearer, and rifleman.
Preußischer Offizier, Fahnenträger und Gewehrschütze.

Mid 1930s American War of Independence marching figures. The bayonets are metal.
Marschierende Soldaten (amerikanischer Unabhängigkeitskrieg), aus der Mitte 1930er Jahre. Die Bajonette sind aus Metall.

British Guardsman, pre-1936.

Englischer Gardesoldat, vor 1936.

Attacking flag bearer, English.
Union Jack flag, gold work on flag.

Stürmender Fahnenträger, Engländer.
Union Jack-Fahne, mit Goldverzierungen
auf Fahne.

Belgian officer,
with drawn sword.

Belgischer Offizier,
mit gezogenem Degen.

French Zoave, pre-war.

Zuave, Vorkriegsproduktion.

Japanese infantryman (Manchurian war).

Japanischer Infanterist (Mandschurei-Krieg).

Boy scouts. They are post-war models, but are very rare. There was a theory, which I accepted, that these had been unused Jungvolk figure with the equestrian RCMP head added. Jungvolk did not carry poles, and the pole is an afterthought, always just pushed down through the right shoulder. I have now changed my mind. An army style pack was used by Jungvolk, and the Fahrtenmesser sheath knife was always clearly modelled. These figures have scout folding knives in a different position, secured by lanyards. The walking figure has an ordinary rucksack.

Pfadfinder. Es sind Nachkriegsmodelle, aber dennoch ziemlich selten. Früher stimmte ich der Theorie zu, daß dies übriggebliebene Jungvolk-Figuren sind, die mit dem Kopf der kanadischen "Mounties" ausgestattet wurden. Das Jungvolk trug keine Stange, und sie wurde hier erst nachträglich hinzugefügt. Jetzt bin ich anderer Meinung, denn das Jungvolk trug einen Rucksack, wie er in der Armee verwendet wurde, und das Fahrtenmesser war stets eindeutig zu sehen. Diese Figuren haben Klappmesser, die sie an anderer Stelle tragen. Die gehende Figur trägt einen normalen Rucksack.

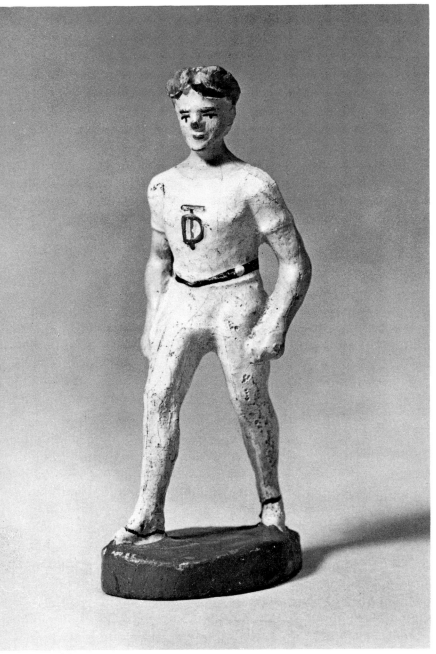
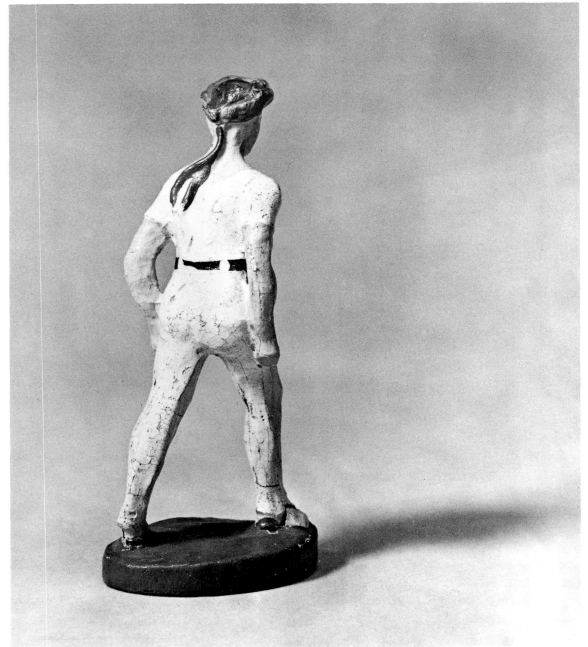

Five different posed attacking Indians, from different periods.   Fünf verschiedene Stellungen von angreifenden Indianern, nicht aus der gleichen zeit.

The horses are 1937 and post-war models. They were reproduced exactly in plastic in the early 1970s. The left leg of one is missing.

Die Pferde stammen von 1937 und aus der Nachkriegszeit. Anfang der 70er Jahre gab es sehr gute Plastik-Reproduktionen. Das linke Bein des einen fehlt – siehe Bemerkungen in vorhergehenden Kapiteln.

The stage coach is plastic with composition horses. The horses were replaced by plastic horses in the mid 1960s. The stage coach is a post-war model only.

Die Postkutsche ist aus Plastik mit Pferden aus Mischmaterial. Mitte der 60er Jahre wurden diese Pferde durch solche aus Plastik ersetzt. Die Postkutsche wurde erst nach dem Krieg hergestellt.

Mid 1930s American Indian wigwam scene. Note the woman with the papoose.   Aus der Mitte 1930er – Fertigung, amerikanisches Indianer- und Lagerleben. Bemerkenswert die Frau mit Wickelkind.

Early 1930s wigwam scene. Note the pipesmoker. All figures composition.   Lager-Szene aus den frühen 1930er Jahren. Bemerkenswert der Pfeifenraucher. Alle Figuren sind aus "Masse".

33

Part of an SA Band.
Teil einer SA Musikkapelle.

The gun is first shown in the 1935 catalogue. The figure is first shown in the 1939/40 catalogue.
Das Geschütz wird im Katalog von 1935 erstmals abgebildet, die Figur zuerst im Katalog von 1939/40.

Rare accordion playing SA figure.
Seltene SA Figur, Ziehharmonika spielend.

SA kettle drummer.
SA Kesselpauker.

SA march past.
Note Ernst Roehm, second left,
a very rare personality figure.

SA-Vorbeimarsch.
Bemerkenswert der Zweite von
links Ernst Röhm, eine sehr
seltene Figur aus der Serie der
"führenden Persönlichkeiten".

*Mid 1930s SA
and SS marching figures.
Note the composition flag
of nearest figure.*

*SA- und SS-Figuren
im Marsch aus der Zeit Mitte
der 1930er Jahre. Zu beachten
ist die ''Masse''-Fahne der
nächsten Figur.*

Close up. Note rifle-bearing SA man at right.   Nahaufnahme. Auffallend der gewehrtragende SA-Mann rechts.

Various mid 1930s mounted SA men.

Verschiedene berittene SA-Leute. Aus der Zeit Mitte der 1930er Jahre.

SA musicians standing to attention.
Kettle drums all bore swastika
and the drum sticks had china ends.

SA-Musiker, stillgestanden.
Die Kesselpauken tragen
alle das Hakenkreuz,
die Schläger haben am Ende Filzbälle.

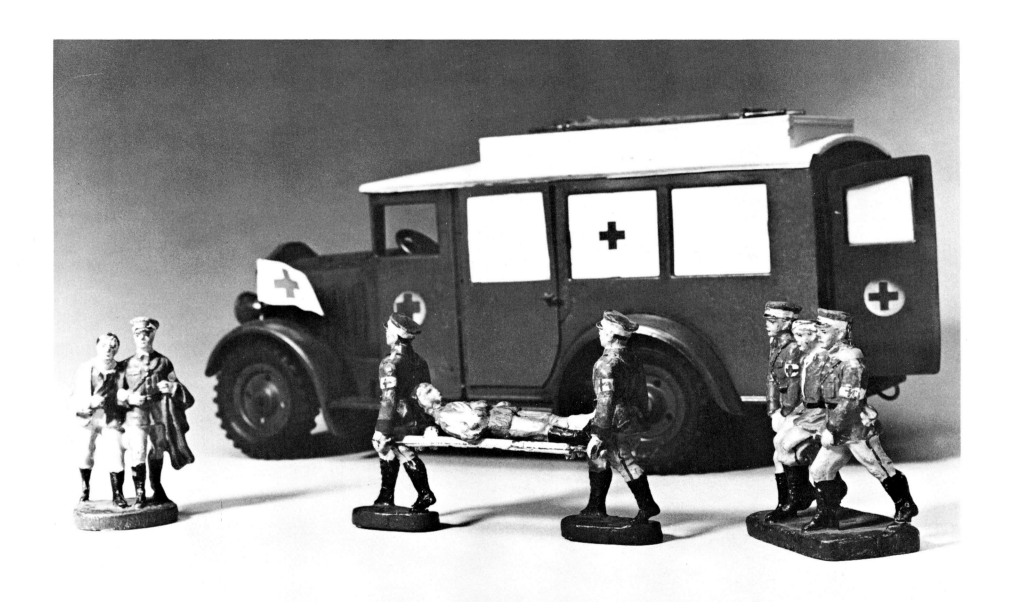

Ambulance unit. Note the peaked caps of the Red Cross men. Ambulance based on Phanomen Granit, circa 1935.

Sanitäts-Einheit. Auffallend sind die Mützen der Sanitäter. Der Krankenwagen stammt aus der Serie Phänomen Granit, um 1935.

Pioneers in fatigue uniforms, circa 1930   Pioniere im Drillichanzug, um 1930.

42

Various machine gun personnel dating from the period 1930–36.   Maschinengewehr-Bedienung aus der Zeit 1930–1936.

Mid 1930s heavy mortar group.
The mortar and man are moulded
in one piece. Versailles restrictions
made Germany rely on this type
or armament.

Schwere Mörsergruppe aus der Zeit
Mitte 1930. Der Mörser und die Bedienung
sind aus einem Stück hergestellt.

Clerk with typewriter
on collapsible wooden table.

Soldat mit Schreibmaschine.

Sentry boxes, wooden on left
tinplate on right.

Schilderhaus, links aus Holz,
rechts aus Blech.

Hausser machine gun and combination
in British Service dress.

Close-up of heavy machine guns.

Nahaufnahme von schweren Maschinengewehren.

Hausser Krad-Schützen.

The field kitchen shown is by Lineol, and is the 10 cm version attached to a 7 cm Elastolin limber and horses.

Die abgebildete Feldküche stammt von Lineol, und es ist die 10 cm Version, die an ein 7 cm Gespann von Elastolin gehängt wurde.

Machine gunners, ambulance men. These are the same figures with different heads.

MG-Schützen, Sanitäter. Es handelt sich um dieselben Modelle, jedoch mit verschiedenen Köpfen.

General 1930 Reichwehr figures, fairly crude and clumsy.   Reguläre 1930 Reichswehrfiguren, ziemlich grob und plump.

Mounted kettle drummer, mounted officer with drawn sword, circa 1934.   Kesselpauker zu Pferd, Musikmeister, um 1934.

1936. Black uniformed Panzermen. Padded beret discontinued after 1940. Head and torso were only figures sold with tanks.

Panzermänner in schwarzer Uniform. Das als Stoßschutz gepolsterte Barett wurde nach 1940 abgeschafft. Figuren, die lediglich aus Kopf und Körper bestanden, wurden nur zusammen mit Panzern verkauft.

1938 new 4 cm size marching figures showing comparison with 7 cm figure. The moulding of the 4 cm figures was particularly fine and realistic.

1938er – Fertigung neuer 4 cm-Figuren, marschierend, die den Unterschied gegenüber den 7 cm-Figuren aufzeigen.

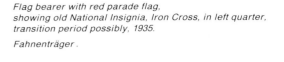

Flag bearer with red parade flag,
showing old National Insignia, Iron Cross, in left quarter,
transition period possibly, 1935.

Fahnenträger .

Morse code set, battery operated, with original box.
The aerial is stuck into the set, it should be in a hole in
the ground to the right of the set. It is shown correctly on
page 56.

*Funkergruppe, batteriebetrieben, mit Originalverpackung.
Die Antenne ist in das Gerät gesteckt, sollte aber in einem
Loch im Boden rechts neben dem Gerät stehen; korrekt
abgebildet auf Seite 56.*

The Luftwaffe standard bearer is a home conversion. The figure is an ordinary SS man
whose arm band is visible. One-handed standard bearers were not made in this way.

*Der Luftwaffe Fahnenträger wurde in ''Heimarbeit'' umgewandelt – es ist eine gewöhnliche
SS-Figur, die Armbinde ist gut zu erkennen. Fahnenträger mit einem Arm wurden nicht in
der Form hergestellt!*

The flag bearers: left (1934) attacking flag bearer, composition flag. Right (1934) marching flag bearers, composition flags, centre (1936/38) flag bearers, same figures with metal flags and much better definition.

Die Fahnenträger: links (1934) Fahnenträger im Sturm, "Masse"-Fahne, rechts (1934) marschierende Fahnenträger, "Masse"-Fahnen, Mitte (1936/38) Fahnenträger, dieselben Figuren mit Metallfahnen und viel ausgeprägterer Exaktheit.

Fanfare trumpeter.

Fanfarenbläser.

1936/37 Wehrmacht conscripts. The figure in the middle is the
German equivalent of a sergeant major.

Wehrdienstpflichtige um 1936/37.
Die Figur in der Mitte ist der Hauptfeldwebel.

The field kitchen is by Lineol. The difference is that the lid of the Lineol cauldron open
on a diagonal axis, while that of Eiastolin opens at right angles to the front and back.
This is true of the 7 cm version as well.

Die Feldküche stammt von Lineol. Das kann man am Deckel erkennen, der sich beim
Lineol-Kessel diagonal öffnet, bei Elastolin aber im rechten Winkel zur Vorderseite.
Dies gilt auch für die 7 cm Version.

Various marching sailors including musicians.
Note Gross Admiral Raeder in the background.

Verschiedene marschierende Seeleute einschließlich Musik. Zu beachten Großadmiral Raeder im Hintergrund.

1936 – Recruiting under officer. Putting recruits through training, physical exercises and goose stepping. Note some figures wearing fatigues so as not to spoil new issue uniforms.

1936 – Rekruten-Unteroffizier. Rekruten-Ausbildung (Exerzieren, Leibesübungen und Stechschritt). Bemerkenswert, daß einige Figuren Drillich-Anzüge tragen, um zu vermeiden, daß neu ausgegebene Uniformen verschmutzt werden.

3-tier Schellenbaum or "Jingling Johnny".
Note the swallow's nest on the shoulders
(N.B. The swastika at top has been overpainted
at the factory in the national colours
black, white & red).

Dreiteiliger Schellenbaum oder "klingelnder Hans".
Zu beachten sind die Schwalbennester auf den
Schultern. (Das Hakenkreuz wurde in der Fabrik
in den Nationalfarben übermalt, schwarz/weiß/rot.)

Further view of mounted
kettle drummer, but note the
realistic remodelling of the helmet
from pudding basin to proper helmet.
Dates from 1936 or 1937. (See page 47).

Wie Seite 47, jedoch ist die
wirklichkeitsgetreue Wiedergabe
des Helmes von der
Puddingschüssel bis zum
richtigen Helm bemerkenswert.
Stammt aus 1936 oder 1937.

Airman with propeller.

Flieger, Propeller tragend.

53

Front and rear view of eleven different types of marching soldiers ranging from the 1930s to 1943. Note entrenching tools, bread bags, gas mask containers, etc.

Vorder- und Rückseiten-Ansicht von elf verschiedenen Modellen marschierender Soldaten aus der Zeit von 1930 bis 1943.

Skier.

Schneeschuhläufer.

Backup crew for 10.5 cm howitzer.

Reserve-Mannschaft für 10,5 cm Haubitze.

Machine gun crew. The figure lying with LMG on the right is Lineol 5/162.

Maschinegewehr-Bedienung. Die liegende Figur mit dem leichten Maschinengewehr rechts ist Nr. 5/162 von Lineol.

Aerial defence. Machine gun tripod mounted

Luftverteidigung.

<   Communications group: morse code and signaller actually work.

Nachrichten-Gruppe. Morsegerät und Blinker können richtig morsen bzw. blinken.

Various marching Luftwaffe, mainly war production (Kriegsproduktion). Note Göring, porcelain head in background. The fake standard bearer again! Please note the base of the marching officer front third from left, in forage cap. The defect on the side, and his texture, reveals him as a fake.

Verschiedene marschierende Luftwaffe-Figuren, vorwiegend Kriegsfertigung. Bemerkenswert Göring mit Porzellankopf, im Hintergrund. Hier ist wieder der nachgebaute Fahnenträger. Beachten Sie den Sockel des marschierenden Offiziers vorne, der dritte von links, mit Feldmütze. Der Fehler an der Seite und die Textur weisen die Figur als unecht aus. Ein gutes Beispiel.

57

Various 1930s riflemen behind barricade. Note the trench binoculars and gas-masked rifleman.

Verschiedene Gewehrschützen in Deckung, um 1930. Bemerkenswert ist das Scheren-Fernrohr und der Gewehrschütze mit Gasmaske.

This is pontoon paddler No. 662/3 with his paddle blade removed and an unsuitable flag pushed over the top of the paddle pole. However, if you look at the attacking set on the top of page 9 of the 1939/40 catalogue you will see that this figure was perpetrated by Elastolin.

Dies ist der rudernde Pionier Nr. 662/3, wobei das Paddel durch eine unpassende Flagge ersetzt wurde. Ein Blick auf Seite 9 des Katalogs von 1939/40 zeigt allerdings, daß Elastolin diese Figur tatsächlich so verkaufte.

Attacking infantry, various poses, circa 1938.

Fünf angreifende Infanteristen, um 1938.

The grenade thrower on the far left was a 1935 Reichsheer model, still made as a Swiss figure in the late 1960s. So were the camp figures and the lying rifleman (page 61).

Der Granatenwerfer ganz links war ein Reichsheer-Modell von 1935, wurde aber noch Ende der 60er Jahre als Schweizer Figur hergestellt – ich habe eine ganze Schachtel mit ihnen. Das gleiche gilt für die Lagerfiguren und die Schützen (Seite 61).

Flamethrower.

Flammenwerfer.

Washing and cleaning! Note the attention to the normal daily functions.

Waschen und putzen! Beachtlich ist die Hingabe an die regulären täglichen Tätigkeiten.

Soldier carrying wounded soldier.

Sanitätssoldat Verwundeten tragend.

Mid 1930s. Various prone figures with revolver, binoculars and rifle.

Mitte 1930. Verschiedene Figuren mit Pistolen, Feldstecher und Gewehr.

Machine gun crew, MG34 in light action role, circa 1942.

Maschinengewehrbedienung, MG 34, gegen 1942.

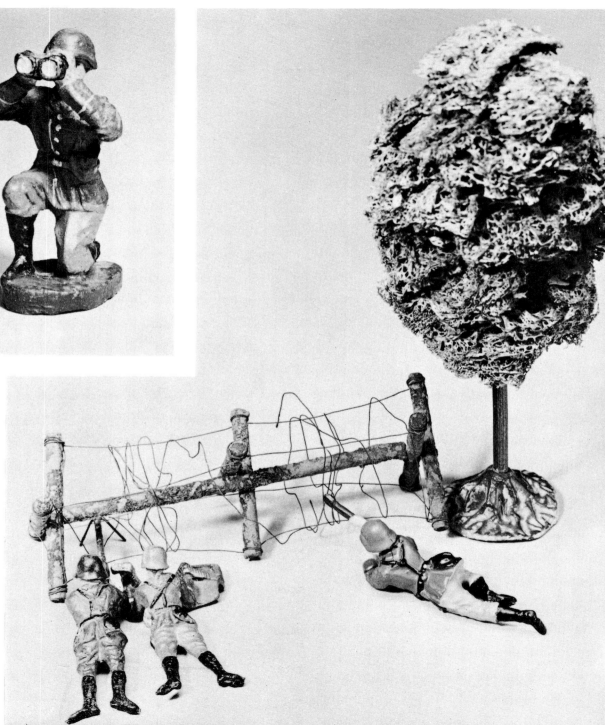

Group at barbed wire. Note the wire cutting figure on the right. This moulding doubled as prone officer with pistol.

Stoßtrupp am Drahtverhau. Zu beachten, die Figur beim Drahtschneiden.

This is the later rare version of the Feldwagen with the spare wheel on the back. It was sold post-war in Switzerland, having been introduced in 1936. The lying figure on the right is Lineol model No. 5/224, and there are very few Elastolin items in the bivouac scene shown below. The bakery wagon has Lineol horses. The field kitchen unit at the back is Lineol, the one at the front is a cheap product of an inferior firm, as is the Feldwagen at the back.

Dies ist die spätere, seltene Version des Feldwagens mit dem Ersatzrad hinten. Sie wurde 1936 eingeführt und nach dem Krieg in der Schweiz verkauft. Die liegende Figur rechts ist das Lineolmodell Nr. 5/224, und in der Biwak-Szene unten sind nur wenige Objekte von Elastolin. Der Bäckerwagen hat Pferde von Lineol, die Feldküche hinten ist von Lineol, diejenige vorne ist das Billigprodukt einer minderwertigen Firma, und ebenso der Feldwagen hinten.

Stretcher bearers with nurse.   Sanitäter mit Bahre und Krankenschwester.

Hospital scene.
This picture illustrates how Lineol figures, (most of which can be identified by the square bases) could be integrated with those of their chief rival. The products of Lineol will form the subject of the second book in this series.

Lazarett-Szenerie.
Dieses Bild illustriert wie LINEOL-Figuren, (von denen die meisten an dem viereckigen Sockel erkenntlich sind) mit solchen ihres Hauptbewerbers zusammengefaßt werden können. Die Erzeugnisse von Lineol sind Gegenstand des zweiten Buches in dieser Serie.

Hausser field gun and lorry (English troops) supplied with canvas tilt (not shown) opening doors, drop tailgate, etc.

Hausser Feldgeschütz und Lastkraftwagen (englische Besatzung) mit Segeltuchplane ausgestattet (nicht abgebildet), Türen, sowie Pritsche etc., können geöffnet werden.

Hausser ambulance, grey/blue colour.

Hausser-Sanitätswagen, grau/blaue Bemalung.

Rear top view. Driver, map reader, movable arm general, adjutant.

Hintere Oberansicht, Fahrer, Kartenleser, General mit beweglichem Arm, Adjutant.

Front view of Horch
staff car with camouflaged
hood lowered.
Note the divisional insignia
EISMEER on
left mudguard.

Vorderansicht von
''Horch''-Stabswagen mit
offenem, mit Tarnanstrich
versehenem Verdeck.
Zu beachten das
Divisionszeichen EISMEER
auf dem linken Kotflügel.

Side view with hood down.   Seitenansicht bei heruntergeklapptem Verdeck.

Hausser Krupp 6-wheel prime mover. Late war production in panzer grey. >
Movable indicators, steering, openable ammunition panniers. Full crew and gun
racks, clockwork, c.1943 (hood down). Note wooden planks carried to get the
vehicle over muddy roads.

Hausser-"Krupp" 6-rädrige (dreiachsige) Zugmaschine. Spätere Kriegsproduktion in
panzergrau. Bewegliche Winker, Lenkung, zu öffnende Munitionsbehälter.
Vollständige Besatzung und Gewehrständer. Uhrwerkantrieb. (Verdeck
heruntergeklappt). Zu beachten sind die mitgeführten Holzdielen die dem Fahrzeug
über sumpfige Wegstrecken helfen sollen.

Line up: Four Hausser vehicles, (late 1930s), Horch staff car, three Krupp prime
movers, flak gun, lorried infantry, and searchlight.

Obere Reihe: Vier Hausser-Fahrzeuge, (aus späten 1930er Jahren), "Horch".
Stabswagen, drei "Krupp"-Zugmaschinen, Flugzeugabwehr-Kanone, auf LKW
verladene Infanterie und Scheinwerfer.

66

Horch staff car. Electric headlamps, indicators, handbrake, general staff pennant, demountable hood. Clockwork. Opening rear panniers, c.1937.

Hausser-''Horch'' Stabswagen (Kübel), elektrisches Licht, Winker, Handbremse, Stander, abnehmbares Verdeck, hinten zugänglicher Gepäckraum, Uhrwerkantrieb.

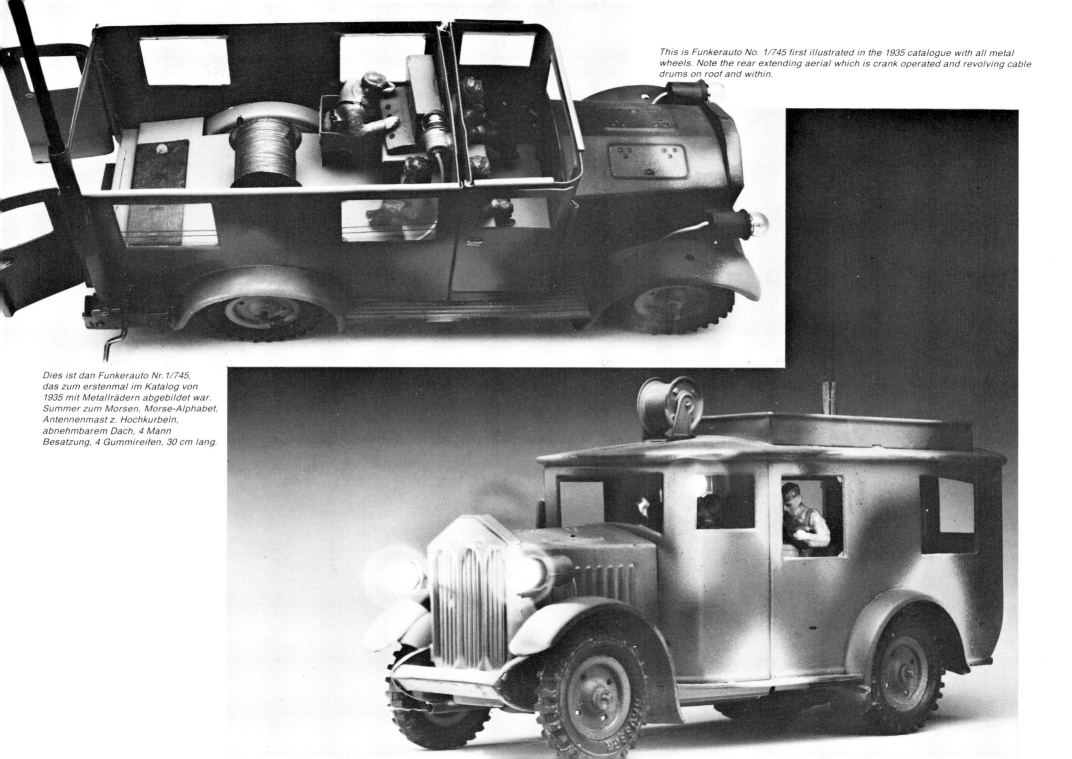

This is Funkerauto No. 1/745 first illustrated in the 1935 catalogue with all metal wheels. Note the rear extending aerial which is crank operated and revolving cable drums on roof and within.

Dies ist dan Funkerauto Nr.1/745, das zum erstenmal im Katalog von 1935 mit Metallrädern abgebildet war. Summer zum Morsen, Morse-Alphabet, Antennenmast z. Hochkurbeln, abnehmbarem Dach, 4 Mann Besatzung, 4 Gummireifen, 30 cm lang.

Field piece with detachable barrel for mountain operations.

Feldgeschütz.

Flugzeugabwehrkanone (FLAK – anti-aircraft gun) No. 718/1.

Flugzeugabwehrkanone (Flak) Nr. 718/1.

Angle view of Krupp searchlight vehicle, illustrating indicators, steering electric headlamps, rotating working searchlight, command flag.

Winkel-Ansicht vom ''Krupp''-Scheinwerfer-Fahrzeug, Winker, Lenker, elektrische Vorderleuchten, verstellbarer funktionierender Scheinwerfer, Stander.

70

Hausser Krupp six-wheeler Flak lorry.

Seiten- und Vorderansicht von ''Krupp''-Flak-LKW.

Angle view illustrating quality of pressing and working parts.

Horse-drawn Hausser 788/2 multiple anti-aircraft machine gun.   Pferdebespanntes Hausser 788/2 Mehrfach-Luftabwehr-MG.

Hausser Infantry Mountain gun.   Hausser Gebirgsgeschütz.

The rubber-tyred anti-tank gun illustrated in the catalogue from 1936. The metal-wheeled version is either a conversion (look carefully at the way the wheel is fitted to the axle) or an unfortunate wartime expedient.

Das Panzerabwehrgeschütz wurde in Katalogen ab 1936 abgebildet. Die Version mit Metallrädern ist entweder eine Konversion (man muß genau betrachten, wie das Rad an die Achse befestigt ist) oder eine wenig gelungene Kriegs-Sparmaßnahme.

Front view of Krupp prime mover without electric headlamps.

"Krupp"-Zugmaschinen mit und ohne elektrische Beleuchtung.

Hausser staff car, late war production. Note lack of embellishments, electric lights, indicators etc.

Hausser Stabsfahrzeug, späte Kriegsfertigung.

Krupp vehicle towing 105 mm howitzer with pressed steel wheels.

"Krupp"-Zugmaschine mit angehängter 105 mm Haubitze.

SS flag bearer Jakob Grimminger.

Mid-1930s SS figures in shirtsleeves, overcoats, kepis, peaked caps, etc.   SS-Figuren, hemdsärmelig, Mantel etc. Aus der Zeit Mitte der 1930er Jahre.

Jakob Grimminger, Träger der "Blutfahne" vom 9.11.1923 (Marsch zur Feldherrnhalle München).

Various marching Hitler youth.

Verschiedene marschierende Hitlerjugend-Figuren.

Various marching Labour corp RAD (Reich Arbeits Dienst). The torches actually illuminate by battery. Detachable picks, shovels etc.

Verschiedene marschierende RAD Reichsarbeitsdienst-Figuren. Die Fackeln können tatsächlich durch Batteriestrom beleuchtet werden.

General SS march past. Musicians, flags and standard bearers. The Hitler figure on rostrum has porcelain head. The figures in steel helmets are meant to be Leibstandarte Adolf Hitler, the ones in peak caps the 'other lot'.

SS-Vorbeimarsch, Musiker, Flaggen-Standartenträger. Die Hitler-Figur auf der Rednertribüne hat einen Porzellankopf. Die Figuren mit Stahlhelm sollen Hitlers Leibstandarte darstellen, diejenigen mit Schirmmützen die ''anderen''.

Reichsarbeitsdienst (RAD) (Labour Corps), in which everyone did compulsory labour for the State. The two electric torch bulbs still light.

Reichsarbeitsdienst (RAD) in dem jeder Mann Pflichtdienst für das Volk leistete. Die zwei elektrischen Glühbirnen (Fackeln) sind noch intakt.

Late 1930s. Hitler youth group. Jungvolk.   Aus den späten 1930er Jahren, Hitler-Jugend-Gruppe, Jungvolk.

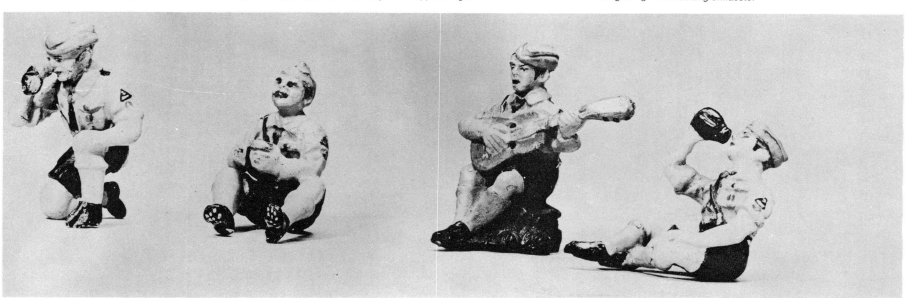

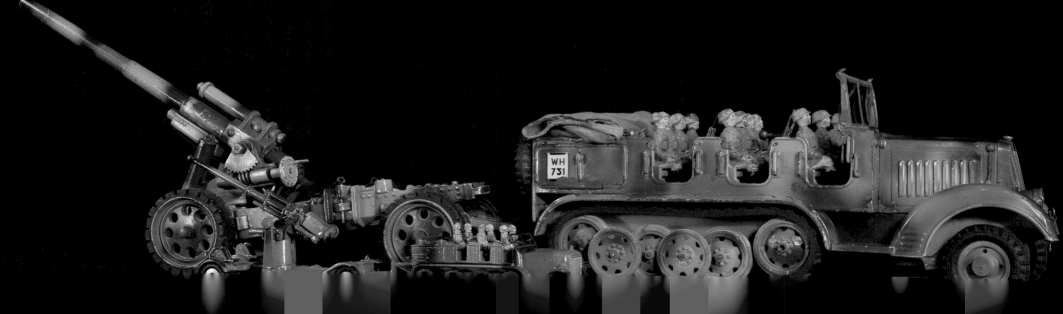

< *Elastolin – Parade.*

Elastolin – Parade.

Jungvolk, with pennant – summer uniform

Jungvolk, mit Wimpel – Sommeruniform.

Hitler Youth Jungvolk. Extremely rare colour party. The fanfare trumpets feature a single white rune on a black banner. (Note different drum colours).

Hiter-Jugend Jungvolk. Äußerst seltene farbige Gruppierung. Das Fanfarentuch zeigt eine einzelne Weiße Rune auf schwarzem Grund (zu beachten sind die verschiedenen Trommel-Farben).

Jungvolk, flagbearer, winter uniform.

Jungfolk, Fahnenträger Winteruniform.

Various marching young Hitler youth – Jungvolk – in winter and summer dress, including one girl BDM (Bunde Deutches Mädel).

Verschiedene marschierende Jungvolk-Figuren in Winter- und Sommerkleidung, einschließlich eines BDM-Mädchens (Bund deutscher Mädel).

< *Hausser's prime mover and gun based on the Bussing NAG medium half-track and the K18 field gun represented the top of the range. Introduced in 1938 the combined unit measured 85cm. The diecast model in the foreground is a contemporary version by Marklin.*

Haussers geländegängige Zugmaschine mit schwerer Feldhaubitze repräsentiert die Spitz der Kollektion, herausgebracht im Jahre 1938, Gesamtlänge des Zuges 85 cm. Das Spritzgußmodell im Vordergrund ist eine zeitgenössische Version von Märklin.

Fine Leibstandarte Adolf Hitler
flag bearer goosestepping
in dress uniform, with the Leibstandarte
Adolf Hitler flag (black border).
Note special sash and cuffband.

*Gut ausgeführte Figur eines Fahnenträgers
der Leibstandarte Adolf Hitler im
Paradeschritt und in Gala-Uniform,
mit der Fahne der Leibstandarte Adolf Hitler
(schwarze Einfassung). Zu beachten ist die
spezielle Schärpe und Manschette.*

Two Leibstandarte Adolf Hitler soldiers – Hitler's personal guard.
Zwei Soldaten der Leibstandarte ''Adolf Hitler'' – Hitlers Leibwache.

Krupp vehicle towing 88 mm flak-gun.

"Krupp"-Zugmaschine mit angehängter 88 mm Flugzeugabwehr-Kanone.

Flak gun and crew of late 1930s.

Flugzeugabwehr-Kanone mit Bedienung aus den späten 1930er Jahren.

Infantryman, cap firing mechanism produces smoke from tin gun barrel.
Infanterist, Zündplättchenmechanismus erzeugt Rauch aus dem Lauf des Blechgewehrs.

Goering, von Blomberg, Hitler, Franco taking goose-stepping march past.
Göring, von Blomberg, Hitler, Franco, bei Paradeabnahme.

Battle scene with defensive emplacement.

Gefechtsszenerie mit Verteidigungsstellung.

10.5 cm howitzer, main gun of German Army, and crew.

10,5 cm Haubitze und Bedienung.

Abyssinian War.
Circa 1937. An Ethiopian marching barefoot. This kind of uniform was worn by regular troops of Haille Selassie, but they did not have collars and ties like this model. Although the feet of the model are painted in the same Ethiopian skin colour as the face the modelling is of boots. The irony is that this is a model of an Italian soldier. It is not catalogued, but if you look at old photographs of Hitler reviewing the march past of Italian troops when he visited Rome in 1938 you will see the identical uniforms 'en masse'. Perhaps they are Italian Air Force, but they are definitely Italian models. All other Ethiopians were khaki painted Reichsheer figures with Belgian or British officers' peaked caps. Reichsheer marching figures were unsuitable because they shouldered arms on the left shoulder.

Two Wehrmacht infantry figures displaying National Socialist eagle and National insignia on the helmets.

Zu beachten, Emblem mit Nationalfarben auf Helm, rechte, und Reichsadler, linke Seite.

Um 1937. Ein marschierender abessinischer Soldat barfuß. Diese Art Uniform wurde von regulären Soldaten Haile Selassies getragen, hatte aber keinen Kragen wie diese Figur. Die Füße sind zwar in der gleichen dunklen Hautfarbe wie das Gesicht bemalt, modelliert sind aber Stiefel. Ironischerweise ist dies nämlich das Modell eines italienischen Soldaten! Es ist nicht katalogisiert, aber identische Uniformen finden sich auf Aufnahmen von Hitlers Besuch in Rom im Jahr 1938. Vielleicht gehören sie zur italienischen Luftwaffe, sind aber eindeutig italienische Figuren. Alle anderen Äthiopier waren Reichsheerfiguren mit den Schirmmützen belgischer oder britischer Offiziere, khaki bemalt. Die marschierenden Reichsheerfiguren eigneten sich nicht, weil sie die Waffen links trugen.

Infantryman charging with MG 42,
with camouflaged sacking over shoulders.
Late war production. 1943.

*Infanterist mit MG 42 im Tarnanzug.
Späte Kriegsfertigung.*

Stretcher bearers, with helmet covers, late war production.

Sanitätssoldaten mit leerer Bahre (Helme mit Tarnüberzug) – späte Kriegsfertigung.

Red Cross group: stretcher bearers (1942) one with sand helmet cover and one
with netting cover, experience gained from Russian front actions.

*Sanitäter-Gruppe: Bahrenträger (1942) einer mit sandfarbiger Helmtarnung und einer
mit Tarnnetz.*

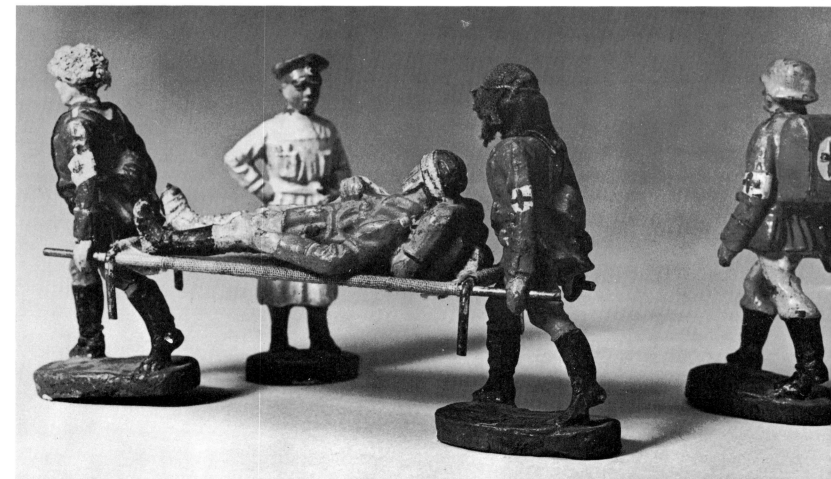

General with movable arm.
Unknown personality.

*General mit beweglichem Arm,
ohne Bezug zu einer Persönlichkeit*

Officer on parade,
with drawn sword held at side.

*Offizier bei Parade,
Degen umgeschnallt.*

Luftwaffe general with baton. Movable arm.
Personality unknown. It was unusual
to issue a figure with a movable arm without
it being a figure of somebody in particular.
Hugo Sperrle was issued by another company
after March 1939.

*Luftwaffe-General mit (Kommando)-Stab.
Beweglicher Arm. Nicht persönlichkeits-
bezogen. Es war nicht üblich eine Figur mit
einem beweglichen Arm herauszubringen ohne
Persönlichkeitsbezug.*

The blue and yellow standard is the Swedish national flag. Sweden was an
unoccupied neutral country during the war. The figure in gaiters next to the
Swedish standard bearer is probably an ordinary Swedish soldier; they
wore gaiters not jack boots. Norwegian and Danish soldiers were made by
Elastolin, who painted English guards figures as Royal Danish Guards, but
I doubt if much Elastolin was sold in either Denmark or Norway during the
occupation.

*Die blau-gelbe Fahne ist die schwedische Flagge. Schweden war während
des Kriegs nicht besetzt und ein neutrales Land. Die figur daneben in
Gamaschen ist vermutlich ein schwedischer gemeiner Soldat, denn sie
trugen Gamaschen und keine Stiefel. Norwegische und dänische Soldaten
wurden von Elastolin zwar produziert – sie bemalten englische Garden als
königliche dänische Garde –, aber ich bezweifle, daß Elastolin während
der Besatzung in Dänemark oder in Norwegen verkauft wurde.*

Personality Figures
Persönlichkeitsfiguren

Before the Third Reich, Hausser manufactured five personality figures, namely, Frederick the Great, Ziethen and Seydlitz, all on horseback, Hindenburg on horse, foot and civilian; one foreign, Washington on horse and foot, making eight types in all.

By 1936, personality figures had risen to thirteen but, due to different stances, uniforms etc. one could purchase up to twenty two different sorts. Hitler alone was listed in seven different poses and uniforms, ranging from wearing a civilian raincoat, to seated for a motor car. Military types now ——

Vor der Zeit des Dritten Reiches stellte die Firma Hausser fünf Figuren bekannter Persönlichkeiten her: Friedrich den Großen, Ziethen und Seydlitz, alle hoch zu Pferde, Hindenburg zu Pferd, zu Fuß und als Zivilist. Dazu eine ausländische Berühmtheit, Washington, zu Pferd und zu Fuß. Das ergibt insgesamt acht Figuren.

Die Zahl der angebotenen Persönlichkeiten stieg bis 1936 genau auf dreizehn, doch auf Grund verschiedener Uniformen und Darstellungen konnte man unter zweiundzwanzig Figuren wählen. Hitler allein gab es in sieben verschiedenen Posen und Uniformen, unter anderem bekleidet mit einem bürgerlichen Regenmantel oder sitzend für ein

Personalities line up.
Left, von Blomberg, von Mackensen,
Goering (porcelain head), Mussolini,
in peaked cap (porcelain head),
Mussolini with fascist cap and
mounted Mussolini (porcelain head),
Hitler with porcelain head,
Hitler with fixed raised arm,
Hitler with movable arm,
Hitler in civilian dress
and General Guisan.

Führende Persönlichkeiten, von links,
von Blomberg, von Mackensen,
Göring (Porzellankpf),
Mussolini mit Mütze (Porzellankopf),
Mussolini mit Faschistenmütze und
Mussolini zu Pferd (Porzellankopf),
Hitler mit Porzellankopf,
Hitler mit festem, erhobenem Arm,
Hitler mit beweglichem Arm,
Hitler in Zivil und General Guisan.

included Imperial First Quartermaster General, Ludendorff, Von Mackensen, in the uniform of the Death's Head Hussars, General of Army, Von Blomberg ("The Rubber Lion"), and Admiral Raeder.

1936 also saw the beginning of portrait figures with heads made of porcelain. The heads were made separately by Messrs. Hartwig, Katzhutte of Thuringia who, incidentally, no longer exist.

This substitution of porcelain for a composition head was not done to every personality figure at once but to certain figures over a period of some years. They were made simply because a better facial impression could be obtained and, contrary to popular belief, for no other reason. Because of the manufacturing time lag, stocks of figures held and the popularity of the individual figure, it was possible to obtain a porcelain headed Hitler or Goering in 1936, but the only other three porcelain headed figures made, Mussolini, Franco and Hindenburg, not until 1937-38-39 respectively.

The manufacture of the actual figure in no way differed from any other figure, except that it was finished to an even better standard, the head was then plugged in and the figure finished off in the normal way.

The 1940 catalogue illustrates twenty five differently posed portrait figures, of which four were of Von Blomberg, now un-named, Mussolini on foot and horse, Franco and Baldur Von Shirach, Hitler's Youth Leader, now illustrated for the first time. Strangely enough, Leopold King of the Belgians, is also included, but all the old historical figures, Frederick the Great, Washington, Hindenburg etc. were omitted.

About this time there sprang up in Germany "Secret" personality figures. These were personalities who had been popular with the regime at some time, but later fell from favour. They included Ernst Roehm, Chief of the S.A., General of Infantry, Walther Reinhardt, deposed 1934, Von Fritsch and Von Blomberg 1938, Hess and Raeder 1941. These figures, prior to their fall, were mentioned by name but afterwards were still issued, but anonymously, as General, Admiral etc.

Auto. Die militärischen Berühmtheiten enthielten nun auch Generalstabschef Ludendorff, von Mackensen in der Uniform der Totenkopfhusaren, General der Armee von Blomberg sowie Admiral Raeder.

1936 enstanden dann Porträt-Figuren mit Porzellanköpfen. Dies Köpfe wurden gesondert hergestellt von der Firma Hartwig, Katzhütte in Thüringen, die jedoch, nebenbei bemerkt, nich mehr existiert.

Nicht jede Persönlichkeitsfigur erhielt einen Kopf aus Porzellan, viele jedoch über eine lange Zeit hinweg. Man wandte diese Herstellungsmethode besonders deshalb an, um einen besseren Gesichtsausdruck zu erreichen. Es gab keinen anderen Grund dafür, wie vielfach fälschlicherweise angenommen wird. Auf Grund der Verzögerungen bei der Herstellung, großer Lagermengen sowie der Popularität einzelner Figuren konnte es vorkommen, daß man 1936 einen Hitler oder Göring mit Porzellankopf erhielt, dagegen die einzigen anderen drei Figuren mit Porzellanköpfen, Mussolini, Franco und Hindenburg, nicht vor 1937, 1938 bzw. 1939.

Die Herstellung dieser Figuren unterschied sich in keiner Weise von der anderer Figuren, nur daß in der Bearbeitung mehr Wert auf einen höheren Standard gelegt wurde. Der Kopf wurde einfach aufgesteckt und die Figur danach in der normalen Weise vollendet.

Der Katalog von 1940 enthält 25 unterschiedlich posierende Porträtfiguren, von denen vier von Blomberg, der jetzt namenlos erscheint, Mussolini zu Fuß und zu Pferd, Franco und Baldur von Schirach, Hitlers Jugendführer, der jetzt zum ersten Mal erscheint, zeigen. Seltsamerweise erscheint auch Leopold, König von Belgien, wohingegen all die anderen historischen Figuren wie Friedrich der Große, Washington, Hindenburg usw. weggelassen wurden.

Etwa zu dieser Zeit erschienen in Deutschland zum ersten Mal "Geheimdienstler". Dies waren Persönlichkeiten, die zu Zeiten des Regimes recht gut angesehen waren, später jedoch etliches an Popularität einbüßten. Als Figuren erschienen Ernst Röhm, Chef der SA, Infanterie-General Walter Reinhardt, der 1934 abgesetzt wurde, von Fritsch und von Blomberg 1938, Heß und Raeder 1941. Zur Zeit ihres Auftretens wurden diese Figuren unter ihrem Namen angeboten, nach ihrem Verschwinden nur noch anonym als Admiral, General usw.

Personality figures. Left, General von Blomberg, called by Hitler 'The Rubber Lion'. Right, Field Marshal von Mackensen, wearing Death's head Hussars uniform.

Führende Persönlichkeiten. Links, Generalfeldmarschall von Blomberg, von Hitler als "der Gummilöwe" bezeichnet. Rechts, Generalfeldmarschall von Mackensen in Totenkopfhusaren-Uniform.

Rear view of von Mackensen figure showing inserted metal sabretuche sword trapping. Very rare figure.

Hinteransicht der von Mackensen-Figur, die die engebaute Säbeltasche aus Metallzeigt. Sehr seltene Figur.

Mid to late 1930s personality figures. Left to right:
Goebbels in party uniform,
von Schirach – Hitler Youth leader, the Fuehrer
Adolf Hitler in SA uniform,
Goering in early Luftwaffe uniform.

*Persönlichkeits-Figuren aus der Zeit von Mitte bis
Ende der 1930er Jahre. Von links nach rechts:
Goebbels in Partei-Uniform, von Schirach –
Hitlerjugend-Fuhrer, der Führer Adolf Hitler in
SA-Uniform, Göring in früherer Luftwaffeuniform.*

Same group with movable arms.

Dieselbe Gruppe mit beweglichen Armen.

Hitler in raincoat, c.1936.

Hitler mit Regenmantel.

Hitler made by Schuco.
A reasonable quality figure.
Movable arm

Hitler von Schuco hergestellt.
Eine gängige Qualitätsfigur.
Beweglicher Arm.

Hitler made by Leyla. Hitler as Messiah.
Fixed arm. (Poor quality figure).

Hitler, with porcelain head,
wearing cloak,
(fixed arm – 1940 issue).

Hitler, mit Porzellankopf,
im Mantel
(fester Arm – Modell 1940).

Hitler, portrait figure,
moving arm, on saluting dais.

Hitler, sehr gut gelungenes
Porträt-Modell in SA-Uniform.
Beweglicher Arm.

Last Hitler figure, introduced 1939–40,
with flowing cape and porcelain head.

Letzte Hitler-Figur, herausgekommen 1939–40,
mit wehendem Umhang und Porzellankopf.

Hitler-Figur von Leyla hergestellt,
fester Arm (dürftige Qualität).

Hitler in party uniform,
porcelain head, circa 1940.

Hitler in Partei-Uniform,
Porzellankopf.

Hitler in field coat, porcelain head, c.1940.

Hitler im Waffenrock – Porzellankopf –
herausgebracht um 1940.

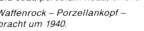

97

Fine Mussolini with porcelain head.
Issued to commemorate Mussolini's visit to
Germany 25–29 September 1937.

Fine Goering with porcelain head.
Note Grosse baton not awarded until July 1940.
Figure therefore after that date.

Goering wearing heavy greatcoat.
Fine porcelain head. Note small baton.

Goering, porcelain head, summer cap.

Göring, Porzellankopf, Sommermütze.

Gute Mussolini-Figur mit Porzellankopf,
herausgebracht in Erinnerung an den Deutschland-Besuch
Mussolinis vom 25.–29. September 1937.

Gelungene Göring-Figur mit Porzellankopf.

Göring mit Überzieher, guter Porzellankopf.

Hindenburg in Field Marshal's long coat
(sword missing), readily available figure.

*Hindenburg mit langem
Feldmarschall-Mantel (ohne Degen).*

Von Hindenburg, mounted.

Von Hindenburg, zu Pferd.

First Quartermaster General Erich Ludendorff
(not Rommel – who was never made).

*General Ludendorff (nicht Rommel
wie Tony Oliver erwähnt – Rommel wurde
niemals hergestellt).*

General Field Marshal. Chief of Army here as von Blomberg.
Issued until 1938 when he fell from favour and the issue
was unnamed thereafter.

*Generalfeldmarschall, Oberbefehlshaber des Heeres, bis 1938
als von Bomberg-Serie geführt, bis er in Ungnade fiel.
Danach trägt die Serie keinen speziellen Namen mehr.*

Hess in SS uniform. Movable arm.

Heß in SS-Uniform.

The same figure with different paint was used to provide on the right Goebbels (Propaganda Department) with black trousers, and an ordinary party figure on the left with brown trousers. Movable arms.

Auf der rechten Seite Dr. Goebbels (Minister für Volksaufklärung und Propaganda) mit schwarzen Hosen, aus derselben Figur mit verschiedener Bemalung geschaffen, wie die links gezeigte gewöhnliche Heeres-Figur, mit braunen Hosen. Bewegliche Arme.

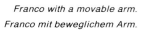

Franco with a movable arm.

Franco mit beweglichem Arm.

General Staff Officer.

Generalstabsoffizier.

Goering in early Luftwaffe uniform, wearing the ''Pour le Merite'', highest Imperial order for aircraft kills.

Göring in früherer Luftwaffe-Uniform, mit ''Pour le Merite''-Orden, höchste kaiserliche Auszeichnung für Tapferkeit im Luftkampf.

Goering in SA uniform, wearing ''Pour le Merite''.

Göring in SA-Uniform, mit ''Pour le Merite''-Orden.

Ernst Roehm – murdered June 1934.

Ernst Röhm – erschossen im Juni 1934.

Gross Admiral Raeder who resigned 1941, being replaced by Admiral Doenitz.

Großadmiral Raeder der 1941 zurücktrat, seine Nachfolge trat Admiral Doenitz an.

Baldur von Schirach, Hitler Youth leader.
(He served 10 years in Spandau for corrupting youth).

Baldur von Schirach, Hitler-Jugendführer
(er verbrachte 10 Jahre in Spandau wegen Jugendverführung).

Mussolini, marching, porcelain head.

Mussolini, gehend, Porzellankopf.

Field Marshal, with baton unknown character.
Probably Blomberg possibly Fritsch.

Feldmarschall mit Marschallstab,
nicht personenbezogen.

Swiss General Guisan, post war. Was this Marshal Petain pre-war?
Or King Victor Emanual of Italy?

Schweizer General Guisan, Nachkriegsfertigung.

Modern Fakes
Moderne Fälschungen

Any nation which loses a war quickly wishes to forget the events which lead up to that war. Although controversial, this attitude is understandable. It is no surprise therefore that few figures, especially those with political associations, can now be found.

This has led in modern times to figures being faked — original paint stripped and paint reapplied, almost to order. When one thinks of the difference of an ordinary figure to that of an SS or Leibstandarte Adolf Hitler, it is not surprising that this practise has sprung up. Careful examination of the figure, in powerful electric light, with a magnifying glass, will reveal all. The figure is far too new and clean, modern paints contain styrenes which show through. Moreover, the detail is blobby and heavy handed with too much paint and the skin colours are too pink. Probably the figure has an over-painted high neck tunic, although this in itself is not a complete deciding factor.

Figures are even made by unauthorised sources, but these are made in rubber moulds, not brass, and the finish is not good enough. There is generally a mould line on the underneath of the figure base, there are pin prick holes where the mould is flexible, the base has pieces and corners off. The paint is thick and unsteady. Moreover, the figure loses its sharpness and the paint does not take well to the moulding. It remains with almost a slight bloom on it, with air bubbles just under the surface.

Vehicles as well are faked, paint stripped, new parts made up and repainted. Again the new paint is too new, camouflage not right, but the best detection is paint, rust or dirt under the surface of the new paint. Apparently, all the moulds and most of the tooling were lost or destroyed before, or shortly after,

Wohl jede Nation, die einen Krieg verlor, möchte die Ereignisse, die dazu führten, so schnell wie möglich vergessen. Dies ist nur allzu verständlich und wohl auch gut so. Es überrascht daher auch nicht, daß eine Menge politischer Figuren, und zwar besonders die, an die man sich nur ungern erinnerte, aus dem Programm verschwanden.

Dies führte in jüngster Zeit dazu, daß Figuren gefälscht wurden. Dazu entfernte man nur die Originalfarbe und trug eine neue Farbschicht auf – fast perfekt. Wenn man die Begehrtheit einer normalen Figur mit der einer SS-Figur oder Leibstandarte Hitlers vergleicht, dann ist das wohl nur allzu verständlich. Eine sorgfältige Betrachtung bei starkem elektrischem Licht und mit einem Vergrößerungsglas bringt alles an den Tag. Die Figur ist viel zu neu und zu glatt. Außerdem enthalten moderne Farbmischungen Styrol, welches durchschimmert. Auch erscheinen die Details wulstig und schwerfällig, der Farbauftrag ist zu dick und die Farbe der Haut zu rosarot. In vielen Fällen hat die Figur noch einen aufgemalten hohen Stehkragen, jedoch besagt dieser Umstand an sich noch nichts.

Auch Fahrzeuge werden nachgemacht, indem man die Farbe entfernt, neue Teile einfügt und das Ganze übermalt. Das Aussehen auch dieser Imitationen erscheint zu neu, der Tarneffekt ist ungenügend und – der beste Beweis für eine vorliegende Fälschung überhaupt – unter der neuen Farbschicht ist alte Farbe, Rost oder Schmutz sichtbar. Offenbar gingen kurz vor oder nach Kriegsende sämtliche Formen verloren oder wurden zerstört. Per Dekret verfügte die Kontrollkommission der Alliierten im Mai 1946 die totale Vernichtung sämtlicher militärischer Erinnerungen an die Nazizeit einschließlich der Militärmuseen, die eine Verherrlichung hätten hervorrufen können. Welche Auswirkungen hatte all dies auf die Firma Hausser? Natürlich blieb auch ihr kein Wahl. . . . Nach Kriegsende wurde die Produktion wieder aufgenommen und erreichte in den späten 50er Jahren in etwa ihren alten Stand. Der 64-seiten starke Katalog von 1958 enthielt genau vier Seiten mit

the end of the war. The Allied Control Commission Decree of May 1946 directed that all military, Nazi memorials and military museums, tending to glorify, must be destroyed. Where did this leave Hausser? They had no choice but to comply. Production started up again after the war and by the late fifties was again in full swing. The sixty-four page 1958 catalogue has exactly four pages devoted to soldiers, mostly Swiss figures beautifully moulded and painted in 7 cm size. Some of the figures are in pre-war positions together with excellent metal guns and vehicles. The Coldstream Guards and Highlanders are as good as ever they were in pre war times.

Soldatenfiguren, meist wunderschöne Figuren von schweizer Soldaten, die herrlich bemalt und 7 cm groß waren. Einige Figuren nehmen Friedensstellungen ein, tragen Gewehre aus ausgezeichnetem Metall oder werden in Fahrzeugen dargestellt. Die "Coldstream"-Wachen und schottischen Hochgebirgsjäger (Highlanders) sind in der gleichen guten Qualität erhältlich wie zuvor.

Gegenwärtig werden nur wenige Soldatenfiguren hergestellt. Jedoch scheint die Zeit für ein "Wieder-auf-leben-lassen" gekommen. Der Markt ist bereit und es herrscht Nachfrage. Vielleicht sind die Menschen jetzt bereit, solche Figuren als Spielzeuge anzusehen und nicht mehr als etwas Unheilbringendes.

Identification
Identifizierung

One of the more difficult aspects of collecting Elastolin figures is to ascertain the year of manufacture and very often, except for the obvious, the type of figure itself. Reference to the various Hausser catalogue reprints available is the first step. There are some excellent reprints on the market and for the serious collector, absolutely essential, they range in price U.K. £4 – £15. and in Germany DM20 – 80.

The 1940 catalogue facsimile at the back of this book, believed to be the last year that a dealer catalogue was issued, will be a help in identification. This catalogue was one of the most comprehensive and most Elastolin figures and catalogue numbers can be found there.

The next step is to check through earlier catalogues to see when the figure was first introduced. The next positive check is to examine the figure bases (socles), this again will close in on the year of manufacture.

Lastly one has to employ a knowledge of German history, for instance, patch pockets are after 1935 with the introduction of the new uniforms. Circular peaked service caps, pre 1935. Scalloped pockets, with deep points, not German, but Austrian.

Als wohl größte Schwierigkeit beim Sammeln von Elastolin-Figuren erweist sich das genaue Feststellen des Herstellungsjahres und sehr oft sogar, jedenfalls bei den weniger bekannten, die Identifizierung der dargestellten Persönlichkeit überhaupt. Die verschiedenen Katalognachdrucke der Firma Hausser durchzublättern, wäre die erste Möglichkeit, um dies festzustellen. Es sind einige ausgezeichnete Nachdrucke dieser Kataloge erhältlich, die in Deutschland zwischen 20 DM und 80 DM kosten und für den ernsthaften Sammler einfach unerläßlich sind.

Der genaue Nachdruck des Kataloges von 1940, das übrigens das letzte Jahr war, in dem ein Händlerkatalog herausgegeben wurde, mag bei der Identifizierung gute Dienste leisten. Sie finden ihn am Ende des vorliegenden Buches. Dieser Katalog war einer der umfangreichsten und enthielt die meisten der angebotenen Elastolin-Figuren sowie die Katalog-Nummern.

Als nächstes kann man frühere Kataloge zu Rate ziehen, um festzustellen, wann die Figur das erste Mal angeboten wurde. Angebracht ist es, den Sockel der jeweiligen Figur zu untersuchen, denn auch das wird uns zum Herstellungsjahr führen.

Vielleicht kann man sich auch anhand seiner Geschichtskenntnisse orientieren. Anhaltspunkte wären z. B. aufgesetzte Taschen, die sich erst an den neuen Uniformen nach 1935 fanden, Pickelhauben vor 1935 oder Taschen mit bogenförmigen Randverzierungen an österreichischen Uniformen.

→ 1934

1935 → 1936

1936 →

A search through books on service and combat uniforms, colour presentations: all this must be carried out and at the end of it, one cannot accurately say when a figure was made.

I myself have one such figure which defied identification, but by checking on collar patches, (these particular patches were gold on white) I ascertained the figure to be Feldjaeger Korps, introduced 1933, disbanded mid 1934: a find indeed.

Incidentally, any code number followed by the letter "T" means with or without back pack, "Tornister", the letter "N" following a number means new figure "Neue". The figure "½" simply means slight variation from normal.

Man sollte auch einen Blick in Bücher über damalige Dienst- und Kampfuniformen sowie deren Farbzusammenstellungen werfen. Hat man nun all diese Möglichkeiten ausgeschöpft, so ist es keine Schwierigkeit mehr, die Figur chronologisch richtig einzuordnen.

Ich selbst besitze eine Figur, deren Identifizierung ein Problem darstellte. Anhand des gold-auf-weiß gearbeiteten Kragenbesatzes konnte ich sie jedoch einwandfrei als eine Figur aus dem Feldjäger-Korps erkennen und sie zeitlich genau in die Jahre 1933 und 1934 einordnen: fürwahr, ein echter Fund.

Übrigens bedeutet jede Kennziffer mit dem Buchstaben T am Ende "mit Tornister" und mit dem Buchstaben N "Neue Figur". Die Bezeichnung '1/2'' bedeutet einfach geringe Abweichung vom Original.

Post-War Production 1946–1983

Nachkriegsproduktion

Plastic based materials have been used in Germany for a very long time, certainly from the late twenties. Indeed the German word "Plastik" has been adopted to cover all plastic materials.

Long before the general use of plastic materials in the production of toys, in fact during the early 1940's, the technical manager of Hausser, Mr. Rolf Hausser, carried out experiments for the production of miniature plastic figures. With the help of his technical staff, they discovered that by using injection techniques and precision toleranced steel moulds, they could make plastic figures. The possibility, by means of moulds made from high quality steel to make figures by injection even with minute and filigree details, became a reality. This was an additional inducement to switch over from the production of composition figures. Indeed all Hausser figures from roughly 1950 have plastic heads incorporated into composition figures. The early fifties saw figures made completely from plastic, but with two main faults. The plastic material was hard and tending to brittleness, and because of this hardness of surface, paint would not readily adhere to it. Later on, they produced plastic figures to which non-toxic paint would adhere, but that was superceded by the soft and pliable self coloured plastic range.

Now, for soldier collectors, a range of Wehrmacht figures, based on the old stances, is available. At present, they number some twelve or so types, but hopefully this will be increased.

As can be seen from today's magnificent production range, the excellent model work of the Hausser model makers is apparent to even better advantage. More than ever, Hausser Elastolin figures are distinguished by the unique model work and the detailed hand painting of each figure, to the highest degree of perfection.

Kunstoffmaterialien aller Art werden seit langer Zeit in Deutschland verwendet, genauer gesagt seit Ende der zwanziger Jahre. Das deutsche Wort "Plastik" kennzeichnet dabei alle künstlich hergestellten Materialien.

Lange bevor man allgemein Kunststoff zur Herstellung von Spielzeug verwendete, stellte der technische Leiter des Hausser-Unternehmens, Rolf Hausser, Anfang 1940 erste Versuche mit der Verwendung von Kunststoff zur Herstellung von Miniaturfiguren an. Mit der Unterstützung seiner Mitarbeiter gelang ihm das Experiment, mit Hilfe von Spritztechniken und Präzisionsstahlformen, Plastikfiguren herzustellen. Doch damit nicht genug: es war sogar möglich, unter Verwendung von Formen aus hochqualitativem Stahl, diffizilste Filigranarbeiten nach der Einspritzmethode herzustellen. Diese Erfolge bedeuteten natürlich eine recht große Verlockung, die gesamte Produktion auf Kunststoff umzustellen. Tatsächlich besaßen ungefähr seit der Zeit um 1950 alle Hausser-Figuren Plastikköpfe, die einfach auf den Körper aus Mischmaterial aufgesteckt wurden. Die Produktion der frühen 50er Jahre offerierte Figuren, die von Kopf bis Fuß aus Kunststoff bestanden, jedoch zwei gravierende Nachteile besaßen: zum ersten war dieses Material sehr hart und gekennzeichnet durch hohe Brüchigkeit und zum anderen haftete Farbe auf diesem harten Untergrund nur sehr schlecht. Später entwickelte man einen Kunststoff, der nicht nur weich und leicht verformbar war, sondern auch selbst gefärbt. Auch die anschließend herausgebrachten giftfreien Farben haften inzwischen ebenfalls einwandfrei auf dem Plastikuntergrund.

Wie sich aus der heute angebotenen Produktenreihe von der Firma Hausser ersehen läßt, ist es gerade die angewandte ausgezeichnete Modelliertechnik, die diese Figuren so überlegen macht. Mehr denn je zeichnen sich die Elastolin-Figuren dieser Firma durch ihre einzigartige Verarbeitung und die Handbemalung jeder einzelnen Figur aus. Zu Recht verdienen sie das Prädikat höchste Perfektion.

Late 1950s. Various Swiss figures.
All four figures are composition. The flag
is tinplate. The only plastic item is the
head of the first charging officer. The
fourth figure from left is a Bundeswehr
officer.

Aus dem späten fünfziger Jahren.
Verschiedene Schweizer Figuren.
Alle vier Figuren bestehen aus
Mischmaterial. Die Fahne ist aus Blech.
Der einzige Gegenstand aus Plastik ist der
Kopf des ersten Offiziers. Die vierte Figur
von links ist ein Offizier der Bundeswehr.

These are the ill-fated later plastic Swiss Army. No-one wanted them, not even the Swiss. The figures on the right were designed as Austrians, not Bundeswehr and sold well in Austria with Tipple Topple trademarks.

Dies sind die glücklosen späteren Plastikfiguren der Schweizer Armee. Niemand wollte sie, auch die Schweizer nicht. Die Figuren des österreichischen Bundesheeres verkauften sich unter der Schutzmarke Tipple Topple sehr gut.

Current production army motorcyclist with movable wheels.
Note rifle across the chest.

*Derzeitiger Heeres-Kradfahrer mit beweglichen Rädern.
Auffällig das über die Brust gehängte Gewehr.*

110

Late 1950s Swiss pontoon group set, including bridge building facility.

Schweizer Ponton-Gruppe (späte 1950er Jahre), einschließlich Brückenbau-Gerät.

Late 1950s. Bundeswehr assault boat group.
I am afraid that Polaine acquired a fake assault boat. These were never made of plaster of Paris, and the rigging was much more complex. They were made of wood, and camouflaged like the wooden pontoons.

Aus den späten 1950er Jahren. Bundeswehr-Sturmboot-Gruppe.
Ein Boot wurde von Plaster, Paris, nie hergestellt, und die Takelage war weitaus komplexer. Sie waren aus Holz, mit einer Tarnung wie die Holzpontons.

112

Current production
They are sixteenth
century portrait
figures of Goetz
von Berlichingen in
the centre, and the
Emperor's General
Georg von
Frundsberg to the
left.

*Derzeitige
Fertigung –
Portraitfiguren des
16. Jahrhunderts,
nämlich Götz von
Berlichingen in der
Mitte und links der
kaiserliche General
Georg von
Frundsberg.*

Current production
figures of
charging Normans.

*Derzeitige
Fertigung –
Normannen.*

113

Current production attacking Turks.

Derzeitige Fertigung – angreifende Türken.

Current production – Norman knights attacking
Ottoman footsoldiers.

Derzeitige Fertigung – Türken zu Fuß,
Normannen-Reiter (Battle of Hastings 1066,
Quelle: Teppich von Bayeux).

Current production of mediaeval foot troops.

Derzeitige Fertigung – mittelalterliche Fußtruppen.

Current production – two early medieval figures on foot, with Goetz von Berlinchingen at left.

Derzeitige Fertigung – frühmittelalterliche Figuren und Götz von Berlichingen.

Flagbearers of German past. Current production.
Fahnenträger aus deutscher Vergangenheit – derzeitige Fertigung.

Current production of German Landsknecht figures, musicians, flag bearers, etc.
Derzeitige Fertigung – deutsche Landsknechtsfiguren, Musiker, Fahnenträger, etc.

117

Current production of attacking Viking.

Derzeitige Fertigung – angreifender Wikinger.

Current production of Norman foot troops, the bows actually fire arrows.

Derzeitige Fertigung – normannische Fußtruppen, mit den Bogen können tatsächlich Pfeile geschossen werden.

Roman chariot (No. 9864). Current production.
Römischer Streitwagen (Quadriga Nr. 9864) – derzeitige Fertigung.

Current production – the Roman Consul figure.
Derzeitige Fertigung – römischer Konsul, in allen Einzelheiten bemalt.

Four historical standing figures. Current production.

Vier stehende historische Figuren – derzeitige Fertigung.

Current production of fighting Vikings and Romans.

Derzeitige Fertigung – kämpfende Wikingerfiguren und Römer.

Siege Catapult No. 9881 – current production.
Pfeilwerfer Nr. 9881 – derzeitige Fertigung.

Current production of fighting Gauls and Romans.
Derzeitige Fertigung – kämpfende Gallier und Römer.

121

Current production, George Washington and marching figures.
Derzeitige Fertigung – George Washington und marschierende Soldaten.

Current figures – American War of Independence, although the equestrian model is the now rare plastic portrait figure of Frederick the Great.
Derzeitige Fertigung – amerikanischer Unabhängigkeitskrieg, aber der Reite ist die jetzt seltene Portraitfigur aus Plastik von Friedrich dem Großen.

George Washington and sixteenth century Landsknecht mounted Herald. Current production.

George Washington und mittelalterlicher Trompeter zu Pferd – derzeitige Fertigung.

Current production of American Civil War figures, both North and South soliders.

Derzeitige Fertigung – amerikanische Bürgerkriegssoldaten.

123

The cowboy on the left is the Karl May character 'Old Shatterhand' and that of the Indian on the right is Winnetou. The gun on the left is a fortress cannon, that on the right is the beautiful sixteenth century landsknecht cannon the 'Scharfmetz'. Both fired metal balls.

Der Trapper links ist die Karl-May-Figur Old Shatterhand, und der Indianer ist Winnetou (siehe Band III). Das Geschütz links ist eine Festungskanone, das rechts ist die schöne Landsknechtskanone Scharfmetz aus dem 16. Jahrhundert. Beide feuerten Metallkugeln.

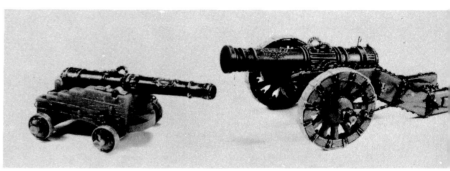

Current production of American figures epitomizing the spirit of the revolution.

Derzeitige Fertigung – amerikanische Revolutionssoldaten (Großvater, Vater und Sohn, Spirit of 76)

Current production of wild animals.
Derzeitige Fertigung – wilde Tiere.

Current production, farm animals.
Derzeitige Fertigung – Haustiere.

125

PART 2/TEIL 2

Additional Text and Commentary on the First Edition
Ergänzendes Material und Kommentar zur ersten Ausgabe

David Hawkins

Memories
Erinnerungen

My association with Elastolin began in 1937 at Ash Cottage, Cocket, just outside Swansea. I was six years old and ill with mumps. The doctor noticed my Britains lead soldiers and told my mother that they could cause lead poisoning. "There are figures made in Germany now that are quite safe even if he eats them," he said, "Dan Morgan has them – ask for Elastolin."

This safety feature was a major selling point for Elastolin during the 1930s. The others were high quality and their supposed educational value. When I began to research the subject I realised that the glass cases lining the walls around the central halls in South Wales primary schools had been filled with Hausser products in the 1930s, mostly zoos, farms, *zugpferd* and wooden carts. Some remnants were still there in the late 1960s. No doubt it was the same all over Europe and the USA.

There was no need to ask for Elastolin at Dan Morgan's toy shop in Oxford Street, Swansea. It filled the window, the glass cases inside, and shelves on the back and side walls which displayed all the farm and zoo animals. I was especially struck by the beautiful textures on these animals, in particular a black trotting farm horse, No. 4011. It had a satin finish and the air-brushed white fetlocks and belly made it very attractive to a youngster. This model has ever since eluded my. Without doubt the most striking sight was the military window display – it seems as if the whole front line of the Great War was there. All children at that time must have been aware of that tragedy. Reminders were everywhere, from the conversations of adults to the new cenotaph on the promenade and the field gun and tank on show at the recreation ground. Men wore parts of old army uniforms, and there seemed to be a permanent sad awareness of the lost

Meine Bekanntschaft mit Elastolin begann 1937 in Ash Cottage in Cocket, einem Dorf außerhalb von Swansea in Wales. Ich war sechs Jahre alt und lag mit Mumps im Bett. Der Arzt bemerkte meine Britains Bleisoldaten und sagte meiner Mutter, daß sie Bleivergiftung verursachen könnten. "Es gibt aber Figuren, die ganz ungefährlich sind, selbst wenn der Junge sie ißt", erzählte er. "Sie kommen aus Deutschland, und Dan Morgan hat sie. Fragen Sie nur nach Elastolin."

In den 30er Jahren war Sicherheit ein überzeugendes Verkaufsargument für Elastolin, wie auch die hohe Qualität der Figuren und ihr angeblicher pädagogischer Wert. Als ich begann, mich mit dem Thema zu befassen, stellte ich fest, daß die Glasschränke in allen Vorschulen Südwales' in den 30er Jahren mit Hausser-Figuren gefüllt waren, vorwiegend Zootieren, Bauernhöfen, Zugpferden und Holzkarren. Einige davon waren Ende der 60er Jahre noch dort. Zweifellos wird es überall in Europa und den USA nicht anders gewesen sein.

In Dan Morgans Spielzeugladen in der Haupteinkaufsstraße Swanseas brauchten wir nach Elastolin gar nicht zu fragen. Die Schaufenster waren voll davon, aber auch die Schaukästen, Regale und Wände im Laden selbst; und überall standen Haus- und Zootiere. Mir gefiel besonders die äußere Struktur der Tiere, etwa das schwarze trabende Pferd Nr. 4011. Es glänzte seidig, und die mit Spritzpistole gemalten Hufhaare und der Bauch machten es für einen Jungen meines Alters besonders anziehend. Ich habe es aber nie kaufen können. Am beeindruckendsten war aber zweifellos die militärische Schaufensterdekoration. Es sah aus, als sei die ganze Front des Ersten Weltkriegs aufgestellt. Alle Kinder müssen sich damals dieser Katastrophe bewußt gewesen sein. Alles erinnerte daran: die Unterhaltungen der Erwachsenen, das neue Ehrendenkmal auf der Promenade und die Feldhaubitze und der Panzer, die im Park ausgestellt waren. Männer trugen zum Teil alte Uniformen, und es schien beständig die Traurigkeit einer verlorenen Generation in der

David Hawkins aged 12 – not the Hitler Youth, just an ordinary boy scout.

David Hawkins im Alter von zwölf Jahren – kein Hitlerjunge, sondern ein einfacher Pfadfinder.

Dan Morgan's toy shop in 1943. The elementary school opposite was almost undamaged. The Elastolin stock was at the front of the shop in the area shown in this photograph.

Dan Morgans Speilzeugladen im Jahr 1943. Die ihm gegenüberliegende Grundschule war praktisch unzerstört. Das Elastolin-Lager war vorne im Laden, in dem Bereich, der hier im Bild zu sehen ist.

The rear of Dan Morgan's long toy shop in Swansea was devoted to model railway and Meccano items, 1938.

Die hintere Abteilung in Dan Morgans langgestrecktem Spielzeugladen war 1938 mit Modelleisenbahnen und Meccano-Spielwaren vollgestellt.

An excellent example of the pre-war large 'Zugpferd' in typically German harness. The ears are die-cast metal. It was bought in Dan Morgan's toy shop, Swansea, in 1938.

Ein sehr gutes Exemplar eines Zugpferds aus der Vorkriegszeit mit typisch deutschem Geschirr und Ohren aus Gußmetall. Es stammt aus Dan Morgans Spielzeugladen in Swansea und wurde 1938 gekauft.

generation. I was glad I had not been in it but was fascinated all the same. I believe it was this Elastolin display that formed my first visual awareness of what that war had been like. I did not appreciate then that a government which had exiled writers like Remarque and had banned "All Quiet on the Western Front" was encouraging the production of these war toys.

My parents were also impressed but subdued. A single Elastolin action figure cost ninepence*. A whole box of eight Britains soldiers, including standard bearer, cost only one shilling. Since someone with an income of £3 to £5 a week was considered to be doing quite well then, Elastolin was not for the proletariat.

Fortunately I had a doting childless aunt. Every Christmas and birthday my Elastolin collection grew. The Britains had been buried with ceremony as part of the deal. I can still remember how I loved my toy cupboard. Just looking at its contents was sufficient. There was no need to get out the Elastolin – they were my private art gallery. Parents often misunderstand their children's relationship with their toys. "He never plays with them, they are still in the box." This does not mean they are not precious to the child.

In 1939, German Jewish children came to local schools. One come to foster parents nearby. Heinrich became Henry, and a good friend. The first time he saw my Elastolin collection he was silent, and looked sad. "I have those at home" he said. He was waiting for his parents to join him, but they never came. Swansea shops remained well stocked with German goods during the first year of the war. My father's staff gave him a superb Hohner mouth organ when he joined the RAF, and it never bothered me that my beloved Elastolins were enemy toys. They looked such decent chaps; young, fresh friendly faces. At Christmas 1940 I had a beautiful 7 cm gun team, a Feldwagen, and a good selection of the new line of authentic looking cowboys and Indians. Included was the log cabin No. 06960. I was puzzled then, and still am today, by the palm tree that surmounts it. (*continued on page 151*)

*For the benefit of the young, and German friends, there were 12 pence to one shilling, and 20 shillings to one pound. One shilling = 5 new pence (1990).

Luft zu hängen. Ich war froh, daß ich nicht dabeigewesen war, war aber trotzdem fasziniert. Ich glaube, erst dieses Schaufenster mit Elastolinfiguren machte mir bildlich klar, was der Krieg bedeutet hatte. Es gab mir damals nicht zu denken, daß eine Regierung, die Schriftsteller wie Remarque exiliert und "Im Westen nichts Neues" verboten hatte, die Herstellung dieses Kriegsspielzeugs befürwortete.

Meine Eltern waren genauso beeindruckt, allerdings nicht vom Preis: Eine einzige Aktionsfigur von Elastolin kostete neun Pence*; ein ganzer Kasten mit acht Britains Soldaten, einschließlich einem Fahnenträger, kostete nur ein Shilling. Bei einem wöchentlichen Durchschnittsverdienst von drei bis fünf Pfund war Elastolin eindeutig nicht für Arbeiterkinder bestimmt.

Zum Glück hatte ich eine Tante, die keine Kinder hatte und mich vergötterte. Jedes Jahr zu Weihnachten und zu meinem Geburtstag wurde meine Elastolinsammlung größer. Die Britains wurden mit vollen Ehren begraben, wie es sich gehörte. Ich weiß heute noch, wie sehr ich meinen Spielzeugschrank liebte. Es genügte schon, mir nur den Inhalt anzusehen. Ich brauchte das Elastolin gar nicht herauszunehmen, es war meine Kunstsammlung. Eltern verstehen die Beziehung, die Kinder zu Spielzeug haben, häufig falsch. "Er spielt nie damit, es liegt immer noch in der Schachtel." Das heißt aber nicht, daß das Spielzeug dem Kind nichts bedeutet.

1939 kamen deutsch-jüdische Kinder an unsere Schule, und einer kam bei Pflegeeltern in unserer Nähe unter. Heinrich wurde Henry und mein guter Freund. Als er das erste Mal meine Elastolinsammlung sah, wurde er stumm und traurig. "Ich habe die gleichen Figuren zu Hause", sagte er. Er wartete auf seine Eltern, die nachkommen sollten. Sie kamen nie. Auch während des ersten Kriegsjahres gab es in den Geschäften in Swansea noch viele deutsche Produkte. Als mein Vater zur RAF ging, überreichten seine Angestellten ihm eine erstklassige Hohner Mundharmonika, und es störte mich nie, daß mein geliebtes Elastolin feindliches Spielzeug war. Die Figuren sahen so anständig aus mit ihrem jungen, freundlichen Gesicht. Zu Weihnachten 1940 bekam ich feine schöne 7 cm große, eine Maschinengewehrgruppe, einen Feldwagen und etliche Figuren aus der neuen Serie richtiger Cowboys und Indianer. Dazu gehörte auch das Blockhaus Nr. 06960. Worüber ich selbst heute noch rätsele ist die Palme, die hoch über der Hütte aufragt. (*Fortsetzung Seite 151*)

*Die englische Währung unterteilte sich damals wie folgt: ein Pfund hatte 20 Shilling, 1 Shilling hatte 12 pennies. 1 Shilling sind fünf (neue) Pence mit dem heutigen Gegenwert (1990) von rund 13 Pfennig.

Hausser-Elastolin in colour/in Farbaufnahmen

from the Bruce Scott Collection
aus der Sammlung Bruce Scott

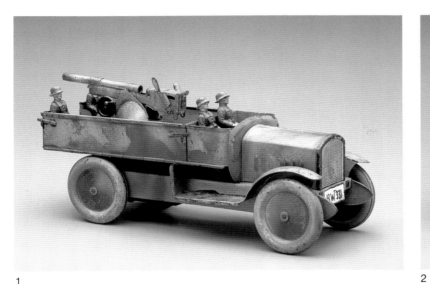

1

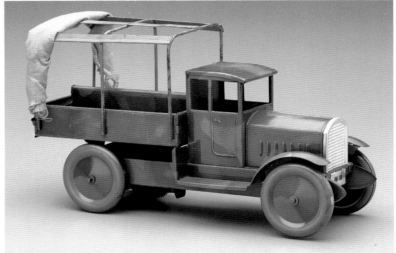

2

3

4

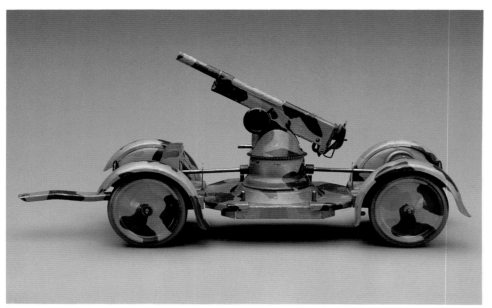

5

6

7

8

9

10

11

12

13

14

15

16

17

18

19

20

21

22

23

24

25

137

26

27

138

28

29

30

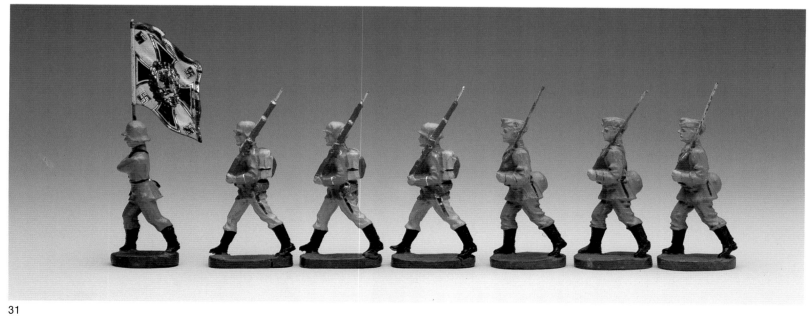

31

32

33

35

36

143

37

38

144

39

40

41

42

43

44

146

Captions to colour photographs from the Bruce Scott Collection

1   This appears in the 1931 catalogue as 0/740 and was sold with driver and four men. In 1935 the same vehicle appears as 0/732 'Schupo-Überfallauto' and contains sixteen Nazi SA men and a small searchlight. The Flak version does not appear in the 1935 catalogue being replaced by 1/740.

2   'Militär Lastwagen' with canvas cover 0/734 is shown in the 1931 catalogue and was sold with just one figure, the driver. There is also an ambulance version. In 1935 it is described as 0/736 'Lastauto' and was supplied with eleven SA men.

3   This lorry is shown as 1/740 in the 1935 catalogue, and is especially attractive in its Great War Camouflage. The Flak gun is the Great War improvised gun made from an ordinary field gun. Lineol made a model of the first true Flak gun. The side of the vehicle folds down to make steps and it was sold with a six-man crew.

4   This is the same vehicle as 1/740 but carries a powerful model searchlight and was sold with an eight man crew. It also appears in the 1935 catalogue as 1/742.

5, 6, 8   The primitive Flak gun 0/718 was sold on a demountable trailer or on its own. On a trailer it was 1/748 and was sold with four sitting men. Together with 1/742 it became set number 1/742/748, 'Auto und Anhänger zusammen'. Although Hausser eventually made a model of the improved Flak gun 80 on a more sophisticated chassis, they never made the ultimate derivative, the famous 88 mm, made by Lineol. Hausser's Flak 80 has frequently been mistaken for the 88 mm, even by Reggie Polaine.

7   This is the searchlight 0/728 sold on its own, free-standing, or fitted to the lorry 1/742. Here it is model 1/728, 'auf grossem Sockel'. This base was also used for the Flak gun and has frequently led to this being wrongly described as a coastal gun.

9   This mint and rare model of a Great War tank was purchased in Dan Morgan's Toy Shop, Oxford Street, Swansea in 1938. It first appears in the 1931 catalogue and was meant to accompany the small 6 cm figures. Described as 0/730 Tank (the English word) it was operated by turning the handle at the front. The tracks seen are dummies, unlike the Lineol equivalent, and it is driven by wheels obscured by the sides. The side guns fire dried peas, and peas could be poured into the turret and then fired with machine gun rapidity as fast as the handle at the side could be turned.

10, 11   Sanitätsauto 1/738 appears in the 1935 catalogue. It was based on the Phänomen Granit and was sold with two wounded on stretchers, two bearers and one driver. The headlights worked, and the doors opened. The large wheels with narrow tyres show that the grey version is an early model, while the camouflaged vehicle with modern rubber tyres is late 1930s.

12   Funkerauto 1/745 is basically the same vehicle as the ambulance but with a cable roll on the roof and an aerial mast. A working morse code set was included, with tin printed alphabet, and a four man crew was supplied.

13   It is difficult to distinguish between the rare original Zugmaschine 731 and the equally magnificent Gert Duscha reproduction. Both are expensive and remain rare collector's items. The model appeared in 1938 and was sold with canvas hood and eleven sitting men.

14   Protzkraftwagen 730N is shown in the 1939 catalogue with six men and without a canvas hood or supports for one. These are fitted to 730/10 which has eight men but no spare wheel at the back. This model seems to combine both. The real vehicle was the Krupp three axle truck which was the mainstay of the Wehrmacht during the Second World War, being used as troop transport and towing vehicle. This model is possibly early post-war judging by the olive green paintwork. The figures are inferior, in brown uniforms.

15   Flakwagen 739N is the same chassis and bonnet as 730N but still carries the ancient improvised Flak gun of the Great War. This is still shown in the 1939 catalogue even though by then the Flak 80 gun was being made as 718N, and on its chassis as 748½.

16   The Scheinwerferwagen 743N compliments 739N and the searchlight is mounted on the identical chassis.

17   The kubelwagen 733½ is an example of Hausser's finest workmanship. It is particularly attractive in its early camouflage and appears in the 1938 catalogue with four occupants and canvas hood that works. The saluting general in the back seat is correct, but his partner is a sitting limber figure who belongs elsewhere.

18   The grey kubelwagen 733½ is probably an early wartime production and has a tinplate imitation canvas hood. Later in the war, when rubber was scarce, this model was made with pressed tin wheels which were actually quite effective.

19   The Fernsprech-Kraftwagen 733/10 with canvas hood and two occupants is a very rare item indeed. Shown in 1938 in camouflage this model is probably wartime production. There is no clue as to what the towing devices on the back were for, and perhaps some kind of signals trailer was planned.

20   These two models 0/714½ are described as 'Amorces-Kanone' in the 1936 catalogue and they are very common. The gun is a hybrid, made up from the trail and 'Schutzschild' of the Great War 0/714, the first rubber-tyred tin wheels also used on the vehicles, and a long barrel. It was clearly meant to be an anti-tank gun and the barrel cannot be raised above the horizontal. The scale is correct for 7 cm figures, unlike the correct model of the Pak gun (Panzer-Abwehrgeschütz) which appeared in the 1936 catalogue, but seems to have been meant for 10 cm figures.

21   The small-sized field kitchen is very common, but it is rare to find it drawn by mules. The mules are rare in Europe but common in the USA. In the 1920s and early 1930s Elastolin made a 10 cm mountain gun team using mules, but there is no evidence that these 7 cm mules ever had anything other than towing animals.

22   This is 'Motortraktor mit Raupenkettengeschütz' 0/570 as it appears in the 1931 catalogue. It was sold with one rather crude driver who appears to be doing nothing as in any case there is no steering wheel. The handle at the front moves the tractor and the gun is based on the heavy mortars of the Great War. The set was made right through the 1930s.

23   These two Prussian lancers in Reichsheer uniform are led, incongruously, by Benito Mussolini 25/406N with porcelain head, on the wrong horse!

24   A fine set of troops in gas masks supported by the rapid pea-firing tank 0/730. The realistic shell bursts are 654/8 (Large) and 654/4 (Small).

25   It is rare to find French soldiers in horizon blue in such good condition. Although all these are German figures with French helmets, some models were specially made in French uniforms. In 1914 the French wore red trousers, blue coats and white equipment. They were excellent targets, but it was felt that French soldiers should die in the national colours of red, white and blue. These colours were thus interwoven to make the dark blue-grey cloth worn until British khaki was adopted in the early 1930s.

26   From left to right: The 1935 Goering in Luftwaffe uniform; Goebbels in unusual all brown uniform; Mussolini with porcelain head; General Guisan, C-in-C Swiss Army (post-war model); Goering in Luftwaffe uniform; General Franco (with an incorrect swastika armband); General von Mackensen in Death's Head Hussar uniform.

27   Left to right: Two converted figures repainted as SA officers; the 6½ cm 1935 Adolf Hitler with movable arm in a probably original Lineol podium; reproduction SA officer on an original SA horse; five original marching SA men.

28   The Lineol SS man with tin standard accompanies the rare porcelain headed Hitler in raincoat, three SS men and a rare group of Hitler Youth (Pimpf) who wear the 'dunkle jacke' winter uniforms.

29   The porcelain headed Hitler 30/23 to the left was inspired by a photograph of him leaving a Nuremberg Rally. It first appears in 1939, and a standing version was also made. The SS men on the right are the same mouldings as SA men, but are painted as SS in summer uniforms. The tinplate standard is the Lineol version.

30   These Reichsheer soldiers were made after 1933, if the red white and black flag is taken as evidence. The colours of the Weimar republic were black, red and gold. In 1933, Hitler ordered a return to the old Imperial colours. The ensign is an attacking figure.

31   The quick-marching figures 33/6 were introduced in 1939 as 'Inf. im neuen Schritt'. They were also offered as Leibstandarte Adolf Hitler, in black SS uniform. They are the first Elastolin figures to be made successfully with moulded composition rifles at the slope, and they were re-issued after the war, eventually becoming Bundesheer for a while. A marching figure in forage cap was introduced quite early, but it is not certain when this version, with slung steel helmet, was introduced. The tin flag is pre-1945, but large stocks remained at the factory and the same flags were issued into the mid-1970s with the new plastic figures, appropriately painted, until the fabric flags were produced.

32   This rare horse drawn anti-aircraft unit is a good model of the real item used extensively in Eastern Europe in World War II. It is first shown as 788/2 in the 1939 catalogue and was sold with postillion, two limber figures and a gunner. The guns are metal 'Spandaus' and the sound of rapid firing is simulated when a small lever at the back of the trailer is turned. A leg drops to support the trailer on its own. There is a canvas wind break for the gunner. It is most unusual to find the original tools on the side, but reproductions can be bought in Germany.

33   This is a rare complete Mittlerer Minenwerfer unit 0/722/2, first shown in the 1935 catalogue. The gun can be elevated and fired, but the die cast breech is rarely present and is missing from this example. The large six man limber was also used for the infantry gun, the signals unit and the heavy machine gun unit.

34 The men climbing telegraph poles, and the poles, were made well into the 1960s and are very common. The landscape section is not recognisable as Elastolin from the catalogues, but goes well with the other items. The workers are ubiquitous Elastolin figures presented also as railway figures, Wild West pioneers, SA men, and, of course, soldiers of all nations with appropriate headgear. The pick is fixed but the shovels are removable. The morse code set with the tinplate alphabet is the rare pre-war camouflaged item first shown as 0/659/15 in 1935, but which continued in identical form for the Swiss market until the early 1970s, with the transmitter painted brown.

35 These are very good Reichsheer models. The target was probably meant for the Elastolin or Lineol soldiers that actually fired projectiles through hollow tinplate rifles. The mechanism was concealed in the packs of kneeling and standing figures and in the stomachs of lying figures.

36 These early pattern Reichsheer figures were used as basic figures for foreign markets after the larger improved German figures were introduced. They continue as the basic figures for the Swiss range until the early 1970s. Some collectors concentrate on these early red-trimmed models which have their own distinct charm, and a rather blue field-grey.

37 The three Hitler Jungvolk on the left are being joined by the two 36/12 Hitler Youth leaders on the right. They are first shown in the 1935 catalogue, when the Hitlerjugend range was already complete.

38 These small 6 cm US sailors are rare. This size is not popular with collectors, but certain items such as these are valuable. They are shown as 0/52/12 (blue) and 0/50/12 (white) as the small alternatives to the 10 cm sizes in the 1931 catalogue. The officer is not listed. The saluting admiral is the 6½ cm portrait 14/20 of General Admiral Erich Raeder.

39 The hollow tree is made of composition and has an Elastolin stamp on its base. The rear has a sentry box-size opening and houses a standing sniper. There is no catalogue record of this and it is probably one of many items made for shop displays. These dummy trees were actually made by both sides during the Great War, there are photographic records of them, and they would be inconspicuous in the shattered woods of the time. The pile of shells

is by Lineol. The composition minenwerfer with composite operator is 0/582, first shown in the 1935 catalogue. He needs to get away before the gun is fired or he will be killed by the side blast!

40 This is an excellent example of the New York mounted policeman, 10 cm size, made from the 1920s to about 1935. Production of the big horses ceased when the move from Ludwigsburg to Neustadt bei Coburg took place, although many 10 cm civilian and farm figures continued to be made until the late 1960s.

41 The motor cycle 591/2 is the better quality version with moving tinplate wheels. The more common ones have composition wheels with rollers. The number plate is interesting – the RW probably means 'Reichswehr' but usually the military number plate reads 'WH––' or 'WL ––', 'Wehrmacht Heer', or 'Wehrmacht Luftwaffe'. It is likely that the driver has been repainted, since he has no jackboots and he should be painted exactly like his pillion passenger, with red piping, if he belongs to the 'RW' period. However, you will notice he has the late style of head! The motor cyclist to the right is Lineol. His paintwork also looks suspicious.

42 This BMW motor cycle model was first made in 1935 and appears as the HMG transporter 594/5 only in the 1939 catalogue. The flat side car was originally intended for the morse code transmitter. The side car is the wrong side for left hand drive, whereas all the catalogue illustrations show the German version arranged for left hand drive.

43 A very good example of the use of German bodies with foreign heads. All figures were made headless and then fitted with the head of the appropriate country. After the war these figures were re-issued (these might be post-war) and continued in Switzerland until the early 1970s. US troops wore brown boots and there was no concession for the British market! The pigeon with spy camera group is 0/593 shown in the 1935 catalogue and continued until the end of the Swiss army range in the early 1970s. US troops wore British-type steel helmets until 1943.

44 These pre-war British figures are in the care of a German doctor. They are, of course, Germans with British heads, in khaki, with brown boots. After the war this type of stretcher case was phased out and the metal and canvas stretcher with a removable figure was more widely used.

Farbaufnahmen aus der Sammlung Bruce Scott

1 Dieser Wagen erschien im Katalog von 1931 als 0/740 und wurde mit Fahrer und vier Männern verkauft. 1935 erschien das gleiche Fahrzeug als 0/732 Schupo-Überfallauto und enthielt 16 SA-Männer und einem kleinen Scheinwerfer. Die Flakversion erschien im Katalog von 1935 nicht, sondern war durch 1/740 ersetzt.

2 Militär-Lastwagen mit Kanvasplane 0/734 war im Katalog von 1931 abgebildet und wurde mit nur einer Figur, dem Fahrer, verkauft. Es gab auch eine Ausführung als Ambulanzwagen. 1935 war das Fahrzeug als 0/736 "Lastauto" beschrieben und wurde mit elf SA-Männern geliefert.

3 Dieser Lastwagen wurde im Katalog von 1935 als 1/740 gezeigt; besonders schön in der Tarnung vom 1. Weltkrieg. Die Flak ist die für den 1. Weltkrieg improvisierte Kanone, die aus einer normalen Feldhaubitze hergestellt wurde. Lineol stellte das erste Modell des richtigen Flakgeschützes her. Die Seiten des Fahrzeugs können zu Stufen nach unten geklappt werden; es wurde mit sechs Figuren verkauft.

4 Das gleiche Fahrzeug wie 1/740, aber mit einem starken Scheinwerfer ausgerüstet; es wurde mit acht Mann Besatzung verkauft. Es erschien auch im Katalog von 1935 als 1/742.

5, 6, 8 Die primitive Flak 0/718 wurde mit oder ohne Auto verkauft. Mit Auto trug sie die Nummer 1/748 und wurde mit vier sitzenden Männern verkauft. Zusammen mit 1/742 wurde sie zu Nummer 1/742/748, "Auto und Anhänger zusammen". Später produzierte Hausser zwar ein Modell der verbesserten Flak 80 mit einem besser gearbeiteten Chassis, aber die Firma stellte im Gegensatz zu Lineol nie die berühmte 88 mm Flak her. Haussers Flak 80 wurde häufig für die 88 mm gehalten – ein Irrtum, dem selbst Reggie Polaine erlag.

7 Dies ist der elektrische Scheinwerfer 0/728, der entweder alleine oder mit dem Lastwagen 1/742 verkauft wurde. Dieses Modell erschien als 1/728, "auf großem Sockel". Das Gestell wurde auch für die Flak verwendet, so daß der Scheinwerfer häufig fälschlicherweise als Küstengeschütz bezeichnet wurde.

9 Dieses seltene Modell des Panzers aus dem 1. Weltkrieg ist in erstklassigem Zustand; es wurde 1938 in Dan Morgans Spielzeugladen in Swansea gekauft. Der Panzer erschien erstmals im Katalog von 1931 als Ergänzung zu den kleinen 6 cm Figuren. Er wurde als 0/730 Tank (das englische Wort) beschrieben und lief, indem der Griff vorne gedreht wurde. Die Raupen sind, anders als beim Lineol-Modell, nicht echt; der Panzer bewegt sich auf Rädern fort, die durch die Seiten verkleidet sind. Die Geschütze feuerten mit getrockneten Erbsen, und man konnte auch Erbsen in den Turm geben und sie so schnell losfeuern, wie man den Griff an der Seite drehen konnte.

10, 11 Das Sanitätsauto 1/738 erschien im Katalog von 1935. Es beruhte auf dem Phänomen Granit und wurde mit zwei Verwundeten auf einer Bahre verkauft, zwei Trägern und einem Fahrer. Die Scheinwerfer funktionieren, und die Türen lassen sich öffnen. Die großen Räder mit den schmalen Reifen geben das graue Modell als eine frühe Version zu erkennen, während das getarnte Fahrzeug mit modernen Gummireifen vom Ende der 30er Jahre stammt.

12 Das Funkerauto 1/745 ist im Prinzip das gleiche Fahrzeug wie der Ambulanzwagen, hat aber auf dem Dach einem Antennenmast zum Hochkurbeln. Dazu gehörten auch ein Morsegerät mit einem Morse-Alphabet, das in Blech geprägt war, und vier Mann Besatzung.

13 Es ist schwierig, die seltene ursprüngliche Zugmaschine 731 und die ebenso gute Reproduktion von Gert Duscha auseinanderzuhalten. Beide Modelle sind sehr teure und seltene Sammlerstücke. Das Modell kam 1938 auf den Markt und wurde mit Verdeck und elf sitzenden Männern verkauft.

14 Der Protzkraftwagen 730N wurde im Katalog von 1939 mit sechs Männern abgebildet, aber ohne Verdeck und ohne Streben dafür. Das Modell 730/10 mit acht Mann Besatzung hat diese Streben, aber kein Ersatzrad. Dieses Modell scheint beides zu vereinbaren. Das Fahrzeug, das als Vorlage diente, war der dreiachsige Krupp-Laster, der im 2. Weltkrieg von der Wehrmacht sehr viel verwendet wurde, sowohl zum Truppentransport als auch als Zugfahrzeug. In Anbetracht der olivgrünen Farbe könnte dieses Modell eventuell aus den ersten Nachkriegsjahren stammen. Die Figuren in brauner Uniform sind minderer Qualität.

15 Der Flakwagen 739N hat die gleiche Chassis und Motorhaube wie 730N, ist aber noch mit der alten improvisierten Flak aus dem 1. Weltkrieg ausgerüstet. Der Wagen ist noch im Katalog von 1939 abgebildet, obwohl damals bereits die Flak 80 als 718N hergestellt wurde – 748½ als Anhänger.

16 Der Scheinwerferwagen 743N ist eine Ergänzung zu 739N, und der Scheinwerfer ist auf das gleiche Gestell angebracht.

17 Der Kübelwagen 733½ ist eines der bestgearbeiteten Modelle Haussers. Er ist mit der frühen Tarnung besonders attraktiv und war im Katalog von 1938 mit vier Man Besatzung und funktionierendem Verdeck abgebildet. Der salutierende General hinten im Auto ist korrekt, aber die Figur daneben gehört nicht hierher.

18 Der graue Kübelwagen 733½ stammt vermutlich aus der frühen Kriegsproduktion und hat ein aus Blech nachgeahmtes Verdeck. Als Gummi im Laufe des Kriegs knapp wurde, erhielt dieses Modell Räder aus gepreßtem Blech, die recht überzeugend waren.

19 Der Fernsprech-Kraftwagen 733/10 mit Verdeck und zwei Mann Besatzung ist überaus selten. Er ist hier in der Tarnfarbe von 1938 zu sehen und stammt vermutlich aus der Kriegsproduktion. Nichts deutet darauf hin, wofür die Zugvorrichtung hinten gedacht waren; vielleicht war eine Art Funker-Anhänger geplant.

20 Diese zwei Modelle von 0/714½ werden im Katalog von 1936 als Amorce-Kanonen beschrieben; sie sind recht häufig. Die Kanone wurde aus Schwanzstück und Schutzschild der Version 0/714 vom 1. Weltkrieg, den ersten mit Gummi versehenen Blechrädern und einem langen Rohr zusammengestellt. Es sollte eindeutig eine Panzerabwehrkanone (Pak) darstellen, und das Rohr kann nicht weiter als bis zur Horizontalen aufgerichtet werden. Der Maßstab ist korrekt für 7 cm Figuren, im Gegensatz zu dem richtigen Modell der Pak, die im Katalog von 1936 erschien, aber vermutlich für 10 cm große Figuren angelegt war.

21 Die kleine Feldküche ist häufig zu finden, aber nur selten in der Version, in der sie von Maultieren gezogen wird. Die Maultiere waren in Europa sehr selten, aber ziemlich gängig in den USA. In den 20er und frühen 30er Jahre stellte Elastolin ein 10 cm großes Gebirgsgeschütz her, für das Maultiere verwendet wurde, aber nichts deutet darauf hin, daß die 7 cm große Maultiere jemals etwas anderes als Zugtiere waren.

22 Dies ist der Motortraktor mit Raupenkettengeschütz 0/570, abgebildet im Katalog von 1931. Er wurde mit einem unbeholfenen Fahrer verkauft, der nichts zu tun scheint – auf jeden Fall gibt es für ihn kein Lenkrad. Der Griff vorne bewegt den Traktor, und des Geschütz beruht auf der schweren Kanone vom 1. Weltkrieg. Dieses Modell wurde die ganzen 30er Jahre hindurch produziert.

23 Die zwei preußischen Kavalleristen in Reichsheer-Uniform werden seltsamerweise von Benito Mussolini 25/406N mit Porzellankopf angeführt, der auf dem falschen Pferd sitzt.

24 Ein guter Satz von Soldaten mit Gasmasken mit dem erbsenfeuernden Tank 0/730. Die realistischen Geschoßaufschläge sind 654/8 (groß) und 654/4 (klein).

25 Man findet französische Soldaten in hellblau selten in so gutem Zustand. Dies sind zwar alles deutsche Figuren mit französischem Helm, aber einige Modelle wurden eigens mit französischer Uniform angefertigt. 1914 trugen die Franzosen rote Hose, blauen Rock und weißes Zubehör. Sie waren dadurch eine leichte Zielscheibe, aber es wurde von französischen Soldaten verlangt, in den Nationalfarben rot, weiß und blau zu sterben. Die Farben wurden dann zu einem dunkel blau-grauer Stoff eingewoben, der verwendet wurde, bis Anfang der 30er Jahre Khaki eingeführt wurde.

26 Von links nach rechts: Göring 1935 in der Uniform der Luftwaffe; Goebbels in ungewöhnlicher brauner Uniform; Benito Mussolini mit Porzellankopf; General Guisan, Oberbefehlshaber der Schweizer Armee (Nachkriegsmodell); Göring in der Uniform der Luftwaffe; General Franco (mit der falschen Hakenkreuz-Armbinde); General von Mackensen in der Uniform der Totenkopfhusaren.

27 Von links nach rechts: Zwei umgearbeitete Figuren, die als SA-Offiziere bemalt wurden; die 6,5 cm große Figur von Hitler von 1935 mit beweglichem Arm, vermutlich in einem Podium von Lineol; ein reproduzierter SA-Offizier auf einem ursprünglichen SA-Pferd; fünf originale marschierende SA-Männer.

28 Der SS-Mann von Lineol mit Blechstandarte begleitet eine seltene Hitlerfigur mit Porzellankopf im Regenmantel, drei SS-Männer und eine rare Gruppe von Pimpfen, die die dunkle Jacke der Winteruniform tragen.

29 Die Hitlerfigur 30/23 mit Porzellankopf (links) entstand nach einem Bild, auf dem er einen Parteitag in Nürnberg verließ. Das Modell erschien erstmals 1939 und war auch als stehendes Modell erhältlich. Die SS-Männer rechts haben die gleiche Form wie die SA-Männer, sind aber als SS in der Sommeruniform bemalt. Die Blechstandarte stammt von Lineol.

30 Angesichts der schwarz-weiß-roten Flagge kann man davon ausgehen, daß diese Reichsheer-Soldaten nach 1933 hergestellt wurden, denn die Farben der Weimarer Republik waren

schwarz-rot-gold. 1933 ordnete Hitler eine Rückkehr zu den kaiserlichen Farben an. Der Fähnrich ist eine angreifende Figur.

31 Die marschierende Figur 33/6 wurde 1939 als "Inf. im neuen Schritt" vorgestellt und war auch als Leibstandarte Adolf Hitler der SS in schwarzer Uniform erhältlich. Dies waren die ersten Elastolinfiguren, bei denen das Gewehr aus Mischmaterial gut wirkte; sie wurden auch nach dem Krieg hergestellt und waren eine Zeitlang Bundeswehr-Figuren. Eine marschierende Figur mit Käppi wurde relativ früh eingeführt, aber es ist nicht sicher, von wann diese Version mit Stahlhelm stammt. Die Blechflagge ist natürlich aus der Zeit vor 1945, aber es gab ein großes Lager davon, und die gleichen Fahnen wurden, entsprechend bemalt, bis Mitte der 70er Jahre mit den neuen Plastikfiguren verkauft; dann wurden Fahnen aus Stoff eingeführt.

32 Dieses seltene Flak-Gespann ist ein gutes Modell der Waffe, die während des 2. Weltkriegs im Osten vielfach eingesetzt wurde. Es wird unter 788/2 im Katalog von 1939 erstmals abgebildet und wurde mit Vorreiter, zwei Protzfiguren und einem Schützen verkauft. Die Geschütze sind Spandaus, und das Geräusch von Schnellbeschuß wird simuliert, wenn ein kleiner Hebel hinten am Anhänger gedreht wird. Ein Bein ist ausklappbar, so daß der Anhänger alleine stehen kann. Für den Schützen gibt es einen Windbrecher aus Kanvas. Es ist ungewöhnlich, das ursprüngliche Werkzeug an der Seite zu finden, aber in Deutschland sind Reproduktionen erhältlich.

33 Dies ist ein seltener vollständiger Mittlerer Minenwerfer 0/722/2, der zum ersten Mal im Katalog von 1935 abgebildet wurde. Der Minenwerfer kann aufgestellt werden und feuert, aber das Verschlußstück ist selten vorhanden und fehlt bei diesem Exemplar. Die große 6-Mann-Protze wurde auch für das Infanteriegeschütz, den Funktrupp und die SMG-Einheit verwendet.

34 Die Männer, die Telegraphenmasten hinaufklettern, sowie die Telegraphenmasten selbst wurden bis in die 60er Jahre hinein produziert und sind sehr häufig. Die Landschaftsmodelle sind anhand der Kataloge nicht als Elastolin erkennbar, passen aber gut zu den anderen Teilen. Die Arbeiter sind die normalen Elastolinfiguren, die auch als Eisenbahnmänner, Pioniere des Wilden Westens, SA-Männer und natürlich als Soldaten aller Nationen mit jeweils passendem Kopf erhältlich waren. Die Picke ist fest, aber der Spaten ist abnehmbar. Die Morsengruppe mit dem

Morse-Alphabet aus geprägtem Blech ist die seltene getarnte Version der Vorkriegszeit, die 1935 als 0/659/15 erstmals abgebildet war, aber in identischer Form bis Anfang der 70er Jahre für den Schweizer Markt produziert wurde; allerdings war das Sendegerät dann braun bemalt.

35 Dies sind sehr gute Reichsheer-Modelle. Die Zielscheibe war vermutlich für Elastolin- oder Lineolsoldaten gedacht, die mit hohen Blechgewehren tatsächlich Geschosse abfeuerten. Der Mechanismus dafür verbarg sich bei den knienden und stehenden Figuren in der Tasche und bei den liegenden Figuren im Bauch.

36 Diese frühen Reichsheerfiguren wurden als Grundlage für Figuren für den Export verwendet, nachdem die größeren und besseren deutschen Figuren eingeführt worden waren. Bis Anfang der 70er Jahre wurden diese auch als Grundfiguren für die Schweizer Reihe verwendet. Einige Sammler haben sich auf diese frühen Modelle mit rotem Besatz spezialisiert; sie haben einen ihnen eigenen Charme und ein eher blaues Feldgrau.

37 Zu den drei Jungen des Jungvolks links gesellen sich zwei Führer der Hitlerjugend (36/12). Sie wurden erstmals im Katalog von 1935 dargestellt, als die Hitlerjugend-Serie bereits vollständig war.

38 Diese 6 cm großen amerikanischen Matrosen sind selten. Diese Größe ist bei Sammlern nicht sehr beliebt, aber gewisse Stücke wie etwa diese sind wertvoll. Sie wurden als 0/52/12 (blau) und 0/50/12 (weiß) als kleine Ausgabe der 10 cm Figuren im Katalog von 1931 angeführt. Der Offizier ist nicht gelistet. Der salutierende Admiral ist die 6,5 cm große Portraitfigur 14/20 von Admiral Erich Raeder.

39 Der ausgehöhlte Baum besteht aus Mischmaterial, und auf dem Sockel befindet sich der Elastolin-Stempel. Hinten ist eine Öffnung, die etwa so groß wie ein Schilderhaus ist und einen stehenden Soldaten beherbergen könnte. Dieser Baum taucht in keinem Katalog auf und wurde vermutlich als Schaufensterdekoration verwendet. Während des 1. Weltkriegs wurden solche Bäume tatsächlich auf beiden Seiten eingesetzt – es gibt Aufnahmen, die dies belegen –, denn sie fielen in der verwüsteten Wäldern nicht auf. Die Granaten stammen von Lineol. Der Minenwerfer aus Mischmaterial ist Modell Nummer 0/582 und erschien erstmals im Katalog von 1935. Der Soldat muß sich vor dem Abschuß entfernen, sonst wird er selbst getötet.

40 Ein gutes Beispiel für einen berittenen New Yorker Polizisten in 10 cm Größe, der ab den 20er Jahren bis etwa 1935 hergestellt wurde. Beim Umzug der Firma von Ludwigsburg nach Neustadt wurde die Produktion der großen Pferde eingestellt, obwohl noch bis Ende der 60er Jahre viele 10 cm Zivil- und Landfiguren hergestellt wurden.

41 Das Kraftrad 59½ ist eine Version besserer Qualität mit Blechrädern, die sich drehen. Die einfacheren Modelle haben Räder aus Mischmaterial mit Rollen. Das Nummernschild ist interessant: RW bedeutet vermutlich "Reichswehr"; üblicherweise beginnen die militärischen Nummernschilder mit WH oder WL – "Wehrmacht Heer" oder "Wehrmacht Luftwaffe". Vermutlich wurde der Fahrer umgemalt, denn er trägt keine Stiefel, und er sollte genauso bemalt sein wie der Beifahrer, mit rotem Besatz, wenn er zur Ära "RW" gehört. Beachten Sie auch, daß er die spätere Kopf-Art hat. Der Kradfahrer rechts ist von Lineol, und seine Bemalung ist ebenso verdächtig.

42 Dieses BMW-Kraftrad wurde 1935 erstmals hergestellt und erschien als SMG-Transporter 594/5 nur im Katalog von 1939. Der niedrige Beiwagen war ursprünglich für den Funker gedacht. Der Beiwagen ist nicht korrekt für Linkssteuerung, während im Katalog alle Abbildungen die deutsche Version mit Linkssteuerung zeigen!

43 Hier kann man gut sehen, wie deutsche Körper mit ausländischen Köpfen verwendet wurden. Alle Figuren wurden ohne Kopf hergestellt und dann mit dem Kopf des jeweiligen Landes versehen. Nach dem Krieg erschienen diese Figuren wieder auf dem Markt (diese könnten aus der Nachkriegsproduktion stammen) und wurden in der Schweiz bis Anfang der 70er verkauft. Amerikanische Soldaten trugen braune Stiefel, und keinerlei Zugeständnisse wurden für den britischen Markt gemacht. Die Gruppe mit der Taube ist 0/593 aus dem Katalog von 1935 und war erhältlich, bis die Schweizer Militärreihe Anfang der 70er Jahre eingestellt wurde. Amerikanische Soldaten trugen bis 1943 Stahlhelme der britischen Art.

44 Die britischen Figuren aus der Vorkriegszeit werden von einem deutschen Arzt versorgt. Es sind natürlich deutsche Figuren mit britischem Kopf, in Khaki und mit braunen Stiefeln. Nach dem Krieg verschwand diese Art Bahre und wurde häufiger durch die Metall- und Kanvasbahre mit abnehmbarer Figur ersetzt.

I still had no farm or zoo animals, and Elastolin stocks were getting low. In mid-February 1941, my aunt took me to Dan Morgan to choose presents for my birthday on 2 March. Prices had been reduced and I did well. The black horse was put in a box with the rest of the items to be collected. At the end of February, the Luftwaffe struck three nights in succession, and on the last night I stood on the high ground in the field at the bottom of my garden and watched the vibrating glow as Swansea burned. Fuelling the fire was Dan Morgan's and my box of Elastolin. Over 300 people had died, including my two lovely young cousins, one a ballet student, and their mother, who had only just come from London to avoid the bombing there. So this was real war. Like other children I became used to it, but was much more aware that the contents of my toy cupboard mirrored a world where it was best to remain a child.

I continued to enjoy my Elastolin, and the Luftwaffe kept coming. The last raid was on 16 February 1943. Nothing much seemed to happen. I stood on the garden path and saw a Junkers 88, flying low, caught in the cross beams of two searchlights. He was miles off target. I was later told a sack of potatoes had saved my life. The house was undamaged. Many casualties were rushed to a war emergency hospital in the grounds of a large psychiatric hospital. There were many servicemen there in their red white and blue uniforms. I was soon given a little room of my own and was visited by a tall doctor in white coat, grey trousers and black boots. He looked like Rudolf Hess. A relative had brought me my weekly *Dandy*, *Beano*, *Hotspur*, *Adventure*, and a small box of my Elastolin cowboys and Indians which had been in in the sitting room. The doctor looked as if he had found a treasure. He handled every figure in the box with loving care, a serene smile on his face. He then read my *Beano* from cover to cover. He came every day until I was discharged a month later, and every day he examined the Wild West figures. Much later I learned that he was a German prisoner of war, a doctor who was attached to the German prisoners secured elsewhere in the hospital. He seemed to have a free run of the place, and had helped the casualties of the last air raid.

I was now at grammar school, a tough place in those days, and I worked hard. The toy cupboard stayed closed and I was putting away childish things. Elastolin was forgotten.

Ich hatte noch immer keine Haus- oder Zootiere, und der Vorrat an Elastolinfiguren wurde immer kleiner. Mitte Februar 1941 ging ich mit meiner Tante zu Dan Morgan, um mir zum Geburtstag am 2. März Geschenke auszusuchen. Die Preise waren gesenkt worden, und ich wurde verwöhnt. Wir kauften das schwarze Pferd und andere Stücke, die in einer Schachtel darauf warteten, abgeholt zu werden.

Ende Februar, die Luftwaffe griff an drei aufeinanderfolgenden Nächten an, und in der letzten Nacht stand ich auf einem Hügel im Feld hinter unserem Garten und sah das unheimliche Glühen der Stadt, die in Flammen aufging. Das Feuer wurde auch von den Elastolinfiguren genährt, die bei Dan Morgan standen. Über 300 Menschen kamen ums Leben, einschließlich meine zwei junge Kusinen, von denen eine Ballettschülerin war, und ihre Mutter. Sie waren gerade erst von London nach Swansea gekommen, um den Bombenangriffen dort zu entgehen.

Das also war der Krieg. Wie andere Kinder gewöhnte ich mich daran, aber ich war mir sehr wohl dessen bewußt, daß der Inhalt meines Spielzeugschranks eine Welt darstellte, in der man am besten immer ein Kind blieb.

Ich spielte immer noch gerne mit dem Elastolin, und die Angriffe der Luftwaffe fanden weiterhin statt, der letzte am 16. Februar 1943. Er schien nicht ungewöhnlich. Ich stand im Garten und sah eine tieffliegende Junkers 88, gefangen im sich kreuzenden Strahl zweier Suchlichter. Sie war weit ab vom Schuß. Später erfuhr ich, daß ein Sack Kartoffeln mein Leben gerettet hatte. Das Haus war nicht beschädigt. Viele Verletzte wurden zu einem Behelfskrankenhaus im Gelände einer großen psychiatrischen Anstalt gebracht. Dort waren viele Soldaten in rot-weiß-blauen Uniformen. Bald bekam ich ein eigenes kleines Zimmer, und dort besuchte mich ein großgewachsener Arzt in weißem Kittel, grauen Hosen und schwarzen Stiefeln. Er sah wie Rudolf Hess aus. Eine Verwandte hatte mir die wöchentlichen Kinderzeitschriften *Dandy*, *Beano*, *Hotspur*, *Adventure* und eine kleine Schachtel mit meinen Elastolin Cowboys und Indianern gebracht, die im Wohnzimmer gewesen war. Der Arzt strahlte, als hätte er einen Schatz entdeckt. Er nahm jede Figur liebevoll in die Hand, und ein abgeklärtes Lächeln überzog sein Gesicht. Dann las er *Beano* von Anfang bis Ende durch. Er kam jeden Tag, bis ich einen Monat später entlassen wurde, und jeden Tag sah er die Figuren aus dem Wilden Westen an. Sehr viel später erfuhr ich, daß der Arzt ein deutscher Kriegsgefangener war und zu den anderen Kriegsgefangenen gehörte, die anderswo im Krankenhaus untergebracht waren. Er schien sich frei im Gebäude bewegen zu

In 1962, I was a history lecturer concerned with teacher training. My son was four years old and we went to my parents at the house of my childhood. "Just wait until you see my old toys," I said, "They don't make them like that any more." I took a deep breath in front of the old cupboard and opened it. Towels, bed linen . . . no toys. No Elastolin. My mother had come up. She looked shamefaced. Chapel jumble sales, visiting cronies with restless children. "I didn't think you'd want them any more" she said. How often has that been said by millions of mothers the world over who should have known better. We went to the garden shed. My collection of old swords and guns had also disappeared. I picked up a large rusty wartime dried milk tin. Inside were dominoes, two Elastolin Middlesex drummers and six action figures, all in lovely condition. "I didn't know they were there" said my mother. "Thank God" I replied. Those few figures became my son's most prized possessions.

In a scorching April in 1969 we went to Freiburg in Switzerland, and booked into a small inn alongside the cobbled square of the lower town. In the morning, grey army lorries poured onto the square and we were soon staring at line of field grey figure in black jack boots, black leather ammunition pouches and helmets that were only slightly different from those we all knew so well. As they moved off a perspiring officer dashed in. He was wearing riding boots with breeches, and a large brown holster weighed down his leather belt.

We walked up to the shopping centre on the hill. The first shop was a toy shop. We followed my son in reluctancy, then I stood spellbound. I thought I was having hallucinations. Not only was Elastolin still alive, they were still making everything I had had as a child. There in front of me were the contents of my old toy cupboard. Almost without thinking I asked if they had a black trotting farm horse. They usually did, but were temporarily out of stock. We lingered in the shop for some time while I thought over this discovery. Were there many other people like me who would be excited to discover that Elastolin had not disappeared into the ruins of the Third Reich? Now I was not just concerned with rebuilding a vanished collection. My work in teacher training made me interested in play. I specialised in modern European history and this seemed a useful firm to study. I could also use some

können und half den Verletzten des letzten Luftangriffs.

Die Oberschule war damals kein Zuckerlecken, und man mußte hart arbeiten. Der Spielzeugschrank blieb verschlossen. Kindische Dinge waren passé. Elastolin war vergessen.

1962 war ich Dozent für Geschichte in der Lehrerausbildung. Mein Sohn war vier Jahre alt, und wir besuchten meine Eltern in dem Haus, in dem ich aufgewachsen war. "Wart' nur, bis du mein altes Spielzeug siehst", sagte ich. "So was gibt's heute gar nicht mehr." Als ich vor dem alten Schrank stand, holte ich tief Luft und öffnete die Türen. Handtücher, Bettwäsche . . . kein Spielzeug. Kein Elastolin. Meine Mutter war mir gefolgt und sah verschämt aus. Wohltätigkeitsbazaare, Freundinnen, die mit quengligen Kindern zu Besuch gekommen waren. "Ich dachte nicht, daß du sie noch haben wolltest", sagte sie. Millionen von Müttern müssen diesen Satz gesagt haben. Wir gingen zum Schuppen. Meine Sammlung alter Schwerter und Gewehre war auch verschwunden. Ich nahm eine große verrostete Milchpulverdose aus der Kriegszeit in die Hand. Innen waren Dominosteine, zwei Elastolin Middlesex-Trommler und sechs Aktionsfiguren. Sie waren alle in perfektem Zustand. "Von diesen Figuren wußte ich gar nichts", sagte meine Mutter. "Gottseidank", antwortete ich. Mein Sohn hütete diese wenigen Figuren wie seinen Augapfel.

An einem heißen Tag im April 1969 fuhren wir nach Fribourg in der Schweiz und nahmen ein Zimmer in einem kleinen Gasthof am Marktplatz in der Unterstadt. Am Morgen strömten graue Armeelaster auf den Platz, und bald blickten wir auf Reihen von feldgrauen Gestalten in schwarzen Stiefeln mit Munitionsgürteln und Helmen. Sie unterschieden sich kaum von den Figuren, die uns so vertraut waren. Als sie abzogen, stürzte schwitzend ein Offizier herbei. Er trug Reitstiefel und Reithosen, und ein großes braunes Halfter hing an seinem Ledergürtel.

Wir gingen den Berg hinauf zum Einkaufszentrum. Der erste Laden war ein Spielzeuggeschäft, und widerstrebend folgten wir meinem Sohn hinein. Dann blieb ich wie vom Donner gerührt stehen. Ich glaubte zu träumen. Nicht nur gab es Elastolin noch, sie stellten nach wie vor alle Figuren her, die ich als Kind besessen hatte! Vor mir ausgebreitet stand der Inhalt meines alten Spielzeugschranks. Fast ohne zu denken fragte ich, ob sie ein schwarzes trabendes Pferd hatten. Ja, es war erhältlich, aber im Augenblick hatten sie es nicht vorrätig. Wir hielten uns längere Zeit in dem Laden auf, und dabei dachte ich über diese Entdeckung nach. Ob andere Leute ebenso aufgeregt sein würden wie ich angesichts der Tatsache, daß Elastolin nicht mit dem Dritten Reich

extra income with my son starting boarding school. It was in that shop in Freiburg that I decided to get in touch with Elastolin, sell their products by mail order, rebuild a collection, and make a social history study.

It happened. The firm was friendly and very cooperative. Only Hamleys in London sold their products in England, and Elastolin welcomed my ideas. Mr R. Küentzle, the export manager, sent me some old catalogues starting with the 1920 catalogue F, but explained that the days of the old composition production were almost over. The firm was committed to plastic production, and new models had been made in plastic since 1955. Mr Küentzle emphasised what many collectors forget, that at all times the range of toy figures was only a very small part of Elastolin's production. Their main products were school furniture, nursery furniture, picture books, boxed games, tricycles and anything else for children made of wood. At the same time it was acknowledged that toy figure and animal production was their prestige line, their reputation and image was based on that.

Mr Küentzle explained that up to the mid 1960s they were still making a very good profit from their tinplate clockwork vehicles and composition figures. They were selling all they produced, and the Swiss market seemed insatiable. Then they commissioned a firm of consultants who advised that the returns did not justify the use of so much factory space housing pre-war machinery. The space could be used more profitably for a product using less labour. Tinplate and composition production should stop.

The 'Whiz kids' won, but it was a close run thing, and the decision almost went the other way. Although the new models were in hard plastic they were then overpainted completely just like the composition figures. They were entirely compatible and could not be distinguished from each other, except by the base moulding. I can understand now why so many new models made their debut in composition so near the time they were discontinued. It was not inevitable.

In 1972, my family and I visited the factory to collect a consignment of Elastolin. As we neared Neustadt bei Coburg, US army signs warned us that we were approaching the Russian Zone. The Franconian countryside was starkly beautiful. Rolling hills topped by pine groves or medieval

untergegangen war? Es ging mir nicht nur darum, eine verlorene Sammlung wiederaufzubauen: Durch meine Arbeit in der Lehrerbildung interessierte ich mich für Spiele. Mein Spezialgebiet war moderne europäische Geschichte, und die Firma Elastolin schien einer eingehenderen Untersuchung wert. Ein zusätzliches Einkommen wäre auch nicht zu verachten, wenn mein Sohn ins Internat ging. Und so kam mir in jenem Laden in Fribourg der Gedanke, mit Elastolin Kontakt aufzunehmen, ihre Produkt im Versand zu verkaufen, eine neue Sammlung aufzubauen und eine sozialgeschichtliche Studie zu erarbeiten.

Und genau das passierte. Die Firma war freundlich und sehr hilfsbereit. Ihre Produkte wurden in England nur durch Hamleys – einen riesigen Spielwarenladen in London – verkauft, und so begrüßte Elastolin meinen Vorschlag. Herr R. Küentzle, der für den Export zuständige Bearbeiter, schickte mir einige alte Kataloge zu, angefangen mit dem Katalog F von 1920, aber er erklärte, daß die Tage des alten Mischmaterials gezählt waren. Die Firma ging immer mehr zur Plastikproduktion über, und seit 1955 wurden neue Modelle aus Plastik hergestellt. Herr Küentzle betonte, was viele Sammler gerne vergessen, nämlich, daß Spielzeugfiguren nur einen kleinen Teil von Elastolins Produkten darstellten. Wesentlich wichtiger waren Schulmöbel, Kindergartenmöbel, Bilderbücher, Brettspiele, Dreiräder und alles andere aus Holz, das Kinder benötigen. Gleichzeitig war die Firma sich aber auch dessen bewußt, daß die Figuren und Tiere das Produkt darstellten, auf dem ihr Ruf und ihr Ansehen beruhten.

Herr Küentzle erklärte, daß die Firma bis Mitte der 60er Jahre die aufziehbaren Blechfahrzeuge und Massefiguren noch mit Gewinn verkaufen konnte. Alles, was hergestellt wurde, wurde auch verkauft, und der Schweizer Markt schien schier grenzenlos. Schließlich kam eine Beraterfirma zu dem Schluß, daß der Gewinn den Einsatz von so viel Fabrikraum, in dem Vorkriegsmaschinen standen, nicht rechtfertigte. Der Platz könnte weitaus profitabler genutzt werden, wenn weniger arbeitsaufwendige Produkte erzeugt würden. Blech- und Massefiguren sollten eingestellt werden.

Die ''Finanzgenies'' siegten, aber nur knapp – fast wäre die Entscheidung anders ausgefallen. Obwohl die neuen Modelle aus Hartplastik bestanden, wurden sie anschließend wie die Massefiguren völlig übermalt. Sie entsprachen den alten Figuren vollkommen und ließen sich nur am Sockel unterscheiden. Jetzt weiß ich, warum so viele neue Modelle, die bald auslaufen sollten, anfänglich aus Mischmaterial hergestellt wurden – es war nicht unvermeidlich.

castles out of Elastolin's catalogues. Oxen pulled farm machinery and villagers were seen wearing traditional peasant costume. Coburg town was similarly picturesque. In the market square as a bronze statue of Prince Albert, Queen Victoria's consort strikingly portrayed as a portly Franconian, fond of his pork and beer. We bought composition animals in the first toy shop we found and proceeded to Neustadt accompanied by good humoured mirth from bystanders who viewed my 1968 Morris Minor Traveller with incredulity, a wooden car on the way to a wooden toy factory. We were towing a caravan. It held a lot of Elastolin.

Neustadt bei Coburg is a typical well planned early twentieth century light industrial town. Its railway sidings were part of the main line running north from Munich and Nuremburg, and so it narrowly escaped being incorporated into the Russian Zone. The town made a small dent in the iron curtain and the factory was on the Eisfelderstrasse, a small road that ran seven kilometres to the toy making town of Eisfeld, but was then blocked by barbed wire, a minefield, ploughed strip and watch towers with armed border guards. Neustadt was a centre of doll production and had an interesting toy museum which showed how dolls were made in wax and in composition material. The amused scrutiny I received on arrival at the factory was explained later. Sam Hawkens was a Karl May character, a stunted dwarf in ragged clothing. They were disappointed.

Mr R Küentzle said that he had been with Elastolin since before the war and remembered Dan Morgan's well. To our horror he produced a nice composition elephant and broke it up to show us how it was made. We were impressed by the happy atmosphere in the factory. Down in the packaging and despatch area he was greeted as a welcome friend by the workforce and they exchanged good humoured banter. He helped push a difficult load out of the way. About 3 pm every day Mr Küentzle rang a bell and an attractive young lady appeared with a bottle of Scotch whisky. Anyone present was invited to partake. The workers put in an eight hour day from 8 am to 4 pm, finishing at 12 pm on Friday until 9 am Monday. The executives had to be in before the workforce and left after them.

1971 besuchten meine Familie und ich die Fabrik, um eine Lieferung Elastolin abzuholen. Als wir auf Neustadt bei Coburg zufuhren, verkündeten Schilder der US Armee, daß wir uns der russischen Besatzungszone näherten. Die fränkische Landschaft war herb, aber schön. Sanfte Hügel, auf denen Kieferwälder oder mittelalterliche Burgen wie aus den Elastolin-Katalogen standen. Ochsen zogen landwirtschaftliche Maschinen, und die Dorfbewohner trugen Tracht. Coburg ist eine schöne Stadt. Auf dem Marktplatz stand eine Bronzestatue von Prinz Albert, dem Gemahl Königin Victorias aus dem Haus Sachsen-Coburg, in einer überzeugenden Pose als stämmiger Franke. Im ersten Spielzeugladen, den wir fanden, kauften wir Massetiere und fuhren weiter nach Neustadt, begleitet von den lustigen Zurufen der Umstehenden, die ungläubig meinen Morris Minor Traveller von 1968 bestaunten – ein Holzauto auf dem Weg zu einer Holzspielwaren-Fabrik. Wir hatten einen Caravan im Schlepptau, der mit Elastolinfiguren vollgeladen werden sollte.

Neustadt bei Coburg ist eine typische angelegte Stadt vom Anfang dieses Jahrhunderts, in der die Leichtindustrie floriert. Das Bahnnetz gehört zur Hauptlinie, die von München und Nürnberg nach Norden führte, und aus diesem Grund wurde die Stadt nicht der sowjetischen Zone zugeordnet. Ihretwegen machte die Mauer einen kleinen Knick, und die Fabrik lag an der kleinen Eisfelderstraße, die sieben Kilometer weit zur Spielwarenproduktionsstadt Eisfeld führte; dann aber war sie mit Stacheldraht versperrt, einem Minenfeld, einem gepflügten Streifen Erde und Wachtürmen, die mit bewaffneten Grenzwärtern bemannt waren. Neustadt war ein Zentrum der Puppenproduktion und besitzt ein interessantes Spielzeugmuseum, in dem die Herstellung von Puppen aus Wachs und Mischmaterial erläutert wird.

Die freundlich-amüsierte Prüfung, der ich beim Ankommen in der Fabrik unterzogen wurde, erklärte sich später: Sam Hawkens ist eine Figur aus Karl May, ein gekrümmter Zwerg in zerlumpten Kleidern. Sie waren enttäuscht.

Herr Küentzle, der Exportleiter, erzählte mir, daß er bereits vor dem Krieg bei Elastolin gearbeitet hatte und sich noch gut an Dan Morgans Laden erinnerte. Zu unserem Entsetzen nahm er einen schönen Elefanten aus Masse zur Hand und zerbrach ihn, um uns zu zeigen, woraus er bestand. Die freundliche Atmosphäre in der Fabrik beeindruckte uns sehr. In der Verpackung und im Versand wurde Herr Küentzle von den Arbeitern freundschaftlich begrüßt, und sie scherzten miteinander. Er half ihnen, eine schwere Ladung aus dem Weg zu schieben. Jeden Nachmittag um 15 Uhr klingelte er mit einer Glocke, eine attraktive junge Dame erschien mit einer Flasche Whisky, und

The showroom was impressive. I took a photograph of my young son in the middle, a big smile on his face and his arms outstretched. Behind him are the castles and the wall shelves. He is 31 now and says he can still remember his delight at being in that wonderland. The wall shelves contained a good selection of composition figures. I wanted to order a magnificent Swiss army band, but was told it was no longer available and that the display set was about to go to the archives. There was also a very impressive large wooden Bavarian farmhouse, and unfortunately I did not realise it was about to be discontinued.

All but one of the castles on display were made of plastic. Some were of tough moulded plastic, made in sections which could be put together with or without a large base. I still have an excellent example in its labelled box and this will be shown in Volume III. Other castles were made by vacuum-forming, and then painted in the traditional way. They looked excellent, just like the old composition castles. But they were clearly more fragile and would crack or collapse under a blow or heavy weight. One advantage of plastic is that it was

jeder Anwesende durfte am Umtrunk teilnehmen. Die Arbeiter arbeiteten jeden Tag von 8 bis 16 Uhr, freitags nur mit 12 Uhr, und fingen montags um 9 Uhr an. Die leitenden Angestellten mußten vor den Arbeitern bei der Arbeit sein und gingen erst nach ihnen nach Hause.

Der Ausstellungsraum war beeindruckend. Ich habe eine Aufnahme mit meinem kleinen Sohn, wie wir er mit einem strahlenden Lächeln und ausgebreiteten Armen mitten im Raum steht. Hinter ihm kann man die Burgen und Wandregale sehen. Heute ist er 32 und sagt, er könne sich noch gut daran erinnern, wie überwältigt er von diesem Zauber war. Die Wandregale enthielten eine gute Auswahl der Massefiguren. Ich wollte eine prachtvolle Schweizer Militärkapelle bestellen, aber leider war sie nicht mehr erhältlich, und das Ausstellungsmodell sollte bald ins Archiv wandern. Außerdem gab es ein wunderschönes großes bayrisches Bauernhaus aus Holz; leider wußte ich nicht, daß es bald eingestellt werden würde.

Alle ausgestellten Burgen, bis auf eine, waren aus Plastik. Einige bestanden aus widerstandsfähigem gegossenen Plastik, und zwar in Teilen, die mit oder ohne Sockel zusammengebaut werden konnten. Ich besitze noch ein ausgezeichnetes Exemplar davon, das in seiner Schachtel steckt; es ist in Band III abgebildet. Andere Burgen wurden im Vakuumformprozeß hergestellt und auf die übliche Weise bemalt. Sie sahen wunderschön aus, genau wie die alten Burgen aus Mischmaterial. Aber sie waren weniger widerstandsfähig und gingen leicht kaputt, wenn sie getreten wurden oder jemand auf ihnen saß.

Einen Vorteil besaßen die Plastikmodelle aber doch, nämlich, daß der Burggraben wasserdicht war. Der Burgsockel Nr. 9745 etwa war damit ausgestattet. 1971 war keine der alten Burgen aus Holz und Masse erhältlich, aber manche Läden hatten einige Modelle noch auf Lager.

Guy Hawkins in the Elastolin showroom in 1972. The background shelves contain displays of composition figures only then being removed. Mr Küentzle said they were destined for the archives.

Guy Hawkins 1972 im Elastolin-Austellungsraum. Auf den Regalen im Hintergrund stehen Modelle aus Mischmaterial, die zu der Zeit gerade eingestellt wurden. Herr Küentzle sagte, die Figuren seien für das Archiv bestimmt.

possible to make a castle moat which would hold water. One castle base No. 9745, had this feature. None of the old wooden and composition castles were still available in 1972, but some models were still in stock in shops.

I wish I had understood at that time that it was deliberate policy to push the new plastic line and make out that the old composition items were no longer available. I later realised that there were very large stocks of almost all the composition figures in the warehouses, even the supposedly rare Frederick the Great sets. These were painted exactly as in the 1930s and all kinds of models were dumped on the big firms in Europe and America at very low prices – many big firms just took what came, without making a specific order. The composition models were snapped up as soon as they went on display. To the best of my knowledge, the last composition consignment reached Hamleys in 1975, and I was able to telephone them and buy three composition portrait figures of George Washington and a set of the eighteenth century figures shown on page 27 of this book. I was too late to secure any of the large selection of zoo animals that had arrived. Everything went the same day.

During our drive home from Neustadt we stopped at every toy shop we saw and amassed an impressive assortment of composition figures, including 10 cm civilian items such as the eskimo, witch, Little Red Riding Hood and others first shown in the 1920 catalogue. One shop had Frederick the Great and his generals on the correct horses as shown in the 1931 catalogue. They were ridiculously cheap. *SEPT 1971*

In the spring of 1971 I wrote an article for *Military Modelling* magazine entitled 'Hitler's Toymakers'. There were a few bad mistakes but I showed how Elastolin toys were part of the social history of the Third Reich, and revealed that the firm still existed and was making military figures in composition for the Swiss market. At the time old Elastolin models had little value. Philips of London sold collections of tinplate vehicles, including the Hitler Mercedes, as job lots with occupants, for about £20. I bought a six-wheeled lorry for £1.50 and the 1931 tank in mint condition for £2. The figures were sought after mostly by military modellers who converted and repainted them. My article did not please Elastolin; I received rather a chilly letter from Mr Küentzle. Soon their attitude changed as letters poured in from all over the world

Ich wünsche, ich hätte gewußt, daß es damals Geschäftspolitik war, verstärkt für die neuen Plastikserien zu werben und vorzugeben, daß die alten Massefiguren nicht mehr erhältlich waren. Erst später erfuhr ich, daß praktisch alle Massemodelle in großen Mengen noch vorrätig waren, selbst die angeblich so raren Serien von Friedrich dem Großen. Sie waren genau wie in den 30er Jahren bemalt, und die verschiedensten Modelle wurden fast zu Schleuderpreisen an die großen Firmen in Europa und Amerika abgegeben – manche nahmen alles, was kam, ohne spezifische Bestellungen aufzugeben.

Die Massemodelle wurden aufgekauft, sobald sie im Laden erschienen. Meines Wissens erhielt Hamleys die letzte Lieferung von Massemodellen 1975, und ich rief das Geschäft an und kaufte drei Portraitfiguren von George Washington und einen Satz von Figuren aus dem 18. Jahrhundert (auf S. 27 abgebildet), die aus Mischmaterial bestanden. Ich kam zu spät, um irgendwelche der angelieferten Zootiere zu bekommen. Alles wurde am gleichen Tag verkauft.

Während der Fahrt von Neustadt nach Hause hielten wir bei jedem Spielzeugladen an und stellten eine beeindruckende Sammlung von Massefiguren zusammen, unter anderem auch 10 cm hohe Zivilfiguren wie den Eskimo, die Hexe, Rotkäppchen und andere, die bereits im Katalog von 1920 abgebildet waren. In einem Laden fanden wir Friedrich den Großen und seine Generale auf den gleichen Pferden wie im Katalog 1931. Sie waren unglaublich billig.

Im September 1971 schrieb ich einen Artikel für das Magazin *Military Modelling* mit dem Titel 'Hitler's Toymakers' (Hitlers Spielwarenhersteller). Einiges darin war völlig falsch, aber ich beschrieb, wie sehr Elastolin-Spielwaren zur Sozialgeschichte des Dritten Reichs gehörten. Außerdem berichtete ich, daß die Firma noch bestand und nach wie vor Militärfiguren aus Mischmaterial für den Schweizer Markt produzierte. Damals waren die alten Elastolinfiguren wenig wertvoll. Das Auktionshaus Philips in London verkaufte Sammlungen von Blechfahrzeugen einschließlich dem Hitler-Mercedes mit Insassen für rund 20 Pfund. Ich kaufte einen sechsrädrigen Militärlaster um £1,50 und den Panzer von 1931 in bestem Zustand um zwei Pfund. Die Figuren wurden zum Großteil von militärischen Modellbauern gekauft, die sie veränderten und neu bemalten.

Der Artikel stieß bei Elastolin auf wenig Gegenliebe. Herr Küentzle schrieb mir wenig freundlich. Aber bald änderte sich ihre Einstellung, als nämlich Briefe aus allen Herren Länder, in denen *Military Modelling* verkauft wurde, ankamen. Es gab zahlreiche potentielle Elastolin-Sammler, die gerne miteinander Kontakt aufnehmen und ihre

where *Military Modelling* was distributed. There was a potential army of Elastolin collectors wishing to be put in touch with each other and enlarge their collections. They had not known of the firm's continued existence. Business boomed, and Mr Küentzle rose to the occasion and put collectors in touch with each other and helped publicise the first auctions of military toys that took place in Weinheim in 1972. That was the time to buy old Elastolin and Lineol.

This world-wide interest at last led Elastolin to agree to supply me with the composition Swiss army figures. These were exactly the same as the pre-war German figures, and indeed many were the old Reichswehr mouldings. They covered all military activities except music. The sole agent had been Bevilacqua of Basle, who never answered my pleas to be allowed to buy their old stocks!

Unfortunately I am not much of a businessman – I was better at teaching history. In 1975, a British entrepreneur who had read my sales literature flew to Germany and bought up all the remaining stock of composition models. He was lucky enough also to uncover a small stock of tinplate vehicles. This was not quite the end I'm glad to say. On 20 January 1976, Mr Küentzle wrote to me: "On occasion of our inventory work we have investigated that we have still in stock the soldier figures underlined on the attached illustration. All figures are made of composition material. In case you are interested please let us have immediately your order." I simply wrote and asked for the lot. They included the pigeon/Alsatian dog/spy camera groups, wooden pontoons with complete sets of paddlers, the working radio groups, most of the camp figures and the last ever tinplate item sold by Elastolin, a tinplate Feldwagen for which they charged me £1.50p. I was unprepared though for the deluge of kneeling nurses No. 656/1N. I still have a box full of 200 of them, in mint shop new condition.

Reggie Polaine had already been in touch with me as a result of 'Hitler's Toymakers' and we were in correspondence for sometime afterwards. I like to think that it was my article that inspired the original edition of this book, and if only he had told me he was preparing it, I could have helped with more material and information. Dealing was great fun. I made friends the world over and there were many amusing and some sad stories to tell. One collector in New York urgently

Sammlung vergrößern wollten. Niemand hatte gewußt, daß die Firma noch existierte. Das Geschäft blühte, und Herr Küentzle machte sich daran, die Sammler miteinander in Kontakt zu bringen; er half auch, die erste Auktion von Militärspielwaren, die 1972 in Weinheim stattfand, publik zu machen. Das war die Zeit, um Elastolin und Lineol zu kaufen.

Das weltweite Interesse brachte Elastolin schließlich dazu, mir Schweizer Armeefiguren aus Masse zu liefern; sie waren genau die gleichen wie die deutschen Vorkriegsfiguren, und viele stammten sogar aus den alten Reichswehr-Formen. Es gab alle militärischen Bereiche außer Musik. (Diese Figuren werden eingehend in Band III besprochen.) Der einzige Handelsvertreter war Bevilacqua von Basel gewesen, und die Firma antwortete nie auf meine Bitten, mir ihre alten Bestände zu verkaufen.

Leider war ich kein guter Geschäftsmann; Geschichte lag mir mehr. 1975 flog ein britischer Unternehmer, der meine Verkaufsliteratur gelesen hatte, nach Deutschland und kaufte alle verbliebenen Bestände von Massemodellen auf. Er hatte Glück und entdeckte auch einen kleinen Posten Blechfahrzeuge. Erfreulicherweise war dies aber nicht der allerletzte Akt. Am 20. Januar schrieb mir Herr Küentzle: "Anläßlich unserer Inventur haben wir festgestellt, daß wir noch die Soldatenfiguren auf Lager haben, die auf der beiliegenden Abbildung unterstrichen sind. Alle Figuren wurden aus Mischmaterial gefertigt. Falls Sie interessiert sind, lassen Sie uns bitte sofort Ihre Bestellung zukommen." Ich schrieb zurück und forderte alles an. Dazu gehörten die Gruppen mit Taube, Schäferhund und Spionkamera, Holzpontons mit einem vollständigen Satz von Paddlern, betriebsfähige Nachrichtentrupps, die meisten Figuren vom Lagerleben und das allerletzte von Elastolin verkaufte Blechmodell, ein Feldwagen, für den ich £1,60 bezahlen mußte. Worauf ich allerdings nicht gefaßt war, war die Schwemme kniender Krankenschwestern Nr. 656/1N. Ich besitze immer noch eine Schachtel mit 200 nagelneuen Exemplaren.

Reggie Polaine hatte mich aufgrund meines Artikels bereits angeschrieben, und eine Zeitlang standen wir brieflich in Kontakt. Ich würde gerne denken, daß mein Artikel die ursprüngliche Ausgabe dieses wunderschönen Buches veranlaßte; wenn er nur gesagt hätte, daß er daran arbeitete, hätte ich ihm mehr Material und Information zur Verfügung gestellt.

Das Handeln mit den Figuren war ein großer Spaß. Ich machte Freunde in aller Welt und erlebte und erfuhr viele traurige und auch lustige Geschichten. Ein Sammler in New York wollte unbedingt rechtzeitig zu Weihnachten eine große Burg für seinen Enkel haben, und deshalb

wanted a large castle for his grandson in time for Christmas so he booked a seat on a jet from Heathrow, first class. The castle travelled in style. Once I bought a complete set of old Luftwaffe figures. The vendor phoned to thank me for my cheque and I asked him how on earth he had come by them. He had been an infantryman. They had just crossed the Dutch border and were pinned down in a small ruined German town. His officer and NCO were lying dead in the rubble-strewn street. Looking around he saw that he was in a ruined toy shop. On a shelf leaning down towards him were a jumbled heap of figures. On impulse he scooped them all down into his empty ammunition pouch.

As new lines came into production, it was clear that Elastolin was simply replacing old models with almost identical items in plastic. Some of these were excellent, like the plastic Zugpferd models, still on wooden bases, but somehow they lacked the presence of their composition equivalents, and the use of coloured plastic meant that they would never acquire that patina of age which is so attractive on an antique painting and old Elastolin. Furthermore I was concerned that now the flesh of models was no longer being painted, but was left in dreadful pink plastic. A large range of downmarket unpainted plastic models was also produced. These were terrible. During this time the price of the antique models rose rapidly and as a result more came on the market. The rising value of the German mark in the late 1970s, did not help Elastolin. In 1972 there were over 9 DM to £1. In 1976 there were 6 DM to £1. At the time of writing, the rate fluctuates between 2.70–2.90 DM to £1. By 1980 it was clear that collectors were becoming satiated and the models were losing their appeal to children on the grounds of cost and lack of association. Children are very much aware of events in the real world and their play reflects this. The space age and computers were 'in'. Elastolin reflected the interests of the 1930s and the troubles of the immediate post-war world. They did not make a single model for the children of the 1980s. I wrote to Mr Küentzle and told him what I thought, asking if it would be possible to reinstate at least the Swiss range in composition. He replied sadly that it was not, and added "Maybe we will die from improvements".

By the end of 1981 it was clear that the decline in sales was more than temporary. In 1982 Mr Kearton, a full time toy

reservierte er einen Platz auf dem Flugzeug von Heathrow, natürlich erster Klasse – die Burg reiste stilvoll. Einmal kaufte ich einen ganzen Satz alter Luftwaffe-Figuren. Der Verkäufer rief mich an, um mir für den Scheck zu danken, und ich fragte ihn, wo er sie denn gefunden hatte. Er war in der Infanterie gewesen, und seine Einheit hatte gerade die holländische Grenze überschritten und saß in einer verwüsteten deutschen Kleinstadt fest. Der Offizier und Unteroffizier lagen tot auf der Straße. Als er sich umsah, stellte er fest, daß er in einem zerstörten Spielzeugladen stand. Auf einem Regal, das schief an der Wand hing, lag ein Haufen von Figuren. Ohne zu denken, steckte er sie alle in seine leere Patronentasche.

Als die neuen Serien erschienen wurde klar, daß Elastolin einfach nur alte Modelle mit praktisch identischen Figuren aus Plastik ersetzte. Einige davon waren ausgezeichnet, wie die Zugpferde aus Plastik, die auf Holzsockeln standen. Irgendwie aber fehlten ihnen die Präsenz der Massestücke, und da bei ihrer Herstellung Buntplastik verwendet wurde, würden sie nie die etwas verwitterte Patina annehmen, die alte Gemälde und altes Elastolin auszeichnet.

Außerdem war ich betroffen, weil die Haut der Modelle, die nur pinkfarbenes Plastik war, nicht mehr bemalt wurde. Zudem wurden auch viele billige unbemalte Plastikfiguren hergestellt, die entsetzlich waren. Während dieser Zeit stieg der Preis der alten Modelle stark an, und folglich wurden mehr verkauft. Der Anstieg der D-Mark gegenüber dem englischen Pfund Ende der 70er Jahre war auch nicht förderlich für den englischen Elastolin-Markt. 1971 war der Wechselkurs 9 DM zum Pfund. 1976 waren es 6 DM, und jetzt (1990) sind es rund 2,95 DM für ein Pfund. 1980 war klar, daß der Markt gesättigt war und daß die Figuren bei Kindern nicht mehr so gefragt waren – zum Teil, weil sie teuer waren, aber auch, weil sie für Kinder keinen realen Bezug mehr hatten. Kinder sind sich der Vorgänge in der realen Welt sehr bewußt, und beim Spielen ahmen sie dies nach. Gefragt waren Raumschiffe und Computer. Elastolin stellte die Interessen der 30er Jahre und die Probleme der Nachkriegszeit dar und produzierte kein einziges Modell für die Kinder der 80er Jahre. Ich schrieb an Herrn Küentzle und teilte ihm meine Überlegungen mit. Gleichzeitig fragte ich, ob es nicht möglich wäre, wenigstens die Schweizer Reihe aus Massematerial wieder zur produzieren. Er antwortete und meinte bedauernd, es sei nicht möglich; dann fügte er hinzu: "Vielleicht gehen wir an Verbesserungen ein".

Ende 1981 war es offensichtlich, daß die Verkaufszahlen mehr als nur kurzfristig zurückgingen. 1982 begann der Spielwarenhändler Mr Kearnton, Inhaber eines Geschäfts, die neuen Plastikmodelle in 4 cm

dealer with his own shop, started to import the new plastic models in both 4 cm and 7 cm size and sell by mail order. He succeeded in reviving interest temporarily, then gave up. In July 1983, I sent a small order into Elastolin and was dismayed to receive a latter saying that they had just become bankrupt on 29 June. They closed down finally in December 1983. At the eleventh hour they had introduced three new Wehrmacht lines. Action figures, a marching military band complete with officer on horseback, and a standing military band, with officer on a standing horse. The figures were excellent except in one respect. The helmets were nothing like the real ones. They were like World War II US helmets, and were quite unacceptable. Mr Küentzle agreed. Of all the firms to make a mess of a Wehrmacht helmet! I wonder what would have been in store had they survived. There were quite a few more military models on the way.

There was a big surprise when the factory contents were auctioned. Nobody knew about the archive room, and people had been told there wasn't one (although Mr Küentzle had mentioned the archives to me in 1972). The archive room was not mentioned by the auctioneers at all until the auctioneer announced the next lot . . . the archive models! Here was everything made by Elastolin since early days. There was at least one of every model, including all the tin vehicles, in their boxes. There were only three people interested in bidding, but they grasped the significance of the occasion. The archives went for the equivalent of £40,000 and the bidder had to borrow the money. He was delighted – he had acquired a fortune. Collectors and dealers the world over hear this story and grieve.

At the auction the remaining stock of plastic models and all the equipment necessary for producing these were brought by Mr Paul Preiser of Rothenburg on the Tauber. He owns his own toy factory. It might be that in this in this respect at least Elastolin is not dead, just resting.

und 7 cm Größe zu importieren und im Versand zu verkaufen. Kurzfristig lebte das Interesse an Elastolin wieder auf, aber dann gab er auf. Im Juli 1983 bestellte ich schriftlich einige Figuren von Elastolin und erhielt als Antwort die traurige Nachricht, daß die Firma am 29. Juni bankrott gemacht hatte. Im Dezember 1983 schloß sie ganz.

In letzter Minute waren drei neue Wehrmacht-Serien eingeführt worden. Aktionsfiguren, eine marschierende Militärkapelle mit berittenem Offizier und eine stehende Militärkapelle mit einem Offizier auf einem stehenden Pferd. Die Figuren waren ausgezeichnet, bis auf die Helme, die absolut nicht der Realität entsprachen, sondern wie amerikanische Helme aus dem Zweiten Weltkrieg aussahen. Herr Küentzle stimmte mir zu. Daß ausgerechnet diese Firma den Wehrmachtshelm so vermasseln konnte! Ich frage mich, was passiert wäre, wenn die Firma überlebt hätte, den eine Reihe weiterer Militärfiguren war in der Entstehung begriffen.

Die Überraschung war groß, als die Versteigerung stattfand. Niemand wußte von den Archivräumen; angeblich hatten keine existiert. (Herr Küentzle hatte sie allerdings 1971 mir gegenüber erwähnt.) Das Archiv wurde von den Auktionären nicht erwähnt, bis es an der Reihe war; die nächste Nummer wurde angekündigt – die Archivmodelle! Alles, was Elastolin seit den ersten Tagen produziert hatte. Von jedem Modell war mindestens ein Exemplar vorhanden, einschließlich aller Blechfahrzeuge in ihren Schachteln. Nur drei Personen waren interessiert und beteiligten sich am Bieten, aber alle erkannten, wie bedeutsam dieses Ereignis war. Die Archive wurden für 120.000 DM verkauft, und der Meistbietende mußte sich Geld borgen. Er war hocherfreut – er hatte einen Schatz ersteigert. Sammlern und Händlern in aller Welt steigen bei dieser Geschichte Tränen in die Augen.

Bei der Auktion wurden die verbliebenen Posten der Plastikmodelle sowie alle Geräte, die zu ihrer Herstellung notwendig waren, von Herrn Paul Preis aus Rothenburg ob der Tauber gekauft, der eine Spielzeugfabrik besitzt. Vielleicht ist Elastolin zumindest in dieser Hinsicht nicht gestorben, sondern schlummert einer neuen Zukunft entgegen.

The Models – Reflections of Reality
Die Modelle – ein Spiegelbild der Realität

It is no use trying to argue that the war toys of Elastolin appealed exclusively to German youth who were being 'brain washed' into a stage of preparedness for the next war. They appealed to all children who saw them because they were so beautiful and desirable. That they reflected real objects and activities which existed mostly to kill and injure one's fellow human beings was of no consequence to most children. Nevertheless, it is the real world behind Elastolin's production of the 1930s that makes the models, and the catalogues, so interesting. Children would have been aware of what was going on, and it is this awareness of the real world that creates the demand for toys. Elastolin can only be understood if one looks at history from the German point of view, and this is true of all the post-war models as well (see Volume III).

In the early 1930s, the average German was indignant about the way in which they felt Germany had been tricked into the Armistice of 1918, believing that the warring nations would unite to create a new world worthy of the 'War to end all wars'. Instead, a humilating 'guilt clause' had been forced into the treaty, impossible reparations had been fixed; ethnic Germans had been handed over to newly created non-German states like Czechoslovakia and Poland, and Germany was to be denied an Air Force and allowed only sufficient military and naval facilities to preserve internal law and order. A study of German, and Austrian, history shows, however, that Prussia and Austria had always been the guardians of Western civilisation, garrisoning the open frontier to the east and preventing Russian and Turkish expansion to the West. This was driven home at last in 1945. The army had the same status in Prussia and the rest of Germany as the Royal Navy had in Britain; to be without a strong army was to be in a state of national humiliation. Thus, well before Hitler, von

Es wäre falsch zu behaupten, daß das Kriegsspielzeug von Elastolin lediglich junge Deutsche ansprach, die einer "Gehirnwäsche" unterzogen und somit auf den nächsten Krieg vorbereitet wurden. Das Spielzeug gefiel allen Kindern, weil es so schön und so begehrenswert war. Die Tatsache, daß die Modelle reale Gegenstände und Ereignisse darstellten, deren Sinn und Zweck es war, unsere Mitmenschen zu töten und zu verletzen, war für die meisten Kinder bedeutungslos. Aber die Modelle und die Kataloge mit den Produkten Elastolins während der 30er Jahre sind eben deswegen so interessant, weil sie die reale Welt hinter dem Spielzeug darstellen. Kinder waren sich bewußt, was vor sich ging, und genau dieses Bewußtsein ob der Realität steigerte die Nachfrage nach den Figuren. Mann kann Elastolin verstehen, wenn man die Geschichte vom deutschen Blickwinkel aus betrachtet, und das gilt auch für die Nachkriegsmodelle (siehe Band III).

Anfang der 30er Jahre waren die meisten Deutschen empört darüber, wie Deutschland 1918 zum Waffenstillstand gedrängt worden war im Glauben, daß die kriegführenden Nationen sich zusammenschließen würden, um eine bessere Welt zu erschaffen. Stattdessen waren in den Friedensvertrag eine demütigende Schuldklausel eingefügt und unmögliche Reparationsforderungen festgesetzt worden; Deutsche waren in neu geschaffene nicht-deutsche Staaten wie die Tschechoslowakei und Polen eingegliedert worden, eine deutsche Luftwaffe war untersagt und das Militär und die Marine, die Deutschland zugestanden wurden, waren eben groß genug, um landesintern Recht und Ordnung zu wahren. Aber eine Untersuchung deutscher und österreichischer Geschichte zeigt, daß Preußen und Österreich von jeher die westliche Zivilisation verteidigt haben, indem sie die offene Grenze nach Osten sicherten und die Expansion Rußlands und der Türkei nach Westen unterbanden. 1945 wurde diese Funktion endgültig festgelegt. Die Armee genoß in Preußen und dem übrigen Deutschland sehr großes Ansehen, vergleichbar mit der Marine in Großbritannien, und der erzwungene Verzicht auf eine starke

Seeckt created his 'Führer' army, only 100,000 men, but organised in a way that they could train newcomers quickly and expand rapidly. He made efficiency more important than numbers. It was the same with the navy. No U-boats were allowed, and warships were limited to 10,000 tons. But Raeder built U-boats secretly, and his 'pocket battleships' became models of efficient and economic design. There is no doubt that many leading non-Nazi figures considered the possibility of a war of revenge against France and England, and all believed that if such a war was started in 1945 (Raeder's date), Germany was sure to win.

In 1934, Hitler announced Germany's unilateral rejection of the Treaty of Versailles and re-armament began in earnest together with the Nazification of Germany. The 1935 catalogue reflects the start of this, and it is easy to see in Elastolin's military models the build up of a modern army capable of the 'blitzkrieg' of 1940. But motivation is as important as materials, and the Nazi pages show the importance of party organisations in national life, from NSKK car owners to Elastolin toys. On 6 November 1933, Hitler made a speech in which he said: "When a parent says to me 'I will not come over to you', I calmly reply 'It doesn't matter, your child belongs to me already."

I hope that my revision of Reggie Polaine's original book will help collectors to understand further the intricacies of Elastolin collecting, and lead some brave souls to further research. There must be more material somewhere, especially on the period 1904–1930.

THE REICHSHEER

The early Elastolin catalogues up to 1936 show soldiers wearing the uniform of the Reichsheer, a limited army of 100,000 permitted by the 1919 Treaty of Versailles. The uniform is the same as that issued to the old Imperial Field Army in September 1915. When Hitler came to power in 1933 new braiding, insignias and the 'Wehrmachtsadler' were added to the uniforms. You will find older Elastolin soldiers with red piping and red cuffs, painted a very bluish field grey. These are the old Prussian Guards of the Reichsheer, and those models are being collected avidly today. They are slightly smaller than the later post-1936 models.

Armee wurde mit nationaler Demütigung gleichgesetzt. Aus diesem Grund baute von Seeckt viele Jahre vor Hitler sein 100,000-Mann-Heer auf, das so organisiert war, daß Neuankömmlinge schnell ausgebildet und das Heer rasch vergrößert werden konnte. Qualität war wichtiger als Quantität. Das gleiche galt für die Marine. Keine U-Boote waren gestattet, und Kriegsschiffe waren auf 10,000 Tonnen beschränkt; insgeheim aber baute Raeder U-Boote und kleine Kampfschiffe, die wegen ihrer effizienten und ökonomischen Anlage exemplarisch waren. Es besteht kein Zweifel, daß einige führende, aber nicht nationalsozialistisch eingestellte Persönlichkeiten die Möglichkeit eines Rachefeldzugs gegen Frankreich und England in Erwägung zogen, und alle glaubten, daß dieser Krieg, falls er 1945 begonnen würde (Raeders Datum), von deutscher Seite auch gewonnen werden konnte.

1934 verkündete Hitler, daß Deutschland den Versailler Vertrag einseitig aufkündigte. Deutschland wurde wiederbewaffnet und nazistisch ausgerichtet. Der Katalog von 1935 stellt den Beginn dieser Phase dar, und an den Militärmodellen Elastolins läßt sich leicht der Aufbau einer modernen Armee verfolgen, die den Blitzkrieg von 1940 durchführen konnte. Aber Motivation ist ebenso wichtig wie Material, und anhand der NS-Figuren kann man erkennen, welchen Stellenwert die Parteiorganisationen im Alltag besaßen. Am 6. November 1933 hielt Hitler eine Rede, in der er sagte: "Wenn Eltern mir sagen, 'Ich trete nicht zu euch über', dann antworte ich ruhig, 'Das macht nichts, euer Kind gehört mir schon'."

Ich hoffe, daß meine Revision von Reggie Polaines ursprünglichem Buch Sammlern helfen wird, die komplexen Aspekte beim Sammeln von Elastolin besser zu verstehen und vielleicht andere dazu veranlaßt, weitere Untersuchungen anzustellen. Irgendwo muß mehr Material existieren, insbesondere aus der Zeit 1904–1930.

DAS REICHSHEER

Die frühen Elastolinkataloge bis 1936 zeigen Soldaten in der Uniform des Reichsheers – des "100,000-Mann-Heers", das der Versailler Vertrag genehmigte. Die Uniform ist die gleiche wie diejenige, die im September 1915 an die alte kaiserliche Armee ausgehändigt worden war. Als Hitler 1933 an die Macht kam, wurden die Uniformen mit neuen Litzen und Abzeichen versehen, und der "Wehrmachtsadler" wurde hinzugefügt. Es gibt noch ältere Elastolinsoldaten mit rotem Besatz und roten Stulpen, die in einem sehr blauen Feldgrau bemalt sind. Dies sind die alten Preußischen Garden des Reichsheers, und

Conscription was re-introduced in 1935 and immediately a revised uniform was devised, a smarter dress uniform, the 'Waffenrock' of the catalogues. Elastolin kept up with the times and in the 1938 catalogue the new style uniforms predominate. I am convinced now that the older figures were used with appropriate heads, and painted in the appropriate colours for the export market, where their lack of specific detail made them more acceptable. Indeed, the 1918 puttees of the storm troops of the Reichsheer were still the fashion in the British and French armies of the late 1930s. The Reichsheer style of figure was still the main basic figure in the Swiss army range of the 1960s. Of course these older figures were joined in the export trade by new actions as they were produced, and SS mouldings were used for the Swiss army bands. In 1936, the braid colours of the new army units were established, and these are shown accurately at the end of this book. The red braid of the old Reichsheer and Imperial infantry was changed to white and Elastolin figures followed suit. The goose-stepping figure appears in the 1931 catalogue, but seems to be the Reichsheer style, No. 0/13/12.

The technology of modern warfare is clearly reflected in the catalogues and there is no space to go into great detail. The use of poison gas was shown by the optional gas masked heads, and the flamethrower, as far as I am aware, was made by no toymakers other than Elastolin and Lineol. This was a particularly nasty weapon developed in the latter days of the Great War for use against concrete pill boxes and tanks. No. 586 was first illustrated in the 1935 catalogue.

Army signals are prominent in the catalogues from 1935 onwards. In fact the section is already complete in the 1935 catalogue. The group 0/659/15 was a working morse code transmitter operated by two signals soldiers on a composition base. Hinged at the back so that it folded away underneath was a tinplate sheet on which was printed the morse code alphabet. They remained on sale in the late 1960s. It was battery-operated and could be adjusted to receive from another set or transmit to another set. It can also jam a modern TV set!

Of special interest is the 0/595 composite group of soldier, Alsatian dog, metal basket (containing pigeons in the Swiss army version) and a diecast pigeon with a camera strapped to its chest about to be released. I discovered the story behind

diese Modelle sind heute bei Sammlern sehr begehrt. Sie sind etwas kleiner als die Modelle nach 1936.

1935 wurde der Wehrmachtsdienst wieder zur Pflicht, und sofort wurden neue Uniformen eingeführt, nämlich der schickere Waffenrock aus den Katalogen. Elastolin ging mit der Zeit, und im Katalog von 1938 sind vorweigend Uniformen im neuen Stil zu sehen. Ich bin davon überzeugt, daß die älteren Figuren mit neuem Kopf und entsprechend bemalt für den Exportmarkt verwendet wurden, da ihnen spezifische Details abgingen. Die Wickelgamaschen der Reichsheer-Sturmtruppen 1918 waren bei der britischen und französischen Armee sogar noch Ende der 30er Jahre modern. Der Stil der Reichsheer-Figuren war noch im Grundtyp der Schweizer Armee der 60er Jahre vorhanden. Natürlich erschienen neben diesen älteren Figuren für den Export auch neue Aktionsfiguren, und für die Schweizer Militärkapellen wurden SS-Formen verwendet (siehe Band III). 1936 wurden die Waffenfarben für die neuen Einheiten festgelegt; sie werden korrekt am Ende dieses Buches wiedergegeben. Die roten Tressen, die zur Kaiserzeit sowie im Reichsheer die Infanterie kennzeichneten, wurden jetzt weiß, und die Elastolinfiguren änderten die Farben entsprechend ab. Die Figur im Parademarsch ist im Katalog von 1931 abgebildet, scheint aber im Reichsheer-Stil Nr. 0/13/12 gehalten zu sein.

Die Technologie moderner Kriegsführung wird in den Katalogen eindeutig dargestellt, und aus Platzgründen kann ich nicht näher darauf eingehen. Der Einsatz von Giftgas wurde durch die Köpfe mit Gasmasken gezeigt, und der Flammenwerfer wurde meines Wissens von keinem anderen Spielwarenhersteller als Elastolin und Lineol produziert. Diese Waffe war besonders häßlich; sie wurde gegen Ende des Ersten Weltkriegs zum Einsatz gegen Betonbunker und Panzer entwickelt. Nr. 586 wurde im Katalog 1935 erstmals abgebildet.

Ab 1935 sind Nachrichtentruppen in den Katalogen zahlreich vertreten, und der Abschnitt ist im Katalog von 1935 bereits mehr oder minder vollständig. Die Gruppe 0/659/15 war eine funktionierendes Funkanlage, die von zwei Funkern auf einem Massesockel bedient wurde. Darunter befand sich ein Stück Blech, das mit Scharnieren versehen war, so daß es heruntergeklappt werden konnte, und darauf war das Morsealphabet gedruckt. Noch Ende der 60er Jahre war diese Funkergruppe erhältlich. Sie sind batteriebetrieben und können so eingestellt werden, daß sie einer anderen Gruppe etwas funken oder von einer anderen Gruppe etwas empfangen können. Sie bringen auch einen modernen Fernseher aus dem Konzept! Besonders interessant ist die 0/595 Massegruppe mit Soldat, Schäferhund, Käfig (der in der Schweizer Armee-Version Tauben enthält) und einer Taube, an deren

this model in the *Illustrated London News* of 4 January 1930 which showed the real life group. At Spandau there was a special institution for the training of carrier pigeons, and in 1930 they were using a miniature camera derived from the First World War Leica which took continuous pictures while attached to the pigeon in flight. This therefore is a spy pigeon, not a carrier pigeon. The camera is blurred in the catalogue illustrations but the large chest of the pigeon shows that something was there. Spare pigeons were carried in panniers strapped to the sides of Alsatian dogs. The article of 1930 also tells of French pigeon heroes and this was clearly a popular theme of universal appeal. I wonder how many models were sold? I still have five new ones from the last order of 1976.

The heavy Maxim machine gunner 0/664/10 is illustrated in the 1935 catalogue, as is the 0/664/25 lying with ammunition boxes. The tinplate HMG is also shown, as is the lying figure meant to operate it. These terrible guns were used by both sides. At the Battle of Loos, three German Maxim gunners were responsible for most of the British casualties. Eye witnesses said they broke down and cried. The Maxim as shown was first used to terrible effect by Kitchener's little army that captured Khartoum in 1898. At Omdurman the Dervishes charged straight into Maxim fire and 25,000 were killed, half the total force. Why didn't European armies learn from this?

There was no lying light machine gunner in 1935, but such a gun is being carried by running figure 0/664/13. In the 1936 catalogue the lying Light Machine Gunner 0/664/14 appears. This gun is the legendary 'Spandau' first used in 1917. An improved version was in use in World War II. Its main problem was its rapid rate of fire which meant that not enough ammunition could be carried. The Bundeswehr uses a further improved version today. The soldier falling shot (652/6) is terribly realistic and was still part of the Swiss line in the late 1960s. So were the shell piles, shell bursts and empty shell boxes 654/3.

The models are true to life in that ordinary German soldiers, if wearing greatcoats, had them buttoned up to the neck. Officers are shown with lapels turned back, showing the appropriate service colour on the lapel, and also any insignias or decorations worn at the neck. As far as transport was concerned, the Wehrmacht kept its options open and horse

Brust eine Kamera befestigt ist und die gerade wegfliegt. Ich erfuhr die Geschichte, die hinter diesem Modell steckt, zufällig aus der *Illustrated London News* vom 4. Januar 1930, in der eine richtige Gruppe abgebildet war. In Spandau gab es eine Anstalt, in der Brieftauben dazu abgerichtet wurden, mit einer winzigen Kamera, die der Leica vom Ersten Weltkrieg nachgebildet war, über Land zu fliegen. Dabei machte die Kamera ständig Aufnahmen. Dies ist also eine Spion-Taube, keine Brieftaube. In der Katalogabbildung ist die Kamera etwas verschwommen, aber die Brust der Taube ist überdimensional groß. Ersatztauben wurden in Käfigen transportiert, die an Schäferhunden festgebunden waren. Der Artikel von 1930 erwähnte auch Geschichten von heldenhaften französischen Tauben – offensichtlich war dieses Thema allgemein von großem Interesse. Ich frage mich, wie viele Modelle wohl verkauft wurden. Ich besitze noch fünf neue solche Figuren von der letzten Bestellung 1976.

Der Maxim SMG-Schütze 0/664/10 ist im Katalog von 1935 abgebildet, wie auch 0/664/25, der neben Munitionskästen liegt. Auch das SMG aus Blech wird gezeigt sowie die liegende Figur, die sie bedient. Diese entsetzlichen Waffen wurden von beiden Seiten eingesetzt. In der Schlacht bei Loos waren drei deutsche Maxim-Schützen verantwortlich für den Großteil der britischen Verluste. Augenzeugen berichteten, sie seien weinend zusammengebrochen. Die Maxim wurde in ihrer hier abgebildeten Form zuerst bei der Einnahme von Khartoum 1898 durch Kitcheners kleine Armee eingesetzt, und zwar mit verheerenden Folgen. Bei Omdurman gerieten die Derwische direkt in das Maxim-Feuer, und 25.000 von ihnen – die halbe Armee – kamen ums Leben. Warum haben europäische Armeen keine Lehre daraus gezogen?

1935 gab es keinen liegenden LMG-Schützen, aber die laufende Figur 0/664/13 trägt diese Waffe. Erst im Katalog von 1936 erscheint der liegende LMG-Schütze 0/664/14. Dieses Gewehr ist die legendäre "Spandau", die 1917 erstmals eingesetzt wurde. Im Zeiten Weltkrieg wurde eine verbesserte Version verwendet. Das größte Problem bei dieser Waffe war, daß sie zu schnell feuerte, und so mußte zu viel Munition mitgenommen werden. Die Bundeswehr verwendet noch heute eine weiter verbesserte Version. Der fallende verwundete Soldat (652/6) ist erschütternd realistisch und gehörte noch Ende der 60er Jahre zur Schweizer Reihe, wie auch die Granaten- und Geschoßkorbgruppe 654/3.

Die Modelle entsprachen der Realität insofern, als deutsche Soldaten, wenn sie einen Übermantel trugen, ihn bis zum Hals zuknöpften. Bei den Offizieren ist das Revers umgedreht, so daß die jeweilige

drawn transport played a part until 1945. The feldwagen had been a standard vehicle since before the Great War, and this delightful tin toy with its beautifully modelled horses is extremely common and can still be bought cheaply.

The tinplate models illustrating motorised transport are well covered in this book and I will not dwell on them here. The ambulance, signals lorry and some others appear in 1935 with all metal wheels, changed after 1936 to rubber tyred wheels.

THE PORTRAIT FIGURE
General von Blomberg

Elastolin did not make a von Seeckt as did their rival Lineol. This is surprising since it was he who made the small post-war army into the highly efficient nucleus of the later Wehrmacht, and made the 'blitzkrieg', or 'lightning war' possible.

The Reichsheer portrait figure is General von Blomberg (0650/3 and 0650/4). Blomberg was a very tall, but rather tubby faced man. He was Minister for War under Hitler and was a convinced Nazi. He replaced von Seeckt, and carried on his work rebuilding the army. It was Blomberg who forced the notorious Führer oath on the army in 1936. This involved swearing allegiance to Hitler instead of the Fatherland. Blomberg fell from grace in 1937 after inviting Hitler to be witness at his wedding to a lady who, as the SS later revealed, had been arrested for prostitution and had appeared in some unusual photographs. Perhaps it was a put up job. Blomberg came to George V's funeral in 1936 and there he was told by the Duke of Windsor, soon to be King Edward VIII, that he admired Hitler; wanted a non-aggression pact, and would never allow England to go to war against Germany again. Blomberg reported this to Hitler who promptly invaded the de-militarised Rhineland. After the wedding incident Blomberg was forced to resign, and in the 1938 catalogue his figure is still there with its reference number, but became anonymous. Blomberg was replaced by Keitel, Hitler's 'Yes' man.

KRIEGSMARINE

Although the German Navy of 1918 had helped depose the Kaiser by the naval mutiny at Kiel, when Bolshevik cells had been formed, its officer class became markedly pro-Nazi, and,

Waffenfarbe am Revers sichtbar ist, aber auch Abzeichen oder Orden, die eventuell getragen wurden. Was den Transport betraf, so behielt die Wehrmacht Pferdefuhrwerke bis 1945 bei. Der Feldwagen war bereits vor dem Ersten Weltkrieg ein Standard-Transportmittel gewesen, und dieses bezaubernde Blechspielzeug mit den wunderschön modellierten Pferden gibt es heute noch häufig und preiswert zu kaufen.

Die Blechmodelle der motorisierten Fahrzeuge werden in dem Buch ausführlich behandelt, und ich werde hier nicht auf sie eingehen. Die Ambulanz, der Funktrupplaster und einige andere kamen 1935 mit Metallrädern auf den Markt, die nach 1936 durch Gummireifen ersetzt wurden.

DIE PORTRAITFIGUR
General von Blomberg

Elastolin stellte im Gegensatz zu ihrer Konkurrenz Lineol keine Figure von Seeckts her. Das ist verwunderlich, denn er war es gewesen, der das kleine Nachkriegsheer zu der überaus effizienten Kerntruppe der späteren Wehrmacht aufbaute und den Blitzkrieg ermöglichte.

Die Reichsheer-Portraitfigur ist General von Blomberg (0650/3 und 0650/4). Blomberg war ein großgewachsener, ziemlich korpulenter Mann. Er war ein überzeugter Nazi und wurde unter Hitler zum Kriegsminister. Er ersetzte von Seeckt und setzte dessen Aufbau der Armee fort. Blomberg war es auch, der 1936 bei der Armee den berüchtigten Führereid durchsetzte, bei dem die Soldaten nicht mehr dem Vaterland, sondern dem Führer Treue schwören mußten. 1937, als er Hitler zu seiner Hochzeit einlud, fiel er in Ungnade. Seine Braut war eine Dame, die, wie die SS später herausfand, wegen Prostitution vehaftet worden und auf einigen ungewöhnlichen Photographien abgebildet war; aber vielleicht war es eine abgekartete Sache. 1936 kam Blomberg zur Beerdigung von George V, und dort sagte ihm der König Edward VIII, der spätere Herzog von Windsor, daß er Hitler bewunderte, einen Nichtangriffspakt schließen und England nie wieder gestatten würde, gegen Deutschland in den Krieg zu ziehen. Blomberg leitete dies an Hitler weiter, der daraufhin prompt in das entmilitarisierte Rheinland einmarschierte. Nach dem Zwischenfall bei der Hochzeit mußte Blomberg abdanken, und im Katalog von 1938 ist seine Figur zwar noch abgebildet, aber ohne Namensangabe. Blomberg wurde durch Keitel ersetzt.

eventually, it was Admiral Doenitz who succeeded Hitler during the Götterdamerung.

The sailors made by Elastolin wear their traditional uniforms, not much changed during the 1930s, except for the fact that they wore their 'sailor suits' only on station and on parade. Ashore and on leave, they wore field grey army uniforms with forage caps, but with gilt anchor embossed buttons and gold braiding. The collar patch is gold on blue, sometimes white on the Elastolin models. If you turn up some marching figures with gold trimmings, they are not necessarily the result of artistic licence at the factory – quite a regular event – but are more likely to be Marine figures.

The naval uniform is much the same as in other navies, but the trousers do not appear to be bell-bottomed. German sailors wore military jack boots and these very early models can be seen on page 52, together with the later model in long trousers. Actually both versions are incorrect because it was traditional for sailors on parade to wear their trousers rolled up just above the ankle, the trousers being worn over the jack boot. There was a complicated jacket unique to the German navy which was never modelled by Elastolin, neither was the Obermaat or 'Pea Jacket' worn instead of a greatcoat by other ranks. Elastolin painted the sailors in white summer uniforms, but never seems to have used the attractive colour combination resulting from the shore parade dress, the white top with the navy blue trousers. They do, however, correctly show the ammunition pouches worn without the usual 'Y' strap.

Unlike his Lineol counterpart the marching officer No. 14/10 is a very rare piece. I have never seen one and would welcome even a good reproduction. He is correctly modelled in frock coat with butterfly collar and bow tie, a uniform not discontinued until 1940. U-boat commanders were distinguished by the permanent white tops to their hats. The rarest sailors are the action figures with rifles. Although the fifer and side drummer are correctly modelled the other musicians I have seen appear to be adapted from the SA bandsmen, and although they have sailor heads and collars they have breeches and high boots.

KRIEGSMARINE

Obwohl die deutsche Marine durch die Meuterei in Kiel 1918, als sich bolschewistische Zellen gebildet hatten, zur Abdankung des Kaisers beigetragen hatte, waren die Offiziere doch eindeutig auf der Seite der Nationalsozialisten. In der Götterdämmerung schließlich war es Admiral Dönitz, der Hitler ersetzte. Die Elastolin-Matrosen tragen ihren traditionelle Uniform, die sich während der 30er Jahre kaum veränderte, außer daß sie den "Matrosenanzug" lediglich auf Station sowie bei der Parade trugen. An Land und zum Ausgang trugen sie die feldgraue Armee-Uniform und Schiffchen, aber auf die Knöpfe war ein goldener Anker geprägt, und die Litzen waren ebenfalls gold. Der Kragenspiegel ist gold auf blau, bei den Elastolinmodellen manchmal auch weiß. Wenn Ihnen marschierende Figuren mit Goldbesatz unterkommen sollten, dann hat sich die Firma nicht notwendigerweise eine künstlerische Freiheit herausgenommen – eine durchaus gängige Praxis; wahrscheinlicher ist, daß Marinefiguren vor Ihnen stehen.

Die Marineuniform ist ähnlich wie bei anderen Marineeinheiten, aber die Hose scheint unten nicht ausgestellt zu sein. Deutsche Matrosen trugen hohe Militärstiefel, und diese sehr frühen Modelle können Sie auf Seite 52 sehen, zusammen mit dem späteren Modell in langer Hose. Im Grunde sind beide Versionen inkorrekt, weil die Matrosen bei der Parade die Hose üblicherweise bis gerade über die Knöchel aufrollten; sie wurde also über dem Stiefel getragen.

Die deutsche Marine hatte einen eigenen Waffenrock, den Elastolin nie modellierte, auch nicht den Obermaat-Rock, den Nichtoffiziere statt des Übermantels trugen. Elastolin bemalte die Matrosen in der weißen Sommeruniform, verwendete scheinbar aber nicht die reizvolle Farbzusammenstellung des Paradeanzugs an Land mit weißem Oberteil und marineblauer Hose. Allerdings wird korrekt gezeigt, wie der Munitionsgürtel ohne den gängichen "Y"-Gürtel getragen wurde.

Anders als das Lineol-Gegenstück ist der marschierende Offizier Nr. 14/10 ein sehr seltenes Stück; ich habe ihn nie gesehen und würde selbst eine gute Reproduktion in Betracht ziehen. Er ist korrekt modelliert im großen Rock mit Schmetterlingskragen und Fliege; diese Uniform wurde erst 1940 abgelöst. U-Boot-Kommandeure zeichneten sich durch den weißen Mützendeckel aus. Die seltensten Matrosen sind Aktionsfiguren mit Gewehr. Obwohl der Pfeiffer und der Trommler korrekt modelliert sind, sind die anderen Musiker scheinbar den Musikern der SA nachgeahmt, und obwohl sie Matrosenköpfe und -krägen haben, tragen sie Reithosen und hohe Stiefel.

THE PORTRAIT FIGURE
Grand Admiral Erich Raeder

During the Great War, Grand Admiral Dr Erich Raeder was Chief-of-Staff to the cruiser fleet. In 1935, he was appointed Commander-in-Chief of the Kriegsmarine, and he advocated a policy of building U-boats in contravention of the Versailles Treaty. Even before the Anglo-French occupation of Norway prompted a rapid German response, he had advocated the occupation of Denmark and Norway, and it was Raeder who supervised the impromptu but successful invasion of the two countries. Raeder differed with Hitler over military policy, and unlike others he was prepared to stick to his principles, hence his retirement in 1943 when Doenitz took over. At Nuremberg, Raeder was sentenced to life imprisonment but was released in 1955. He died in 1960.

Raeder's portrait figure first appears in the 1936 catalogue, no. 14/20 and is quite common. He wears the traditional admiral's uniform of the navy of Hohenzollern days, including the 'fore and aft' hat which had long since gone from other navies. It is in the same style as the early group of 6½ cm portrait figures of 1935 and was probably conceived as part of that set.

You will notice from the catalogue that Raeder had a doctor's degree. He was a talented writer and for some time was on the staff of the German Navy League. His PhD was the result of research into naval history and the several volumes he wrote about cruiser warfare for the official German history of the Great War. After 1955, Raeder wrote a book entitled *Struggle for the Sea*, published just before his death, which showed that he had prepared for a war with England to start about 1945.

THE LUFTWAFFE

This was banned under the Versailles Treaty of 1919. In 1933, Goering founded the DLV (Deutsches Luftsports Verband) which was a cloak for training the personnel of a new Air Force under the guise of a sporting association. Gliding clubs sprang up everywhere. When I was an RAF officer in Germany in 1954, my German Service Organisation driver asked if we could make a slight detour which would interest me. (The GSO were officially civilian but were uniformed in olive green and were accused by the Russians of being the

DIE PORTRAITFIGUR
Großadmiral Erich Raeder

Während des Ersten Weltkriegs war Großadmiral Dr. Erich Raeder Stabschef der Kreuzerflotte. 1935 wurde er zum Oberbefehlshaber der Kriegsmarine ernannt, und er vertrat die Politik, entgegen den Vorgaben des Versailler Vertrags U-Boote zu bauen. Noch bevor die anglo-französische Besetzung Norwegens eine rasche deutsche Reaktion hervorrief, hatte er den Einmarsch in Dänemark und Norwegen befürwortet, und Raeder war es, der die improvisierte, aber erfolgreiche Invasion der zwei Länder leitete. Raeder war in Sachen Militärpolitik anderer Meinung als Hitler, und im Gegensatz zu anderen war er dazu bereit, auf seinen Prinzipien zu beharren. Deshalb trat er in den Ruhestand, als Dönitz 1943 übernahm. Bei den Nürnberger Prozessen wurde Raeder zu lebenslänglicher Haft verurteilt, 1955 aber vorzeitig entlassen. Er starb 1960.

Die Portraitfigur Raeders erschien zuerst im Katalog von 1936, Nr. 14/20; sie ist recht häufig. Er trägt die traditionelle Admiralsuniform der Hohenzollernschen Marine, einschließlich des Zweispitzes, der von der Marine anderer Länder längst aufgegeben worden war. Die Figur ist im selben Stil gehalten wie die frühe Gruppe der 6,5 cm Portraitfiguren von 1935 und war vermutlich als Teil dieses Satzes angelegt.

Im Katalog werden Sie sehen, daß Raeder einen Doktortitel hatte. Er konnte gut schreiben und arbeitete eine Zeitlang bei der deutschen Marineliga. Zu seiner Doktorarbeit gehörten Untersuchungen zur Geschichte der Marine und die Bände, die er als Teil der offiziellen deutschen Geschichte über den Ersten Weltkrieg verfaßt hatte, und zwar über Kreuzer-Kriegsführung. Nach 1955 schrieb Raeder ein Buch mit dem Titel *Schlacht um die See*, das kurz vor seinem Tod veröffentlicht wurde. Darin zeigt er auf, wie er einen Krieg mit England vorbereitet hatte, der etwa 1945 beginnen sollte.

DIE LUFTWAFFE

Die Luftwaffe war unter dem Versailler Vertrag von 1919 untersagt. 1933 gründete Göring den DLV (Deutschen Luftsportverband), der unter dem Vorwand, ein Sportverein zu sein, als Tarnung für die Heranbildung einer neuen Luftwaffe diente. Überall entstanden Segelflugvereine. Als ich 1954 als Offizier der RAF in Deutschland war, schlug mein Fahrer der German Service Organisation (GSO, offiziel zivil, aber mit olivgrüner Uniform – die neue geheime deutsche Armee, über die die Sowjetunion sich beschwerte) vor, einen kleinen Umweg

David Hawkins at RAF Sundern, Gütersloh, Germany. 1955, just before the end of the military occupation in May.

David Hawkins in der RAF Sundern, Gütersloh, im Jahr 1955, kurz vor Ende der Militärbesatzung im Mai desselben Jahres.

new, secret German army.) We called in at an airfield in the Teutoberger Wald; it was littered with light planes and gliders. "This is where we used to train before 1935," he said. Clearly this was where they were training again, and the new Luftwaffe got off the ground with no problems in 1956. In February 1935, Hitler defied the Treaty and acknowledged the existence of a Luftwaffe.

Elastolin must have acknowledged it already, because the 1935 catalogue has a small Luftwaffe section, including a bearer with a lithographed tinplate flag. However, it is probable that these early Luftwaffe figures were planned as DLV figures, or possibly the obsolete NSFK (National Socialist Flying Corps). The standard bearer, although described as Luftwaffe, appears to be carrying the NSFK emblem showing Icarus strapped to his wings, with a superimposed swastika. Icarus seems inappropriate for airmen, but this standard would be a marvellous 'find' for the collector. The new uniform was derived from that of the RAF but the blue grey was a shade darker. As was to be expected Goering was appointed Commander-in-Chief with the rank of Luftwaffe General.

At first, the Elastolin models were army figures with Luftwaffe heads and colours. In 1936, the new range of specially moulded figures was being brought out, and these are very fine models indeed. German paratroops were Luftwaffe soldiers, not army personnel and they wore ordinary Luftwaffe uniforms, except of course when wearing their special combat equipment, never modelled by Elastolin. Flying personnel have yellow collar patches and braid, artillery and paratroops have red, signals brown, and engineers rose pink. There was an all white summer uniform for officers while other ranks wore a lightweight blue grey tunic with white trousers. With this a white cover was worn on the peaked cap. Model No. 28/11/WN shown on page 57 is described in the catalogue as being painted like that. That particular model had a short post-war run, I believe, as an RAF officer. The moulding is almost exactly right.

There was a Luftwaffe infantry regiment as well as a Luftwaffe tank regiment, but there is no evidence that these were produced by Elastolin, unless perhaps 28/63 is meant to be one.

zu machen, der mich interessieren würde. Wir kamen zu einem Flugplatz im Teutoburger Wald, der mit leichten Flugzeugen und Segelfliegern übersät war. "Hier haben wir vor 1935 immer ausgebildet", sagte er. Offensichtlich wurde hier wieder Ausbildung betrieben, und bei der Gründung der neuen Luftwaffe 1956 gab es keine Probleme. Im Februar 1935 trotzte Hitler dem Friedensvertrag und gab das Bestehen der Luftwaffe offiziell bekannt.

Elastolin muß dies bereits gewußt haben, denn der Katalog von 1935 hatte eine kleine Luftwaffe-Abteilung, einschließlich eines Fahnenträgers mit einer lithographierten Blechflagge. Es ist aber auch denkbar, daß diese ersten Luftwaffefiguren als Modelle des DLV oder des früheren NSFK (Nationalsozialistischen Fliegerkorps) angelegt waren. Der Standartenträger ist zwar als Mitglied der Luftwaffe ausgewiesen, scheint aber das NSFK-Abzeichen zu tragen, das Ikarus mit seinen Flügeln und ein Hakenkreuz zeigt. Die Gestalt des Ikarus ist für Flieger vielleicht nicht eben angemessen, aber diese Standarte wäre für den Sammler ein wunderbarer Fund. Die neue Uniform war derjenigen der Royal Air Force entlehnt, aber das Blaugrau war etwas dunkler. Wie zu erwarten, wurde Göring Oberbefehlshaber im Rang des Luftwaffegenerals.

Zuerst waren die Elastolinfiguren Armeefiguren mit dem Kopf und den Farben der Luftwaffe. 1936 kam die neue Serie eigens modellierter Figuren auf den Markt, and zwar ausgesprochen schöne Figuren. Die Fallschirmjäger gehörten zur Luftwaffe, nicht zur Armee, und sie trugen die Uniform der Luftwaffe, außer natürlich, wenn sie ihren speziellen Kampfanzug trugen, der von Elastolin nie modelliert wurde. Flugpersonal trug gelbe Kragenspiegel und Litzen, Artillerie und Fallschirmjäger rote, Melder braune und Ingenieure rosafarbene. Offiziere hatten ganz weiße Sommeruniformen, während andere Ränge einen leichten blaugrauen Rock und weiße Hosen tragen. Dazu gehörte eine weiße Mütze. Modell Nr. 28/11/WN auf Seite 57 wird als so bemalt im Katalog beschrieben. Ich glaube, dieses Modell wurde nach dem Krieg kurzzeitig als Offizier der RAF verwendet; die Form ist fast korrekt.

Zudem gab es ein Infanterieregiment und ein Panzerregiment der Luftwaffe, aber nichts deutet darauf hin, daß Elastolin sie produzierte, es sei denn, 28/63 stellt einen solchen dar.

THE PORTRAIT FIGURE
General Feldmarshall Hermann Wilhelm Goering

This was his highest rank during the printing of the catalogues. In July 1940, he was given the unique rank of 'Reichsmarshall des Grossdeutschen Reiches'. Goering had a distinguished record in the First World War and was awarded the highest decoration for bravery available, 'The Blue Max', as well as the Iron Cross First Class. At the end of the war he had commanded the Richtofen squadron and was a top scoring 'Ace'. In 1922, he met Hitler who was delighted to acquire such a distinguished war hero. Goering was made Chief of the SA (Sturm Abteilung), and this is why the first portrait figure of him in 1935 was issued in both Luftwaffe and SA uniform. In 1923, he marched with Hitler in the Munich fiasco and was shot by the police. He almost died, but was sheltered by a Jewish family (he eventually arranged their escape from Germany), fled the country and returned in 1927 after an amnesty. In 1932, he was Minister President of Prussia and he founded the Gestapo and set up the first concentration camps. Goering is one of the legends of the Third Reich. His fat, genial appearance deceived the German public who smiled at his image and loved his speeches and banter.

The Elastolin portrait figure No. 26/30N is the best portrait figure made of him by any firm. It shows his love of uniforms, many of them unconventional and certainly unique to him. I prefer the original model without the porcelain head, as that is how it was designed. The 'Blue Max' is modelled, as is the large gold ring he loved to wear on his left hand. Goering's tunic is the standard 'Kleiner Rock', or 'Little Coat' worn by generals and above, who also had two broad white stripes down each trouser leg. This model is quite common compared with the later 26/21 which again is a superb likeness. This is one of the few portrait figures I've never been able to buy – it had a very short production.

Goering was not a success as Chief of the Luftwaffe. He lost the Battle of Britain, failed to supply the army at Stalingrad and failed to provide enough fighters to combat the terrible raids on German cities. At the last minute, he fell from grace and was stripped of his ranks and authority, becoming a prisoner of the SS. After his escape and surrender to the Americans, his medals, Field Marshall's baton, sword and

DIE PORTRAITFIGUR
Generalfeldmarschall Hermann Wilhelm Göring

Dies war der höchste Rang, den er während des Erscheinens der Kataloge einnahm. Im Juli 1940 erhielt er den einzigartigen Rang "Reichsmarschall des Großdeutschen Reiches". Im Ersten Weltkrieg hatte Göring große Tapferkeit bewiesen und die höchsten Auszeichnungen erhalten, den 'Blauen Max' und das Eiserne Kreuz erster Klasse. Bei Kriegsende war er Kommandeur des Jagdgeschwaders Richthofen gewesen und war ein "As". 1922 lernte er Hitler kennen, der froh war, einen so großen Kriegshelden in seinen Reihen begrüßen zu können. Göring übernahm die Führung der SA, und deshalb ist er in der ersten Portraitfigur 1935 auch in der Uniform der Luftwaffe und der SA zu sehen. 1923 nahm er mit Hitler am mißlungenen Münchner Putsch teil und wurde von der Polizei angeschossen. Fast starb er, wurde aber von einer jüdischen Familie aufgenommen (deren Flucht aus Deutschland er später veranlaßte), floh und kehrte 1927 nach einer Amnestie zurück. 1932 war er preußischer Ministerpräsident; er gründete die Gestapo und ließ die ersten Konzentrationslager bauen. Göring war eine der schillerndsten Gestalten der NS-Zeit. Seine dickes, freundliches Äußeres täuschte die Öffentlichkeit; die Leute lächelten über sein Aussehen und liebten seine Reden und seine Witze.

Die Portraitfigur von Elastolin Nr. 26/30N ist die beste, die von ihm gemacht wurde. Sie zeigt seine Vorliebe für Uniformen, die häufig sehr ausgefallen und nur für ihn typisch waren. Ich mag das ursprüngliche Modell ohne Porzellankopf lieber, denn so war es entworfen. Der "Blaue Max" ist vorhanden, wie auch der große Goldring, den er an der linken Hand zu tragen pflegte. Görings Waffenrock ist der normale "Kleine Rock", der allgemein von Generalen und höheren Rängen getragen wurde; sie hatten zudem zwei breite weiße Streifen am Hosenbein. Dieses Modell ist recht häufig im Vergleich zu dem späteren 26/21, das wiederum eine große Ähnlichkeit aufweist. Letzteres ist eine der wenigen Portraitfiguren, die ich nie kaufen konnte: Sie wurde nur eine kurze Zeit lang produziert.

Göring war als Kommandeur der Luftwaffe nicht erfolgreich. Er verlor die Schlacht um England, belieferte die Armee in Stalingrad nicht und stellte nicht genügend Jagdflugzeuge zur Verfügung, um die schrecklichen Luftangriffe auf die deutschen Städte abzuwehren. In letzter Minute fiel er in Ungnade, wurde aller Ränge und Machtpositionen enthoben und wurde zum Gefangenen der SS. Er entkam und ergab sich den Amerikanern, die ihm seine Medaillen, den Marschallstab, seinen Degen und andere Dinge abnahmen, die seither

other trinkets were taken from him and never seen again. But they remain on the Elastolin models.

ADOLF HITLER AND THOSE WHO HELPED HIM TO POWER

Every single pre-portrait figure made by Elastolin was of someone who assisted Hitler's cause at some time or other. I will deal with the heads of organisations later, after I have discussed the organisation. The following figures have a special status.

Adolf Hitler

Hitler's biography is well-known and widely documented. Discussion of the models is confined to his appearance.

Until the porcelain heads appeared in the 1939 catalogue, all Hitler portrait figures were hatless. Despite his seeming carelessness about his appearance, he was vain. A very early photograph of Hitler in a SA 'Skimutz' so upset him that he never wore such a hat again, even when in uniform in public, although he wore a 'trilby' with civilian clothes. In 1936, Hitler was already wearing his 'political uniform' of reddish brown khaki tunic and trousers, white shirt, black tie, riding boots, and Hakenkreuz armband. The early model of him in this uniform, 30/50/20, in the 1935 catalogue does not include a hat. The improved version of this model has the hatted porcelain head (see the 1939/40 catalogue, same reference but with the N added).

This first and only Hitler hat made by Elastolin does not feature a badge on the hat band, which is plain brown, but bears only the eagle and swastika emblem at the top front. This hat was worn regularly by Hitler from about 1934 onwards. It was unique to him and symbolised his status as National Leader and Chancellor of Germany. In the autumn of 1939, with Germany at war, Hitler put away his brown uniform and instead wore the black trousers and double-breasted field-grey tunic so familiar from war time photographs. His new field-grey hat featured the badge of the Wehrmacht on the hat band as well as the original eagle and swastika of the party, for Hitler was then Commander-in-Chief of all armed forces. This uniform was never made by Elastolin, but I am told that the existing models were issued in field-grey during the war – I have never seen any.

nicht wieder aufgetaucht sind. Nur auf den Elastolinmodellen sind sie erhalten.

DER FÜHRER UND DIE MÄNNER, DIE IHM AN DIE MACHT HALFEN

Jede einzige Portraitfigur, die Elastolin vor dem Krieg produzierte, stellte eine Person dar, die Hitler früher oder später unterstützte. Ich werde die jeweiligen Anführer der Organisationen später behandeln, nachdem ich die Organisationen besprochen habe. Die folgenden Figuren haben einen besonderen Stellenwert.

Adolf Hitler

Der Lebenslauf Adolf Hitlers ist wohlbekannt und ausführlich dokumentiert. Im folgenden befasse ich mich ausschließlich mit seiner äußeren Erscheinung.

Sie werden bemerkt haben, daß die Portraitfiguren Hitlers nie eine Mütze trugen, bis im Katalog von 1939 die Porzellanköpfe auftauchten. Trotz des sorglosen Bildes, das er gerne von sich gab, war er ausgesprochen eitel. Eine sehr frühe Photographie von Hitler in einer SA-Skimütz ärgerte ihn so sehr, daß er eine solche Kopfbedeckung nie wieder trug, nicht einmal zur Uniform in der Öffentlichkeit, obwohl er zur Zivilkleidung häufig einen Filzhut aufsetzte. 1936 trug Hitler bereits seine "politische Uniform" mit rot-braunem Khaki-Rock und Hosen, weißem Hemd, schwarzer Krawatte, Reitstiefeln und Hakenkreuz-Armbinde. Das Frühe Modell von ihm in dieser Uniform, 30/50/20, im Katalog von 1935 zeigt keine Mütze. Die verbesserte Version dieses Modells hat einen Porzellankopf mit Mütze; siehe Katalog von 1939/40 (gleiche Bezugsnummer, aber mit einem N).

Auf dem braunen Band der einzigen Hitler-Mütze, die Elastolin herstellte, ist kein Abzeichen, sondern nur das Emblem mit Adler und Hakenkreuz. Ab etwa 1934 trug Hitler diese Mütze regelmäßig; nur er besaß sie, und sie kennzeichnete seinen Status als Führer der Nation und deutschen Kanzler. Als Deutschland im Herbst 1939 in den Kriegszustand trat, legte Hitler seine braune Uniform ab und trug stattdessen die schwarze Hose und den feldgrauen Rock, die von Kriegsaufnahmen her bekannt sind. Auf dem Band der neuen feldgrauen Mütze ist neben dem Adler und Hakenkreuz der Partei auch das Abzeichen der Wehrmacht dargestellt, denn Hitler war zu der Zeit Oberbefehlshaber aller Truppen. Diese Uniform wurde von Elastolin nie gefertigt, aber ich habe gehört, daß die bestehenden Modelle in Feldgrau während des Kriegs erschienen. Ich habe sie nie gesehen.

The origin of the superb model 30/23 reputedly lies in a photograph of Hitler descending the steps of the Nuremberg Stadium during the 1936 rally. The opera cloak was also worn to performances at Bayreuth. An acquaintance who went to the 1938 Nuremberg rally says that the shops were full of these models, sold as souvenirs. There were special Nazi boxes for Elastolin's models sold in Nuremberg, extolling the 'party city' and clearly supporting the Nazis. The models show Hitler's Iron Cross First Class awarded on 4 August 1918, a class usually reserved for officers. The models do not show Hitler's black Imperial Wound Badge which he wore regularly. He had been wounded and gassed in 1918.

Field Marshal Paul von Hindenburg

This Prussian aristocrat detested Hitler, but eventually had to accept him as his Chancellor when he was President of the Weimar Republic. Hindenburg distinguished himself in the Franco-Prussian war of 1870, and in 1914 he defeated the Russians at Tannenberg. The legend later grew that he would have won the war in 1918 but for the bungling stupidity of others. Tall and heavy jowled, he became a myth, with the aura of an old pagan God. He wore his old Imperial uniform, with pickelhaube, until he died, and Lineol made a feature of this in their superb portrait figure.

The Elastolin portrait figure is a poor effort. No. 0/649 is an early 6½ cm model which shows him with peaked cap, open overcoat, rather portly but not tall, hand on sword – usually missing – and a genial appearance. The mounted figure shown on page 99 has the same character. Hindenburg does have one claim to fame for the Elastolin collector. Apart from George Washington, he is Elastolin's first portrait figure, appearing before the Nazis attained power.

The Collector's Check List starting on page 126 shows two 0/649 Hindenburg models listed. The 1931 catalogue shows a 6½ cm Hindenburg similar to the later one, but standing with legs apart and right arm extended as if giving an order. This is the Hindenburg in the 1935 catalogue; but in the 1936 catalogue he is the Hindenburg as shown in this book on page 99. Also in the 1931 catalogue and the 1935 and 1939/40 catalogues is 0/648, the Hindenburg in civilian dress. Dark overcoat with top hat held in his right hand. I've never seen these and they are extremely rare. The first 0/649 was also

Das erstklassige Modell 30/23 wurde angeblich einer Photographie Hitlers nachgebildet, wie er während des Parteitags 1936 die Treppen des Nürnberger Stadions herabsteigt. Der Umhang wurde auch zu Aufführungen in Bayreuth getragen. Ein Bekannter, der zum Parteitag 1938 in Nürnberg war, berichtete, daß die Läden diese Modelle in großen Mengen als Andenken verkauften. Es gab eigene NS-Schachteln für die in Nürnberg verkauften Elastolinmodelle, die die "Partei-Stadt" priesen und die Nationalsozialisten offensichtlich unterstützen. Die Modelle zeigen Hitlers Eisernes Kreuz erster Klasse, verliehen am 4. August 1918, das sonst nur Offizieren zustand. Nicht dargestellt ist das schwarze Kaiserliche Verwundetenabzeichen, das er regelmäßig trug. Er war 1918 verwundet worden und mit Giftgas in Kontakt gekommen.

Feldmarschall Paul von Hindenburg

Der preußische Aristokrat Hindenburg haßte Hitler, mußte ihn schließlich aber doch als Kanzler akzeptieren, als er selbst Reichspräsident der Weimarer Republik war. Hindenburg zeichnete sich im Deutsch-Französischen Krieg 1870 aus, und 1914 besiegte er die Russen bei Tannenberg. Später ging das Gerücht um, daß er den Krieg 1918 gewonnen hätte, wenn nicht die Dummheit der anderen alles vermasselt hätte. Er wurde zu einem Mythos, groß, mit schwerem Unterkiefer, umgeben von der Aura eines alten heidnischen Gottes. Bis zu seinem Tod trug er die alte kaiserliche Uniform mit Pickelhaube, und Lineol machte eine hervorragende Portraitfigur von ihm.

Die Version von Elastolin ist wenig gelungen. Nr. 0/649 ist ein frühes 6,5 cm Modell und zeigt den Mann mit Schirmmütze und offenem Mantel, stämmig aber nicht groß, mit der Hand am Degen – der meist fehlt – und einem freundlichen Gesicht. Die berittene Figur auf Seite 99 sieht ähnlich aus. In einer Hinsicht ist Hindenburg für den Sammler von Elastolin doch von besonderer Bedeutung: Nach George Washington ist er Elastolins erste Portraitfigur und erschien, bevor die Nationalsozialisten an die Macht kamen.

Auf der Vergleichsliste Seite 132 ff. sind zwei 0/649 Hindenburgfiguren angeführt. Im Katalog von 1931 ist ein 6,5 cm hoher Hindenburg abgebildet, der dem späteren ähnlich ist; allerdings steht er mit gespreizten Beinen und streckt den rechten Arm aus, als gäbe er einen Befehl. Dies ist der Hindenburg vom Katalog von 1935; im Katalog von 1936 ist er der Hindenburg, der in diesem Buch auf Seite 99 abgebildet ist. Im Katalog von 1931, von 1935 und von 1939/40 gibt es auch 0/648, Hindenburg in Zivil, mit dunklem Mantel und einem Zylinder in der rechten Hand. Ich habe diese Figuren nie gesehen, und sie sind extrem

made in 10 cm, but not 0/648. Having said that I must point out that Elastolin made models which were not catalogued, and it is difficult to be certain of anything.

As President, Hindenburg restrained Hitler, and even temporarily halted anti-semitism, but in the summer of 1934 he was 87 years old. The Night of the Long Knives was too much for him, and on August 2 at 9 am he died. Three hours later Hitler announced that the office of President was abolished, and that he was Head of State and Commander of the armed forces. His dictatorship was complete. Hindenburg helped Hitler by default, but he was still allowed a place in the later Elastolin catalogue, replacing the old 649. Thus, in fact, there are three versions of 649. This last 649 is a beautiful figure, but still not quite Hindenburg; his familiar pickelhaube would have helped. This is a rare figure and valuable in any condition.

General Erich Ludendorff

Like Hitler, Ludendorff was a commoner. With no 'von' to his name it was a rare achievement to rise to the top in the Imperial German army. But he had ability. In 1914 he captured Liège virtually single-handed when he led a small group between Belgian defenders, and, having commandeered a car, drove to the heart of the citadel and ordered the confused and surprised defenders to surrender. He later became Hindenburg's partner in the East, and shared with Hindenburg the bitterness of defeat in the West in what had almost been the hour of victory. Ludendorff saw in his fellow commoner, Hitler, the salvation of a humiliated Germany, and he marched alongside him in the 1923 Munich 'Putsch' when 16 of their comrades were shot down by the police. Ludendorff's intervention secured the lightest possible sentence for Hitler, who had a short and very comfortable stay in a Bavarian castle, where he wrote *Mein Kampf*. Ludendorff died in 1937, but is still shown in the 1939/40 catalogue.

There is only one portrait figure, No. 0/650/2, shown in the 1935 catalogue. Again the Elastolin portrayal is of a genial, white-haired old gentleman, unlike the pickelhaubed warrior portrayed by Lineol. He wears a peaked cap with a motorist's goggles strapped over the peak – perhaps a reminder of his Liège exploit. His overcoat is lined with red, and so is the short cloak worn on top of this. Unlike the Lineol figure, he

selten. Die erste 0/649 wurde auch in 10 cm hergestellt, nicht aber 0/648. Allerdings muß angemerkt werden, daß Elastolin Modelle herstellte, die nie in einen Katalog aufgenommen wurden, und so ist es schwierig, absolute Gewißheit zu erhalten.

Als Reichspräsident konnte Hindenburg Hitler etwas bremsen und den Antisemitismus kurzzeitig aufhalten, aber im Sommer 1934 war er 87 Jahre alt. Die "Nacht der langen Messer" überforderte ihn, und am 2. August, morgens um neun Uhr, starb er. Drei Stunden später gab Hitler bekannt, daß das Amt des Reichspräsidenten abgeschafft war und daß er dem Staat und der Armee vorstand: Jetzt war er absoluter Diktator. Hindenburg unterstützte Hitler eher aus Versehen, aber er behielt seinen Platz in den späteren Elastolin-Katalogen, und im Katalog von 1939/40 erschien ein neues Portrait des alten Kriegers, das die alte Nummer 649 ersetzte; es gibt also drei Versionen von 649. Diese letzte 649 ist eine wunderschöne Figur, aber immer noch nicht ganz Hindenburg; seine berühmte Pickelhaube hätte geholfen. Aber die Figur ist sehr selten und in jedem Zustand wertvoll.

General Erich Ludendorff

Ludendorff war wie Hitler nicht adelig, und es war äußerst selten, ohne "von" im Namen an die Spitze der kaiserlichen deutschen Armee zu steigen. Aber er war sehr fähig. 1914 nahm er Lüttich fast eigenhändig ein, indem er einen kleinen Trupp zwischen die belgische Verteidigung hindurchführte, ein Auto requirierte und mitten in die Zitadelle fuhr, wo er der verwirrten und überraschten Verteidigung den Befehl erteilte, sich zu ergeben. Später war er zusammen mit Hindenburg im Osten und teilte mit diesem auch die bittere Niederlage im Westen, als der Sieg zum Greifen nahe geschienen hatte. Ludendorff sah in Hitler, dem früheren Unteroffizier, die Erlösung des gedemütigten Deutschland, und 1923 marschierte er mit ihm in den Münchner Putsch, bei dem 16 ihrer Kameraden von der Polizei erschossen wurden. Ludendorffs Eingreifen bewirkte, daß Hitlers Strafe sehr milde ausfiel: ein kurzer und sehr bequemer Aufenthalt in einer bayrischen Festung, wo er *Mein Kampf* schrieb. Ludendorff starb 1937 und ist im Katalog von 1939/40 noch immer enthalten.

Im Katalog von 1935 ist nur eine Portraitfigur, Nr. 0/650/2 abgebildet. Wiederum stellte Elastolin einen freundlichen, weißhaarigen Herren dar, ganz anders als Lineols Krieger mit Pickelhaube. Er trägt eine Schirmmütze, über die eine Schutzbrille steckt – vielleicht ein Hinweis auf sein Lütticher Abenteuer. Der Mantel ist rot gefüttert, wie auch der kurze Umhang, der darüber getragen wird. Anders als bei Lineol trägt er keine Reitstiefel, sondern eine lange Hose und Schuhe, und unter

does not wear riding boots but long trousers with shoes, the General's double red stripes showing below the overcoat. His gloved hands rest on a sword. Despite its long production life, this is not a very common figure, and is usually in poor condition due to the rusting of the sword (not a lead-cased cast) built into the front of the figure.

Field Marshal August von Mackensen

This is a brilliant portrait figure, with an amazing likeness to the savage old hussar with glittering eyes and owl's beak nose. Mackensen was descended from a seventeenth century Scottish mercenary who served as a Landsknecht in Germany. He was a distant relative of the Stout Mackensens. Like Ludendorff he was a commoner, despite the 'von', and had risen through the ranks of the crack Liebe Garde Hussar regiment. He had been a sergeant when Hindenburg was a junior officer. Mackensen supported Hitler by appearing at his meetings in the exotic and obsolete uniform of the Death's Head Hussars, and although he didn't do much, his support was of immense importance to Hitler in conferring a spurious 'respectability'.

The portrait model No. 0/650/1 first appears in 1935, and is correctly painted in black with brown fur hat and with white trimmings on the uniform. The sabretache is tinplate, painted red with white detail. His hair is snow white, and he has a white moustache. The plume on the fur hat is also white.

Dr Paul Joseph Goebbels

Goebbels met Hitler in 1925, at a time when the young doctor of philosophy was seeking a cause and a career. He had studied at seven German universities before concluding his studies at Heidelberg. Goebbels was a tiny man, and had a crippled foot which had kept him out of the Great War. He proved to be one of Hitler's most fanatical disciples, and a ferocious anti-Semite, instigating the notorious 'Crystal Night' in 1938. Goebbels was Hitler's Minister for Propaganda, and he organised the publicity, broadcasting, and public appearances of Hitler. He was completely obsessed with the ideals of Nazism and in 1945, when he knew the cause was doomed, he killed his wife, children and himself.

There is only one model of Goebbels, the 6½ cm 30/13 first shown in 1935. This has a movable arm, and Goebbels is

dem Mantel ist der rote Doppelstreifen des Generalrangs sichtbar. Die Hände mit Handschuhen halten einen Degen. Obwohl diese Figur eine lange Produktionsdauer hatte, ist sie nicht sehr häufig und meist in schlechtem Zustand, weil der Degen, der vorne in die Figur eingebaut ist, leicht rostet.

Feldmarschall August von Mackensen

Dies ist eine ausgezeichnete Portraitfigur und ist dem wilden alten Husaren mit blitzenden Augen und Hakennase verblüffend ähnlich. Mackensen stammte von einem schottischen Söldner ab, der im 17. Jahrhundert in Deutschland als Landsknecht diente. Er war weitläufig mit den Stout Mackesons verwandt und wie Ludendorff nicht adelig, trotz des "von"; er war durch die Ränge des Liebgarden-Husarenregiments aufgestiegen. Als Hindenburg Offizier war, war Mackensen Feldwebel gewesen. Er unterstützte Hitler, indem er bei den Versammlungen stets in der exotischen und nicht mehr getragenen Uniform der Totenkopf-Husaren erschien. Er tat wenig, aber seine Unterstützung war für Hitler überaus wichtig und trug dazu bei, ihn "salonfähig" zu machen.

Die Portraitfigur 0/650/1 erschien erstmals 1935 und war korrekt bemalt in schwarz mit brauner Pelzmütze und weißem Besatz an der Uniform. Die Säbeltasche ist aus rotbemaltem Blech mit weißen Details. Die Haare sind schlohweiß, und sein Schnurrbart ist ebenfalls weiß, wie die Feder auf der Pelzmütze.

Dr Paul Joseph Goebbels

Als Goebbels Hitler 1925 begegnete, war er ein junger Doktor der Philosophie, der nach einer Aufgabe und einer Arbeit suchte. Er hatte an sieben deutschen Universitäten studiert, bevor er in Heidelberg das Examen machte. Goebbels war sehr klein und hatte einen Klumpfuß, und deswegen hatte er nicht am Ersten Weltkrieg teilgenommen. Er wurde zu einem der fanatischsten Anhänger Hitlers und war ein überzeugter Antisemit, der 1938 die Kristallnacht plante. Goebbels war unter Hitler Propagandaminister, zudem verantwortlich für Bekanntmachungen, Radiosendungen und die öffentlichen Auftritte Hitlers. Er war von den nationalsozialistischen Ideen völlig besessen, und als ihm 1945 klar wurde, daß alles gescheitert war, brachte er seine Frau, seine Kinder und sich selbst um.

Es gibt von Goebbels nur eine Figur, die 6,5 cm hohe 30/13, die 1935 erstmals abgebildet wurde. Ein Arm ist beweglich, und er trägt den braunen Rock mit rotem Armband, der für politische Führer üblich war. Meist trägt er dazu die normale schwarze Hose, aber bei einigen

wearing the brown tunic with red armband common to political leaders. He is usually wearing the black trousers that go with it, but some models show him in matching brown trousers and holding a peaked cap by his left side. The model was made throughout the whole period but he is missing from the Führergruppe shown on page 9 of the catalogue at the end of this book, although he would probably have appeared had you paid the extra 2 pfg for the more expensive catalogue.

Rudolf Hess

Hess was born in Alexandria and lived in Egypt until he was 14. He got to know and admire the British, and spoke English well. During the Great War he saw action with the List regiment (the same as Hitler's) and after being wounded he returned to the war as a fighter pilot. It was during his days as an ex-service student at Munich University that he became involved in Nazi politics, and he too was wounded during the notorious 'Putsch', after which he escaped from arrest and fled to Switzerland. When he heard of Hitler's imprisonment in the Landsberg he returned voluntarily and had himself locked up there as well. It was a comfortable billet, and Hess took down the text of *Mein Kampf* which Hitler dictated to him. He was then appointed private secretary to Hitler and he created the new centralised party organisation after some internal struggles. In 1933 he became Hitler's deputy. Hitler trusted Hess absolutely. Hess was an able pilot and after his position had been gradually undermined by the notorious Martin Borman he made the famous flight to England on 10 May 1941, the true story of which will probably never be known.

The $6\frac{1}{2}$ cm portrait figure 30/9 dates from 1935 and shows Hess in a black SS uniform, with hat held at left side while he has the usual movable right arm giving the Hitler salute. His shirt is, correctly, yellow brown, but some models were painted with silver insignia, braid and dagger, while others were embellished with gold. Both kinds seem equally common. The head is distinguished by rather a deep dent on top of the forehead showing his hair wave. This, like the Goebbels figure, is an excellent likeness, and is quite a rare figure. Hess also is not actually shown in the Führengruppe on page 9 of the 1940 catalogue, but as with Goebbels the single figure illustration gives a good representation of his model.

Figuren ist er mit der passenden braunen Hose dargestellt. In der linken Hand hält er eine Schirmmütze. Das Modell wurde die ganzen Jahre über hergestellt, aber sie fehlt in der Führergruppe, die im Katalog auf Seite 9 am Ende dieses Buchs abgebildet ist; wahrscheinlich war er in der um 20 Pfennig teureren Gruppe enthalten.

Rudolf Hess

Hess wurde in Alexandria geboren und lebte bis zum Alter von 14 Jahren in Ägypten. Dort lernte er die Engländer kennen und lieben, und er sprach sehr gut englisch. Während des Ersten Weltkriegs war er im gleichen Regiment (List) wie Hitler, und nach einer Verwundung kehrte er als Kampfpilot in den Krieg zurück. Während seiner Zeit als Student an der Universität München fand er den Weg zur NSDAP und wurde im Münchner Putsch verletzt. Er entging der Verhaftung und floh in die Schweiz. Als er hörte, daß Hitler in Landsberg einsaß, kehrte er freiwillig zurück und ließ sich ebenfalls dort gefangensetzen. Es war ein bequemes Gefängnis, wo Hess den Text von *Mein Kampf* aufzeichnete, den Hitler ihm diktierte. Daraufhin wurde er zu Hitlers Privatsekretär ernannt, und nach einigen internen Auseinandersetzungen erstellte er die neue, zentralisierte Parteiorganisation. 1933 wurde er Hitlers Stellvertreter; Hitler vertraute ihm völlig. Hess war ein guter Pilot, und nachdem seine Position von Martin Bormann unterwandert worden war, unternahm er am 10. Mai 1941 den berühmten Flug nach England, über den wir wahrscheinlich nie die Wahrheit erfahren werden.

Die 6,5 cm Portraitfigur 30/9 stammt von 1935 und zeigt Hess in schwarzer SS-Uniform; er hält seine Mütze in der Linken und hat den üblichen beweglichen rechten Arm, um den Hitlergruß ausführen zu können. Das Hemd ist gelb-braun, wie es sein sollte, aber bei einigen Modellen sind Abzeichen, Litze und Dolch silber, während andere goldverziert sind. Beide Arten scheint es ziemlich häufig gegeben zu haben. Der Kopf hat vorne an der Stirne eine tiefe Furche, die Hess' Haartolle darstellt. Die Figur ist ihm sehr ähnlich und ist relativ selten. Auch Hess ist nicht in der Führergruppe auf Seite 9 des Katalogs von 1940 abgebildet, aber wie bei Goebbels gibt die Abbildung der einzelnen Figur einen guten Eindruck des Modells.

HAUSSER–NATIONALSOZIALISTEN

This was the heading on the four pages illustrating Nazi organisation figures in the 1935 catalogue and subsequent up-dates until the 1939/40 catalogue when, except for a few portraits and all the Leibstandarte, all mention of these Nazi figures ceased. They are not even listed as available. It is this 1939/40 catalogue which was provided by Hausser for this book.

In 1933, the Nazis became the state, they were no longer just another political party that Hausser might choose to support. It became clear that to oppose them was legally an act of treachery, to support them led to prosperity and status. The Nazi flag became the national flag of Germany, and the Hitler Youth and later the armed services had to swear an oath of loyalty to Hitler, not to Germany. Coburg and the surrounding area, including Neustadt, was a stronghold of Nazism. Hausser's workforce would have been predominantly Nazi in sympathy. Thus, the Hausser–Elastolin–Nationalsozialisten figures are part of the social history of Germany in the 1930s. The following outlines will help collectors to understand the models

Hausser must have begun work on the Nazi figures as soon as the NSDAP gained power in 1933. It is probable that their first figures were sold at the 1934 Nuremberg rally. Souvenir shops were desperate for Nazi momentos. Hausser not only made the figures which flooded into the city but also special Nazi packaging for them. Hausser was certainly ready for the 1936 rally, because the entire range of Nazi organisation figures, including most leading personalities, was ready by 1935. Nothing was added later. Except for some later portrait figures of Hitler and Goering, Hausser–Nationalsozialism was complete in 1935. This was a tremendous achievement as most of the figures had to be specially modelled. It was the SS figure with collar and tie that was used as the basis for many later Wehrmacht models, not the other way around. By 1935, there were more Nazi models available than military ones. The figures were even re-used after the war when the Swiss army band of the post-war period had Swiss heads on SS bodies. A goose-stepping figure 0/13/12 is already painted as Leibstandarte in 1936.

With the new political climate and the creation of the new

HAUSSER–NATIONALSOZIALISTEN

Dies ist die Überschrift, die auf den vier Seiten mit Figuren der NS-Organisationen erschien. Sie waren im Katalog von 1935 und den folgenden Jahren bis 1939/40 aufgeführt, und dann wurden die Figuren, außer einigen Portraits und der Leibstandarte, plötzlich nicht mehr erwähnt. Sie wurden nicht einmal als erhältlich angegeben. Leider ist dies der Katalog, den Hausser für dieses Buch zur Verfügung stellte.

1933 wurde die NSDAP zum Staat. Es war keine beliebige politische Partei, die Hausser unterstützen wollte; Widerstand gegen die Partei galt als Verrat, Unterstützung der Partei aber bedeutete Wohlstand und Ansehen. Die nationalsozialistische Flagge wurde zur deutschen Fahne, und die Hitlerjugend und die Soldaten mußten den Treueeid auf Hitler schwören, nicht auf ihr Vaterland. Coburg und seine Umgebung, einschließlich Neustadt, war eine Hochburg des Nationalsozialismus, und auch die Haussersche Arbeiterschaft war wahrscheinlich nationalsozialistisch eingestellt. Die Hausser-Elastolin-Nationalsozialisten sind Teil der Sozialgeschichte Deutschlands. Die folgenden Ausführungen sollen dem Sammler helfen, die Modelle besser zu verstehen.

Hausser muß die NS-Figuren begonnen haben, sobald die NSDAP 1933 an die Macht kam. Vermutlich wurden die ersten figuren 1934 beim Nürnberger Parteitag verkauft. Souvenirläden brauchten dringend nationalsozialistische Andenken. Hausser stellte nicht nur Figuren her, mit denen sie den Markt überschwemmten, sie produzierten auch eine passende Nazi-Verpackung. Hausser hatte sich gut auf den Parteitag 1936 vorbereitet, denn die gesamte Reihe von Figuren der nationalsozialistischen Organisationen und der meisten führenden Persönlichkeiten waren bereits 1935 fertig. Außer einigen späteren Portraitfiguren von Hitler und Göring waren die Hausser-Nationalsozialisten 1935 komplett.

Das war eine außerordentliche Leistung. Die meisten Figuren wurden eigens modelliert, und die SS-Figur mit weißem Kragen wurde als Grundlage für die vielen späteren Wehrmachtsmodelle verwendet, nicht umgekehrt. 1935 gab es mehr nationalsozialistische Modelle als militärische. Die Schweizer Militärkapelle der Nachkriegszeit besaß Schweizer Köpfe auf SS-Körpern. Die Figur im Parademarsch 0/13/12 war bereits 1936 als Leibstandarte bemalt.

Heute fällt es schwer zu glauben, daß die NSDAP Vivisektion von Tieren und Fuchsjagd verbot, sobald sie 1933 an die Macht kam. Deshalb verschwand die ausgezeichnete Fuchsjagd-Gruppe Nr. 0/4400/9 aus dem Programm und ist außerordentlich selten. Zur

figures, certain other sets were abolished. It is difficult to believe today, but as soon as they attained power in 1933, the Nazis outlawed animal vivisection and fox hunting. As a result the superb Elastolin fox hunting set No. 0/4400/9 disappeared from the market and is extremely rare. It contained one fox, three mounted hunters, one standing huntsman, four dogs, two hedges and one sign post. There were three progressively larger sets. One rider is a lady riding side-saddle.

The Nazi organisations set up after they took power were equal and indeed superior to the armed services, as their leaders had direct access to Hitler, and took orders only from him.

The SA (Sturm Abteilung – Storm Troopers)

These were the street fighters, cash collectors and intimidators of the early Nazi movement. They contained a high proportion of 'down and outs', perverts, murderers and social outcasts. Their leader, Ernst Roehm, was a notorious homosexual. In the spring of 1934 there were about two million SA men, three times as many as the 'official' army. They were a major disruptive force in politics until June 1934, when, in a country house in East Prussia, General von Blomberg in full uniform confronted Hitler and ordered him to liquidate the SA or the army would take control of Germany. Hitler was promised the support of the army if he concurred and was told that Roehm was plotting to overthrow him. This led to 'The Night of the Long Knives' on 30 June 1934 when Hitler used the SS to murder Roehm and about 4,000 SA leaders. Thereafter the SA continued to exist but its leadership was no longer a challenge to Hitler.

The Elastolin models accurately represent all SA types, and show such activities as collecting money in collecting boxes, and marching in torchlight processions with torches that actually work from batteries. Their 'Braunhemde' (shirt sleeve order) consists of reddish brown trousers, yellow shirt and yellow hat. Their armbands are plain red with the white circle and swastika emblem. They were also issued in 'Waffenrock' (tunics) which the catalogue describe as 'Olive grun', but were usually a British khaki or reddish brown. The horses have a red saddle cloth with small white circle with the swastika at the rear base. The edging of the cloth is silver. SA officers have various coloured bands to the tops of their hats,

Gruppe gehörten ein Fuchs, drei berittene und ein stehender Jäger, vier Hunde, zwei Hecken und ein Wegweiser. Es gab drei unterschiedlich große Gruppen. Eine berittene Figur ist eine Frau im Damensattel.

Die nationalsozialistischen Organisationen, die ich hier beschreibe, waren nach 1935 offizielle Staatsorganisationen und mit den drei Waffengattungen vergleichbar. Sie waren diesen sogar überlegen, weil ihre Anführer direkten Zugang zu Hitler hatten und Befehle nur von ihm erhielten.

Die SA – Sturmabteilung

Diese Gruppe lieferte in den ersten Jahren der nationalsozialistischen Bewegung die Straßenschlachten, machte Spendensammlungen und führte Einschüchterungsaktionen durch. Ein Großteil der Mitglieder waren Obdachlose, sozial Unterprivilegierte, Mörder und Asoziale. Ihr Anführer Ernst Röhm war bekannt als Homosexueller. Im Frühjahr 1934 hatte die SA rund zwei Millionen Mitglieder, dreimal so viel wie die "offizielle" Armee. Sie wirkte politisch stark destabilisierend, und im Juni 1934 stellte General von Blomberg Hitler in voller Uniform in einem Landhaus in Ostpreußen zur Rede und befahl ihm, die SA zu liquidieren, da sonst die Armee die Kontrolle über Deutschland an sich reißen würde. Hitler wurde die volle Unterstützung der Armee zugesichert, falls er diese Bedingung erfüllte. Zudem wurde ihm gesagt, daß Röhm einen Putsch gegen ihn vorbereite.

Am 30. Juni fand die "Nacht der langen Messer" statt, in der Hitler Ernst Röhm und rund 4000 führende Personen der SA von der SS ermorden ließ. Die SA wurde zwar nicht aufgelöst, bedeutete aber keine Bedrohung mehr für Hitler.

Die Elastolinmodelle stellen alle SA-Leute korrekt dar und zeigen sie bei Aktionen wie Spendensammlungen mit Dosen und Marschieren bei Fackellicht, wobei die Fackeln batteriebetrieben sind und tatsächlich leuchten. Das "Braunhemd" besteht aus rot-brauner Hose, gelbem Hemd und gelber Mütze. Das Armband ist rot, mit Kreis und Hakenkreuz in weiß. Es gab die Figuren auch im Waffenrock, der im Katalog als "olivgrün" beschrieben wird, tatsächlich aber khakifarben oder rot-braun ist. Die Pferde haben eine rote Satteldecke, auf die hinten unten ein kleiner weißer Kreis mit Hakenkreuz gemalt ist. Die Decke ist silbern eingefaßt. Das Band oben an den Mützen der SA-Offiziere – die im Katalog "Skimütz" genannt werden – ist unterschiedlich gefärbt, wodurch der Rang und die Abteilung angegeben werden. Die meisten Modelle sind 6,5 cm groß, aber um etwa 1938 wurde eine viel größere und vollere Figur eingeführt.

called 'Skimutz' in the catalogues, and these denote rank and department. Most of the models are the 6½ cm size, but about 1938 a much bigger and fuller figure was introduced.

These have a special peculiarity in that a new kind of wire reinforcing was used. This comprised a nail head attached to square section wire, which tends to rust and swell and lift off the top of the head. It can be repaired by cutting off the top of the nail with snips and simply glueing back the head top. It is best to dissect the head as soon as the crack appears, before the top of the head is lost. By using a water-based glue, a perfect repair can be achieved. Many of the later figures have this problem.

In 1935, the tinplate lorries contained SA figures as an alternative to army ones, and these are now rare. One nice model is 29/47/21 which is the St Bernard dog pulling the tinplate wheels supporting a big bass drum fixed to the drummer. Originally the Hitler Youth, BDM, and Jungvolk were part of the SA, a so-called 'voluntary' Youth Section. These sections therefore appear with the SA in the 1935 catalogue.

THE PORTRAIT FIGURE
Ernst Roehm

This figure has a catalogue number 3/29. In the 1935 catalogue, he is described as 'Führer stehend mit bewegl. Arm' (Leader standing with movable arm). You will find this reference in the guide at the end of this book, but you will not find his name mentioned anywhere in the lists or catalogues and Mr Küentzle told me they had never made a Roehm. After his murder, Roehm was publicly branded as a homosexual and a traitor, and could thus hardly be named in a toy catalogue. The portrait figure is not very good; Roehm's unsightly bulk is slimmed down, but nevertheless it is definitely Roehm. The Lineol figure is much better.

The SS (Schutzstaffel – Protection squads)

It was the SS who did the dirty work on the 'Night of the Long Knives'. They were formed in 1923, and by 1929, they still numbered only 300. They grew rapidly in numbers and authority after this year, when Heinrich Himmler became their leader.

Sie sind recht ungewöhnlich, weil bei ihrer Herstellung eine neue Art von Drahtverstärkung verwendet wurde, nämlich ein Nagelkopf auf einem viereckigen Drahtstift, der gerne rostet und sich ausdehnt, wodurch sich der obere Kopf löst. Das kann leicht repariert werden, indem der Nagelkopf abgeschnitten und das Kopfstück wieder angeklebt wird. Am besten wird der Kopf abgenommen, sobald ein Riß erscheint, damit das Stück nicht verlorengeht. Mit einem wasserlöslichen Klebestoff kann die Figur perfekt repariert werden. Dieses Problem tritt bei vielen späteren Figuren auf.

1935 saßen in den Blechlastern außer Armeefiguren auch SA-Figuren, und diese sind heute rar. Ein schönes Modell ist 29/47/21, ein Bernhardiner, der die Blechräder zieht, die die große Trommel tragen. Ursprünglich gehörten die Hitlerjugend, der BDM und das Jungvolk als Teil der sogenannten Jugendabteilung zur SA. Diese Organisationen erscheinen deshalb im Katalog von 1935 mit der SA.

DIE PORTRAITFIGUR
Ernst Röhm

Ernst Röhm wurde als Figur modelliert, und zwar mit der Katalognummer 30/29. Im Katalog von 1935 ist er als ''Führer stehend mit bewegl. Arm'' beschrieben. Dieser Verweis ist in der Vergleichsliste am Ende dieses Buchs angegeben, aber sein Name wird weder in den Listen noch in den Katalogen erwähnt. Herr Küentzle sagte mir, sie hätten Röhm niemals hergestellt. Nach seiner Ermordung am 30. Juni 1934 wurde er öffentlich als Homosexueller und Verräter gebrandmarkt und konnte kaum in einem Spielzeugkatalog erwähnt werden. Die Portraitfigur ist nicht sehr gelungen; seine dicke Gestalt ist etwas schlanker aber es ist eindeutig Röhm. Die Lineolfigur ist wesentlich besser.

Die SS – Schutzstaffel

In der Nacht der langen Messer erledigte die SS die ''Dreckarbeit''. Sie war 1923 entstanden, hatte aber 1929 noch immer nur 300 Mitglieder. Als Himmler die Führung übernahm, gewann sie schnell an Größe und Einfluß. Wie an den Elastolinmodellen zu sehen ist, trugen sie die gelben Hemden der SA, aber schwarze Hose und schwarze Schirmmütze, nicht die ''Skimütz''. Es gab zudem eine Sommeruniform mit Skimütz, Hemd und schwarze Hose; Elastolin verwendete SA-Modelle, die in diesen Farben übermalt waren, als SS. Manchmal ist die Farbe an solchen Figuren etwas abgeblättert, und darunter kommen die SA-Farben zum Vorschein. Dies ist nicht notwendigerweise eine Neubemalung, sondern könnte in der Fabrik

As the Elastolin models show they wore the yellow shirts of the SA but had black trousers and black peaked caps, not 'Skimutz'. However, there was a summer dress uniform of Skimutz, shirt sleeve order and black trousers, and Elastolin used SA models painted in these colours as SS. Sometimes you will find the paint worn on such a model and SA colours show through. This is not necessarily a repaint; it might have happened at the factory. Most SS models are in Waffenrock, as is the excellent marching and standing band shown in the 1936 catalogue. The 1935 catalogue does not show many SS figures but says that all figures shown as SA can also be supplied as SS. The SS armband is slightly different from the SA in that it has a narrow black line at top and bottom of the red band. The piping on the uniform is white with silver buttons and insignia. Bandsmen and Leibstandarte AH wear white gloves.

Unlike the SA, the SS were recruited from the middle and upper classes. Requirements were a good education and superb physical condition. Himmler said that up to 1936 even a filled tooth would disqualify a candidate. By 1939, there were 250,000 SS members organised into three main branches. The first were the SD (Sicherheitsdienst – Intelligence Service) and the Polizei (including the Ordnungspolizei – Regular Police and the Sicherheitspolizei – Security Police). They wore the uniforms shown in the catalogues – peaked caps with riding breeches and tall boots. This was subdivided into the Kripo (Criminal Police) and the Gestapo (Geheimstaatspolizei – State Secret Police).

The third component of the SS was the Waffen SS. These were purely military units of elite shock troops. In 1939, there were four regiments, but the one shown in the Elastolin catalogues in black parade uniforms with black steel helmets is the Leibstandarte Adolf Hitler, the regiment which formed his personal body guard. They are shown correctly wearing the white leather Y straps and equipment, but ordinary army models were used for these parade figures and so the trousers and boots are incorrect. Waffen SS field-grey tunics had black collars instead of the usual dark green, but there is no evidence that these were produced by Elastolin, who never painted the collars at all. This eventually became correct by default as economy uniforms were introduced later in the war.

geschehen sein. Die meisten SS-Modelle tragen den Waffenrock, wie etwa in der hervorragenden marschierenden und stehenden Kapelle, die im Katalog von 1936 abgebildet ist. Im Katalog von 1935 sind nur wenige SS-Figuren dargestellt, aber es wird erwähnt, daß alle SA-Figuren auch als SS geliefert werden können. Das SS-Armbinde unterscheidet sich etwas von jener der SA; oben und unten am roten Streifen ist eine dünne schwarze Linie. Die Litze der Uniform ist weiß, die Knöpfe und Abzeichen sind silber. Kapellenmitglieder und Leibstandarte AH tragen weiße Handschuhe.

Im Gegensatz zur SA rekrutierte sich die SS aus der Mittel- und Oberschicht; gute Ausbildung und exzellente körperliche Verfassung waren eine Grundvoraussetzung, angenommen zu werden. Himmler sagte, daß bis 1936 bereits eine Zahnfüllung einen Kandidaten unbrauchbar machte. 1939 besaß die SS 250,000 Mitglieder, die in drei Abteilungen aufgeteilt waren. Die ersten zwei trugen die in den Katalogen abgebildete Uniform mit Mütze, Reithosen und hohen Stiefeln, nämlich der SD (Sicherheitsdienst) und die Polizei, zur der die Ordnungspolizei und die Sicherheitspolizei gehörten. Letztere war wiederum in die Kripo (Kriminalpolizei) und die Gestapo (Geheime Staatspolizei) unterteilt.

Die dritte Gruppe war die Waffen-SS. Sie war eine rein militärische Einheit, ein Elite-Stoßtrupp. 1939 gab es vier Regimenter, aber die im Elastolinkatalog abgebildete in schwarzer Paradeuniform mit schwarzem Stahlhelm ist die Leibstandarte Adolf Hitler, das Regiment, das für seinen persönlichen Schutz verantwortlich war. Sie sind korrekt mit Lederriemen und Ausrüstung in weiß abgebildet, aber gewöhnliche Armeemodelle wurden für diese Paradefiguren verwendet, so daß Hose und Stiefel inkorrekt sind. Der feldgraue Rock der Waffen-SS hatte einen schwarzen statt des sonst dunkelgrünen Kragens, aber es liegt kein Anzeichen dafür vor, daß Elastolin solche Figuren erzeugte, denn die Kragen wurden überhaupt nicht bemalt. Aus Zufall wurde diese Uniform später korrekt, als im Krieg solche Sparuniformen eingeführt wurden.

Alle Mitglieder der SS mußten einen besonderen Treue-Eid auf Hitler schwören. Im Einsatz zeigten sie großen Mut, aber auch Rücksichtslosigkeit gegenüber besiegten Feinden und Zivilisten, so daß viele der Offiziere nach Kriegsende wegen Kriegsverbrechen angeklagt wurden. Einige marschierende SS-Figuren wurden mit blauer Uniform und gelbem Hemd hergestellt; dies sind SA-Marinefiguren.

All SS personnel swore a special oath of allegiance to Hitler and in action they displayed great bravery, but also a ruthlessness and sadism towards defeated enemies and civilians which put many of their officers in the dock for war crimes. Some marching SS mouldings were issued in blue uniforms with yellow shirts. These are SA marine figures.

THE 'MISSING' PORTRAIT FIGURE

It seems amazing that there is allegedly no portrait figure of Heinrich Himmler, one of the most feared men in Europe and head of the elite Nazi organisation! I believe that if such a figure existed, as with Roehm, his existence has simply been suppressed. Furthermore, if Elastolin had made a Himmler figure, they would not have named him and again like Roehm he would have been an anonymous figure.

However no figure can be found in the 1935 or 1936 catalogue. 0/550/7 almost fits, and for some reason his catalogue number was changed to 651 in 1937. This officer is standing with right leg forward, both hands on the hilt of a sword. He has binoculars around his neck. There was another similar figure made but never issued. He was an SS figure and the two models I have show traces of a moulded arm band on the left arm. He is not even listed in the guide for collectors at the end of this book, and he does not appear in public until the post-war period when this probably unused SS officer becomes General Guisan, shown on page 79.

The stance and details of the uniform are exactly those of Himmler. Since the whole range of SS figures was complete in 1936, why does a previously uncatalogued SS figure appear after the war? Guisan's head is plastic, and too big for the body which is definitely not in Swiss uniform although overpainted as such. There is another version of this with a Swiss steel helmet head. Unlike Roehm, Himmler's likeness would have been easy to capture and indisputable – spectacles, a small chin and inverted short 'V' moustache. It would have been tactless to release this figure in the political climate after June 1934, but I feel certain he was there.

The RAD (Reicharbeitsdienst – National Labour Service)

The RAD was originally created as the National Socialist Freiwillig Arbeitsdienst, a voluntary organisation aimed at relieving youth unemployment during the depression. But

DIE "FEHLENDE" PORTRAITFIGUR

Sollte es wirklich keine Portraitfigur von Heinrich Himmler gegeben haben, einem der gefürchtetsten Männer Europas und Führer der nationalsozialistischen Elite-Organisation? Ich habe eine Theorie. Die Firma Elastolin sagte, sie habe Röhm nie hergestellt, aber es gab ihn: Er ist im Katalog von 1935 abgebildet. Wenn Elastolin Himmler produzierte, dann haben sie ihn nicht benannt. Er blieb anonym, wie Röhm.

Gibt es im Katalog von 1935 oder 1936 eine solche Figur? Nein. 0/550/7 paßt beinahe, und aus irgendeinem Grund ist die Katalognummer im Jahr 1937 zu 651 geworden. Dieser Offizier steht mit dem rechten Bein nach vorne, beide Hände am Schwertgriff. Um seinen Hals hängt ein Fernglas. Es gibt aber eine ähnliche Figur, die nie auf den Markt kam. Es war eine SS-Figur, und die zwei Modelle, die ich habe, zeigen Spuren einer Armbinde am linken Arm. Sie ist nicht einmal in der Vergleichsliste am Ende dieses Buches aufgeführt und erschien erst in der Nachkriegszeit in der Öffentlichkeit, als dieser vermutlich nie verwendete SS-Offizier General Guisan wurde, abgebildet auf Seite 73.

Die Haltung und die Details der Uniform sind genau wie bei Himmler. Wenn die Serie von SS-Figuren 1936 vollständig war, warum erschien nach dem Krieg dann eine bisher nicht katalogisierte SS-Figur? Guisans Kopf besteht aus Plastik und ist viel zu groß für den Körper, der eindeutig keine Schweizer Uniform trägt, auch wenn sie als solche übermalt ist. Es gibt auch eine weitere Version dieser Figur mit einem Kopf mit Schweizer Stahlhelm. Im Gegensatz zu Röhm wäre eine Ähnlichkeit mit Himmler unverkennbar gewesen, und zwar durch seine Brille, sein kleines Kinn und den für ihn typischen Schnurrbart. In der politischen Atmosphäre nach Juni 1934 war es zu riskant, diese Figur auf den Markt zu bringen, aber ich bin mir sicher, daß sie existierte.

Der RAD (Reichsarbeitsdienst)

Der RAD war ursprünglich als Nationalsozialistischer Freiwilliger Arbeitsdienst gegründet worden mit dem Zweck, die Jugendarbeitslosigkeit der Depression zu beseitigen. Der Arbeitsdienst verfolgte aber auch gesellschaftliche Ziele, denn Hitler glaubte, daß körperliche Arbeit dazu beitrug, Klassenschranken zu überwinden und den Charakter der Jugend zu formen. Ab Juni 1935 wurde der Arbeitsdienst für alle jungen Männer zwischen 17 und 25 Pflicht, und auf diese sechs Monate folgte später sofort der Militärdienst. Der RAD baute Autobahnen und wurde später zum Hilfstrupp der Armee und baute Flughorste und Befestigungen. Sie bewachten Kriegsvorräte und transportierten Kriegsbeute. 1936 hatte der RAD 360.000 Mitglieder.

there was also a social purpose. Hitler believed that manual labour broke down class barriers and moulded the character of the young. Later, from June 1935 labour service was made compulsory for all males between 17 and 25, and this six months labour was later followed immediately by compulsory military service. The RAD built the autobahns, and later became auxiliaries of the armed services, building airfields and fortifications. They guarded war supplies and handled captured material. In 1939 there were 360,000 men.

The RAD has disappeared from the 1939/40 catalogue, but features in the previous ones from 1935 where their whole range is complete. They are shown marching with shovels and other implements as listed in the Collector's Guide at the end of this book. The uniform is officially 'earth brown' but Elastolin seems to have used British khaki for its paintwork. The RAD marching band and the other figures are SS mouldings with RAD heads, except for those carrying tools (No. 30/658/3), which are (Flieger carrying propellor) fitted with arms with hole in hand for the removable tools. There is a special lithographed RAD tin standard and those two ubiquitous figures working with picks and shovels in the Wild West, on the railways and everywhere else appear as RAD 34/663/2 and 34/663/4.

Elastolin paints the RAD figures correctly with brown collars on the tunics and with brown hat bands. I have one with a green collar and hat band and it seems this is an administrator. The medical personnel, if made, would have had cornflower blue collars and hat bands. The spade arm badge on the left sleeve was usually left off the models, but the swastika armband is the same as that worn by the SA.

It is not known why there is no portrait figure as Konstantin Hierl, the founder and head, was uncontroversial. Perhaps he refused permission for the figure.

NSKK (Nationalsozialistischen Kraftfahrkorps – National Socialist Motorised Corps)

This organisation was founded in 1930 by Pfeffer von Salomen, and its purpose was to organise transport for the SA storm troops and to distribute propaganda material. Nazi car and motor cycle owners were invited to form units, and by 1934 there were 350,000 members, with 500,000 by 1938.

Im Katalog von 1939/40 wird der RAD nicht mehr aufgeführt, besteht aber in allen vorherigen Katalogen ab 1935, wo die Serie vollzählig vorhanden ist. Die Figuren werden gezeigt mit Spaten und anderem Werkzeug, das in der Vergleichsliste am Ende des Buchs angeführt ist. Offiziell war die Uniform "erdbraun", aber Elastolin scheint Khaki verwendet zu haben. Die marschierende RAD-Kapelle und andere Figuren sind SS-Modelle mit RAD-Kopf, außer denjenigen, die Werkzeug tragen; Nr. 30/658/3 (Flieger, Propeller tragend) wurde einfach mit einem Arm versehen, dessen Hand ein Loch hat, damit das Werkzeug entfernt werden kann. Es gibt eine eigens lithographierte Blechstandarte des RAD, und die zwei allgegenwärtigen Figuren, die mit Schippe und Spaten im Wilden Westen, an der Eisenbahn und überall sonst arbeiten, erscheinen als RAD 34/663/2 und 34/663/4.

Elastolin bemalte die RAD-Figuren korrekt mit braunem Kragen am Rock und braunem Mützenband. Ich habe eine Figur mit grünem Kragen und Mützenband, anscheinend ein Verwalter. Medizinisches Personal, wenn es hergestellt wurde, hätte Kragen und Mützenband in Kornblau gehabt. Die Modelle wurden meist nicht mit dem Spaten-Abzeichen am linken Arm versehen, aber das Armband mit Hakenkreuz ist das gleiche wie bei der SA.

Aus welchem Grund es hier keine Portraitfigur gibt, ist mir unbekannt: Als Persönlichkeit war doch der Gründer und Leiter des RAD Konstantin Hierl völlig unproblematisch.

NSKK (Nationalsozialistisches Kraftfahrkorps)

Die Organisation wurde 1930 von Pfeffer von Salomen gegründet mit dem Zweck, für die Sturmtruppen der SA Transport bereitzustellen und Propagandamaterial zu verteilen. Nationalsozialistische Auto- und Motorradbesitzer wurden dazu aufgefordert, Einheiten zu bilden, und 1934 hatte das Korps 350.000 Mitglieder, 1938 bereits 500.000.

Eine der Aufgaben des NSKK war es, künftigen Mitgliedern des Heers Fahrstunden zu geben, und 1934 wurde die Organisation zu einer eigenen Unterabteilung der Partei. Zudem enstand ein Marine-NSKK. Während des Kriegs war das NSKK in Deutschland und den besetzten Gebieten aktiv; es beförderte Lieferungen für das Heer und half bei der Organisation Todt mit. Außerdem diente es als schneller Post-Zubringer und übernahm auch Aufgaben der Verkehrspolizei. Selbst die wenigen NSKK-Figuren fehlen im Katalog von 1939/40. Vielleicht gab es einen gesonderten Katalog für NS-Figuren?

Lediglich die Motorradfahrer besaßen eine Uniform, anhand der Elastolin die Modelle unterscheiden konnte, und im Katalog von 1935

One role of the NSKK was to provide driving instruction for future members of the armed forces, and in 1934 it became a separate branch of the Nazi party. A marine NSKK was formed, and during the war the NSKK was active throughout German Europe, where they helped move supplies for the armed services, and assisted the Organisation Todt. They provided fast couriers for mail and took over traffic control duties.

Even the few NSKK figures are missing from the 1939/40 catalogue and it is possible that there was a separate catalogue for Nazi figures.

Motor cyclists provided the only uniform by which Elastolin could distinguish the models, and there are 10 figures in the 1935 catalogue, most wearing the 'Sturzhelm', or crash helmet of reinforced leather with a neck flap. The well-known and beautiful BMW motor cycle combination 30/591/4 first appears in the 1935 catalogue, without its spandau machine gun and with three NSK figures in crash helmets. The yellow shirts and black trousers are the same as those worn by the SA, as is the Waffenrock tunic, and the arm band.

There is no portrait figure of Pfeffer von Salomen, who quarrelled with Hitler in 1930 – having already referred to him as a 'flabby Austrian'' – and was dismissed. Ernst Roehm took over control of the NSKK, so perhaps he should have been the portrait figure, at least until 1934 when Adolf Hühnlein became Korpsführer. When war began Erwin Kraus became Korpsführer. It would seem that musical chairs is not conducive to portraiture.

Hitlerjugend (Hitler Youth) Aged 14–18

All youth clubs, religious youth groups and other youth organisations were taken over by the Hitler Youth in 1933, and the International Boy Scout movement was made illegal in Germany. Membership remained voluntary until 1939, but there were many inducements to join and there were opportunities for outdoor activities.

There are six marching Hitler Youth figures in the 1935 catalogue, and this range is complete. Nothing was added later. Two figures, one hatless, carry the triangular flags called 'Wimpels' and one carries a pressed tin flag with the red, white, red horizontal bands on which the swastika emblem is

gibt es zehn Figuren, die zumeist einen Sturzhelm aus verstärktem Leder mit Nackenschutz tragen. Das bekannte und schöne BMW-Motorradgespann 30/591/4 erschien zuerst im Katalog von 1935, und zwar ohne Maschinengewehr und mit drei NSKK-Figuren mit Sturzhelm. Das gelbe Hemd und die schwarze Hose sind die gleichen wie bei der SA, wie auch der Waffenrock und das Armband.

Es gibt keine Portraitfigur. Pfeffer von Salomen entzweite sich Ende 1930 mit Hitler – er hatte sich stets abschätzig über ihn geäußert – und wurde entlassen. Ernst Röhm übernahm die Führung des NSKK, so daß vielleicht er als Portraitfigur gelten sollte, zumindest bis 1934, als er durch Adolf Hühnlein ersetzt wurde. Bei Kriegsausbruch wurde Erwin Kraus Korpsführer. Kein Wunder, daß Elastolin keine Portraitfigur entwerfen wollte.

Die HJ (Hitlerjugend, 14–18 Jahre)

Alle Jugendvereine und -organisationen, ob religiös oder nicht, wurden 1933 in die Hitlerjugend eingegliedert, und die internationale Pfadfinderbewegung wurde in Deutschland als illegal erklärt. Bis 1939 blieb die Mitgliedschaft freiwillig, aber es gab viele Anreize, sich der HJ anzuschließen.

Im Katalog von 1935 sind sechs marschierende HJ-Figuren abgebildet, und damit war die Serie vollständig – nichts wurde später hinzugefügt. Zwei Figuren, eine ohne Mütze, tragen die dreieckigen Flaggen, die Wimpeln hießen; eine Figur trägt eine gepreßte Blechfahne mit den rot-weiß-roten Querstreifen, über die das Hakenkreuz gemalt ist. Eine Figur marschiert mit Mütze, eine ohne. Alle tragen Kniehosen mit hohen Stiefeln, haben einen offenen Kragen und tragen den losen Schlips der HJ. Die Uniform ist ähnlich wie bei der SA, deren Jugendabteilung die HJ anfänglich auch gewesen war. 1933 wurde sie unabhängig von der SA, und da besaß sie bereits ihre, eigene Armbinde, bei der die rote Grundfarbe durch den weißen Streifen unterbrochen war.

Die Sommeruniform war ähnlich wie bei den Pfadfindern: braunes Hemd, schwarzes Halstuch mit braunem Knebelband; schwarze kurze Hose oder graue Lederhosen, lange graue Socken, schwarze Schuhe, Ledergürtel mit Kreuzriemen und ein kurzes Messer in einer Metallscheide. Das war das Fahrtenmesser, das zum Statussymbol wurde, weil es nur an Vollmitglieder verliehen wurde. Elastolin hat es deutlich herausgearbeitet. Das dreieckige Abzeichen auf dem linken Arm gibt den HJ-Distrikt des Trägers an.

superimposed. One figure is marching with hat, the other hatless. All are wearing breeches with high boots and have the open collar and loose tie of the Hitler Youth. The uniform is similar to that of the SA, of which they were once the junior section. In 1933, they were made independent of the SA and they already had their special armband where the red base was divided by the white stripe.

The summer dress as similar to that of the boy scouts: brown shirt, black neckerchief with brown toggle; black shorts or grey lederhosen, long grey socks, black shoes; leather belt with cross strap, and a short bladed knife in a metal sheath. This was the Fahrtenmesser', 'travelling knife', and it was a status symbol, clearly modelled by Elastolin, awarded only when full membership was granted. The triangular badge on the left arm showed the name of the wearer's HJ district.

Deutsche Jungvolk (Pimpf) HJ Junior Section Aged 10–14

This is the age group that played with toy soldiers and it forms the largest section in the 1935 catalogue. The list of figures is in the Collectors' Guide at the end of this book. There are parade figures and camping figures. All wear black forage caps and the catalogue shows that they could be painted in the dark blue-grey winter blouse with big collar as well as in Braunhemde. The Hitler Youth had their own weapons. In 1945, a school friend whose father was an army quartermaster in Germany offered me a magnificent miniature Mauser .22 Hitler Youth rifle, single shot, bolt action, with a gleaming HJ bayonet in metal sheath. I had no pocket money left and turned it down.

BDM (League of German girls)

There were three sections: the oldest group was the Glaube und Schönheit, Faith and Beauty, aged between 17 and 21; this overlapped with the 14 to 17 year old group which together with the Jungmädels of 10–14 wore regulation uniforms. Membership became compulsory in 1939, and along with boys they did 'Landdienst', farm work such as getting in the harvest. Girls were also trained for social work such as helping poor families with large numbers of children. They were indoctrinated with the idea of becoming the mothers of heroes, and in fact the high pregnancy rate after annual farm work was not frowned on by the state.

Deutsches Jungvolk (Pimpfe, 10–14 Jahre)

Dies ist die Altersgruppe, die am meisten mit Spielzeugsoldaten spielte, und sie bildete die größte Abteilung im Katalog von 1935. Die Liste der Figuren befindet sich in der Vergleichsliste am Ende des Buchs. Es gibt Paradefiguren und Lagerfiguren. Alle tragen schwarze Mützen, und im Katalog sind die sowohl in der dunkel-blaugrauen Winterjacke mit großem Kragen abgebildet als auch im Braunhemd. Die HJ besaß eigene Waffen. 1945 bot mir ein Freund, desen Vater Quartiermeister in Deutschland war, eine schöne HJ-Mauser in Miniaturausgabe an, mit einem glänzenden HJ-Bayonett in einer Metallscheide. Ich hatte kein Taschengeld mehr und mußte ablehnen.

BDM (Bund deutscher Mädchen)

Es gab drei Abteilungen, von denen die älteste, für die Altersgruppe 17 bis 21, "Glaube und Schönheit" hieß. Sie überlappte sich mit der 14 bis 17 Jahre alten Gruppe, die zusammen mit den Jungmädels von 10 bis 14 reguläre Uniformen trug. 1939 wurde die Mitgliedschaft zur Pflicht, und zusammen mit den Jungen machten die Mädchen Landdienst und halfen etwa bei der Ernte. Zudem wurden Mädchen zu Sozialarbeit ausgebildet und griffen zum Beispiel armen Familien mit vielen Kindern unter die Arme. Sie wurden mit dem Gedanken, Heldenmutter zu werden, vertraut gemacht, und es wurde gar nicht ungern gesehen, wenn die jungen Frauen nach dem jährlichen Landdiensteinsatz schwanger waren.

Die BDM-Figuren waren 1935 bereits vollständig. Es gibt fünf marschierende Figuren, die in der Vergleichsliste angeführt sind. Das Jungmädel und das BDM-Mädchen tragen weiße Bluse, blaues Kleid, sowie recht undamenhaft aussenhende Paradeschuhe. Die Alternativen sind angeführt: braunes Kleid oder blauer Rock mit hellbrauner Kletterweste, aus Wildlederimitation. Die Figur hat Zöpfe.

DIE PORTRAITFIGUR
Baldur von Schirach

Baldur von Schirach war 18, als er der NSDAP beitrat. Er hatte mehr amerikanisches als deutsches Blut, und zwei seiner Vorfahren hatten die amerikanische Unabhängigkeitserklärung unterzeichnet. 1931 wurde er Jugendführer der NSDAP, und er arbeitete sehr viel mit freiwilligen Jugendgruppen. 1933 wurde er Reichsjugendführer und vollzog die Eingliederung aller deutschen Jugendverbände in die HJ. Schirach unterstand nicht dem Reichsministerium für Erziehung und war als Minister mit Sitz in Berlin direkt dem Führer unterstellt. Er wurde zum Diktator der deutschen Jugend und war dafür zuständig, die

The BDM models were complete by 1935. There are five marching figures which are listed in the Collectors' Guide. The Jungmädel and the BDM girl wear a white blouse, a blue dress, and rather unfeminine marching shoes. The alternatives are listed; a brown dress, or a blue skirt with the light brown suedette Kletterjackt, or Kletterweste as written in the catalogue. This is the 'climbing jacket', and this model has the pigtails (Zöpfe).

THE PORTRAIT FIGURE
Baldur von Schirach
Baldur von Schirach was 18 when he joined the Nazis. He had more American blood than German and two of his ancestors had signed the American Declaration of Independence. In 1931, he became Youth Leader of the Nazi Party, and he worked energetically with the voluntary youth groups. In 1933 he became 'Youth Leader of the German Reich' and implemented the policy of assimilating all German Youth groups into the Hitler Youth. Schirach was no longer part of the Ministry for Education, and became a minister with a residence in Berlin and access and responsibility direct to the Führer. He became dictator of German youth, and was responsible for drumming Nazi ideology into the youngsters. Schirach fell foul of the sinister Martin Bormann, Hitler's private secretary, and in 1940 he was, not unwillingly, transferred to be Governor of Vienna. He was succeeded as HJ leader by Artur Axmann.

The Elastolin model of Schirach is unremarkable. It is a reasonable likeness and was one of the first models made in 1935. He is hatless, has a movable right arm and wears a similar uniform to any senior Nazi official or SA leader, but with the striped armband of the HJ.

FELLOW TRAVELLERS
There are two portrait figures of non-Germans which appear in the 1939/40 catalogue and who were regarded by Hitler as his friends and allies. One was brought to a gruesome end by his alliance with Hitler, the other supped with the devil but had a long spoon, and survived until 1975.

Benito Amilcare Andrea Mussolini (25/21N) (25/406N)
Mussolini invented Fascism. Like Hitler he had been a

Jungen und Mädchen für die nationalsozialistische Ideologie zu begeistern. Schirach überwarf sich mit Martin Bormann, Hitlers Privatsekretär, und 1940 ging er nicht unwillig als Gauleiter nach Wien. Führer der HJ wurde daraufhin Artur Axmann.

Das Elastolinmodell Schirachs ist wenig bemerkenswert. Es sieht ihm in etwa ähnlich und ist eines der ersten Modelle, das 1935 entstand. Er hat keine Mütze, sein rechter Arm ist beweglich und er trägt eine ähnliche Uniform wie alle höheren NS-Beamten oder SA-Führer, aber seine Armbinde ist die der HJ.

DIE WEGGEFÄHRTEN
Es gibt Portraitfiguren von zwei Persönlichkeiten, die nicht deutsch waren. Sie erschienen beide im Katalog von 1939/40, und Hitler betrachtete sie als Freunde und Verbündete. Den einen ereilte aufgrund seiner Verbindung mit Hitler ein unschönes Ende, der andere spielte mit dem Feuer, ohne sich zu verbrennen, und lebte bis 1975.

Benito Amilcare Andrea Mussolini (25/21N and 25/406N)
Mussolini ist der Erfinder des Faschismus. Wie Hitler hatte er als Unteroffizier in einem guten Regiment am Ersten Weltkrieg teilgenommen und war verletzt worden. 1919 gründete er in Mailand die italienische faschistische Partei. 1922 übernahm er mit Billigung des Königs, der Armee und der Industrie als Diktator die Macht. Die Faschisten Mussolinis trugen schwarze Hemden, und Mussolini organisierte die italienische Jugend nach militärischen Gesichtspunkten. Später übernahm Hitler viele von Mussolinis Taktiken und Gedanken. 1935 entsetzte Mussolini alle Welt, als er in Abessinien einmarschierte. 1936 eilte Mussolini General Franco in Spanien zu Hilfe; ihm schlossen sich Hitlers neue Armee und Luftwaffe an, die damit wertvolle Kampferfahrung sammelten. Das verbindende Element war Anti-Kommunismus. 1937 besuchte Mussolini Hitler, und im folgenden Jahr stattete Hitler ihm einen Gegenbesuch ab. 1939 wurde er zu einer Allianz mit Hitler gedrängt.

Es gibt zwei Portraitfiguren, jeweils mit zwei Köpfen. Die erste ist auf Seite 101 abgebildet, auf Seite 3 des Katalogs. Dies ist nicht die Version mit Porzellankopf, die R.P. anführt, sondern der Kopf aus Massematerial. Mussolini trägt die grüne Uniform der Faschisten mit blauer Schärpe usw., genau wie auf Seite 79, aber hier besteht seine Mütze aus schwarzem Leder, wie die der Husaren, mit Verzierungen in Gold und Silber. Das berittene Modell hat den gleichen Kopf, aber die Mütze ist mit einer großen Feder verziert, die meist abgebrochen ist, wenn man die Figur heute findet. Angeblich mochte Mussolini dieses

corporal in a good regiment in the Great War, and had been wounded in action. In 1919, he founded the Italian Fascist party in Milan and in 1922 he took power as dictator with the approval of the King, the army and industry. Mussolini's fascists wore black shirts, and Mussolini organised Italian youth on military lines. Hitler later copied many of Mussolini's tactics and ideas. In 1935, Mussolini shocked the world by invading Abyssinia. In 1936, Mussolini had rushed to the aid of General Franco in Spain, and was joined by Hitler's new army and air force that gained valuable battle experience. The common bond was anti-communism. In 1937 Mussolini visited Hitler and the Führer visited Mussolini the following year. By 1939, he had been forced into an alliance with Hitler.

There are two portrait figures, each with two heads! The first is shown on page 98, and on page 3 of the catalogue. This is not the porcelain headed version as stated by Reggie Polaine, but the composition head. He is wearing his fascist green uniform with blue sash, etc, exactly as on page 79, but his hat is black skin, like a hussar's, with gold and silver embellishments. The equestrian model has the same head but the hat has the tall feather which usually does not survive. It was reported that Mussolini, who was an accomplished horseman, particularly liked this model because Hitler could not ride a horse. The 'hussar heads' were discontinued as the porcelain heads became available, but both heads are extremely good portraits and this figure is excellent. It was on sale during the 1938 Nuremberg rally, so was probably at the design stage before Mussolini visited Germany in September 1937.

Francisco Bahamonde Franco (18/20N)

Franco was a brilliant soldier, who had suppressed a long and bitter Riff rising in Spanish Morocco during which he was shot through the body but survived by a miracle. 1936 saw the outbreak of the Spanish Civil War and the intricacies of the political and military situation are too complex to discuss here. Franco was assisted by Italy and Nazi Germany.

It is rumoured that at some stage Elastolin issued brown painted figures of the Condor legion that served in Spain, and Elastolin did export extensively to Spain and to Latin America, where interest in the Civil War was considerable.

Modell besonders gern (er war ein guter Reiter), weil Hitler nicht reiten konnte. Der "Husarenkopf" wurde eingestellt, als die Porzellanköpfe erhältlich wurden aber beide Köpfe sind sehr gute Portraits, und diese Figur ist ausgezeichnet. Sie war beim Nürnberger Parteitag 1938 erhältlich und war vermutlich schon modelliert, als Mussolini im September 1937 nach Deutschland kam.

Francisco Bahamonde Franco (18/20N)

Franco war ein ausgezeichneter Soldat, der den langen und bitteren Rifaufstand in Spanisch-Marokko unterdrückt hatte. Dabei erhielt er einen Durchschuß, den er erstaunlicherweise überlebte. 1936 brach in Spanien der Bürgerkrieg aus, dessen komplizierten Verlauf wir hier selbstverständlich nicht schildern können. Franco wurde von Italien und NS-Deutschland dabei unterstützt. Angeblich hat Elastolin irgendwann braun bemalte Figuren der Legion Condor herausgebracht, die in Spanien kämpfte, und Elastolin exportierte nach Spanien und Lateinamerika, wo das Interesse am Bürgerkrieg sehr groß war. Aber solche Figuren wären vorwiegend in Deutschland verkauft worden, und bisher sind meines Wissens keine solchen Modelle zu Tage getreten. Allerdings trug die nationalistische Armee Francos Helme und Uniformen, die den deutschen sehr ähnlich waren, und diese braunen Modelle wurden in Spanien verkauft, vorwiegend, als das Land nach Francos Sieg 1939 etwas zur Ruhe kam.

Hitler versuchte, Franco mit allen Mitteln zum Eintritt in den Krieg zu überreden, aber Spanien blieb neutral, und Franco überlebte. Spanien schickte allerdings die Blaue Division zum Einsatz gegen die Sowjetunion – die Russen hatten im Bürgerkrieg Francos Feinde unterstützt – und gab alle Unterstützung, die legal möglich war. Aber spanische Juden waren ungefährdet, und die Gefangenen in Francos Arbeitslagern wußten, daß sie eines Tages entlassen würden.

Die im Katalog und auf Seite 100 abgebildete Portraitfigur ist das einzig hergestellte Modell. Franco trägt eine khakifarbene Uniform mit hellblauer Schärpe und einer Feldmütze mit Goldquaste. Dem Modell auf Seite 100 scheint der Schnurrbart zu fehlen. Die Figur sieht zwar echt aus, aber Anfang der 70er Jahre gab es einige sehr gelungene Fälschungen. Die Fälscher begingen nur einen Fehler – sie vergaßen, Franco einen Schnurrbart zu geben. Die Haare sind dunkelgrau gemalt, der Gürtel ist violett, die Schuhe sind braun und die Handschuhe weiß. Das große Abzeichen auf der linken Brust ist silber und das kleinere darüber ist gold mit einem weißen Band. An jedem Hemdsärmel steckt ein Goldstern.

But these figures would have been sold mostly in Germany and to date none have appeared, to my knowledge. However Franco's Nationalist army did wear German style helmets and uniforms and these brown models were sold in Spain, largely after Franco's victory in 1939.

Hitler did his best to entice Franco into joining him in the war but Spain remained neutral, and Franco survived. Spain did help Hitler by sending the Blue Division to fight the Russians – the Russians had sent aid to Franco's enemies in the Civil War – and Spain was pro-German in the conflict, giving what assistance could legally be given. But Spanish Jews were safe, and the prisoners in Franco's labour camps knew that one day they would be freed.

The portrait figure shown in the catalogue and on page 100 was the only model produced. Franco wears a khaki uniform with a light blue sash and a forage cap with a gold tassel in front. The moustache seems to be missing from the model on page 100. The figure looks original, but in the early 1970s there were some superb forgeries about. There was only one mistake, the forger never put in Franco's moustache. Franco's hair is painted dark grey, his belt is purple, shoes brown and he wears white gloves. The large decoration on his left breast is silver and the small one above is gold with a white ribbon above it. He has a gold star on each cuff.

Commentary on the First Edition
Kommentar zur ersten Ausgabe

Since the book was first published much new material has come to light and this commentary refers to the original text, which has been left unchanged. Numbers in brackets refer to the page on which the original text appears.

HISTORY OF THE COMPANY (*pages 8–11*)

It is worth noting that the size of the figures mentioned refers to foot figures of 10 cm and mounted figures where the height from rider's head to the horse's hooves was 14 cm. They did not make 14 cm foot figures. The 10 cm range was mirrored by identical models made in $6\frac{1}{2}$ or 6 cm. These retain the character of the larger figures, but the smaller 6 cm figures were crude, since the early composition contained a very high proportion of wood powder to glue binding agent. The first true 7 cm size figures are perhaps the mounted knights 820, 822 and 824, described in the 1931 catalogue where they first appear as 0/384. The horse was full 7 cm size and these composition knights were still on sale in the early 1970s. I still have three bought new in 1972 in Koblenz.

Pre-1920 Elastolin models are virtually non-existent in Britain, where in 1914 there was an anti-German hysteria not repeated in 1939. It was made worse then by the fact that the two nations were so close racially, economically, and shared an aristocracy (von Battenburg = Mountbatten for instance). Never before in history had Britons fought Germans, we had always been on the same side and in the period 1750 to 1850 we had a joint military history. Newspapers and preachers screamed for all things German to be destroyed. Children were exhorted to burn their German toys, and they did. My elderly parents, both born in 1905, still remember this hysteria well.

Seit dem Erscheinen dieses Buches ist viel neues Material zutagegekommen. Dem unveränderten Originaltext wurde der nachstehende Kommentar hinzugefügt. Die in Klammern stehen den Ziffern beziehen sich auf die betreffenden Seiten des Originaltextes.

GESCHICHTE DER FIRMA (*Seiten 8–11*)

Es sollte angemerkt werden, daß die angegebene Größe der Figuren sich auf Fußfiguren von 10 cm Höhe bezieht und auf berittene Figuren, bei denen die Höhe vom Kopf des Reiters bis zu den Pferdehufen 14 cm beträgt. 14 cm hohe Fußfiguren wurden nicht hergestellt. Der 10 cm großen Serie standen 6,5 oder 6 cm Modelle zur Seite. Diese haben zwar den Charakter der größeren Figuren, aber die kleineren 6 cm Figuren waren etwas plump, da das frühe Mischmaterial einen sehr hohen Anteil an Sägemehl im Verhältnis zum Bindemittel enthielt. Die ersten richtigen 7 cm Figuren sind vielleicht die Ritter zu Pferd Nr. 820, 822 und 824, wie im Katalog von 1931 beschrieben, wo sie zuerst als 0/834 erschienen. Die Pferde waren 7 cm hoch, und diese Ritter aus Mischmaterial wurden noch Anfang der 70er Jahre verkauft. Ich besitze drei, die ich 1972 in Koblenz kaufte.

Elastolinmodelle von vor 1920 gibt es in Großbritannien praktisch nicht. 1914 brach hier eine anti-deutsche Hysterie aus, die sich 1939 nicht wiederholte. Die Situation wurde verschärft durch die Tatsache, daß die Wirtschaft der zwei Staaten eng miteinander verknüpft und ihre Aristokratie miteinander verwandt war (Battenberg = Mountbatten). Nie zuvor in der Geschichte hatten Briten gegen Deutsche gekämpft, wir waren stets auf der gleichen Seite gewesen, und unsere Militärgeschichte zwischen 1750 und 1850 war die gleiche. Die Zeitungen und Prediger schrien, alles Deutsche müsse vernichtet werden. Kinder wurden dazu aufgefordert, ihr deutsches Spielzeug zu verbrennen, und sie folgten dem Aufruf. Meine bejahrten Eltern, die beide 1905 geboren wurden, erinnern sich gut an diese Zeit.

After the First World War, the French made it compulsory for German products to state their country of origin. If you examine the side of the base of the riding horses produced in the early 1930s you will read 'Importe d'Allemagne', and the word 'Germany' appears on the base of those 7 cm foot figures which were exported. At that time 'representatives' were active in expanding Elastolin's exports, and these must have been considerable judging by the large numbers of old 10 cm British figures that came on the market when their value became known. I cannot trace a British agent, and it seems that sales were made to individual stores who had to pay in German marks. In Sweden, Holland, Switzerland and the new state of Czechoslovakia (formed in 1919), Hausser had importing agents and bank accounts in Stockholm, Amsterdam, Basle and Pilsen. Elastolin also had large showrooms, apart from the factory, at Leipzig, Hamburg, Nuremberg and Frankfurt am Main. In 1931 Blockhouse NY are cited as importers into the USA. The 1920 catalogue is in English, French, and Spanish, the latter language being for importers in South America rather than Spain. The volume of sales must have been enormous.

The extensive range of new figures, especially the Nazi lines, shown in the 1935 catalogue would suggest that production was in full swing at Neustadt bei Coburg well before the move in 1936 and the closing of the old Ludwigsburg site. The move marked the end of the old 10 cm military figures and those riders that relied on the old 10 cm size horses. The 10 cm civilian figures continued to be made at Neustadt, but are not shown in the subsequent catalogues so it is virtually impossible now to say what was made and was not. Quite definitely many of the 1920 10 cm figures were still on sale in German toy shops in 1969, and in 1972, when we bought them.

The Neustadt bei Coburg factory was not damaged during the war and it would have been possible to have continued their production without a break, except for the strict controls of the occupying forces who had the power to decide whether an industry continued, was taken over by a 'victorious' firm, or was closed down. Hausser was allowed to continue, and the problem was not the ability to manufacture, but to recapture lost sales outlets. The revival of Hausser until they 'died of improvements' is the subject of Volume III in this series.

Nach dem Ersten Weltkrieg verlangten die Franzosen, daß auf deutschen Waren stets der Herkunftsland angegeben werden mußte. Wenn Sie den Rand am Sockel der Reitpferde betrachten, die Anfang der 30er Jahre hergestellt wurden, können Sie "Importé d'Allemagne" erkennen. Auf dem Sockel der 7 cm hohen Fußfiguren, die exportiert wurden, steht das Wort "Germany". Zu jener Zeit bemühten sich die Vertreter darum, die Exporte von Elastolin zu vergrößern, und sie müssen sehr erfolgreich gewesen sein, wenn man die Vielzahl alter 10 cm großer britischer Figuren betrachtet, die auf dem Markt erschienen, als sich herausstellte, wie wertvoll sie waren. Ich kann keinen britische Vertrretung ausfindig machen, und es scheint, als seien die Exporte an individuelle Läden gegangen, die die Rechnungen in Reichsmark begleichen mußten. In Schweden, Holland, der Schweiz und dem 1919 neu gegründeten tschechischen Staat hatte Hausser Importvertreter, und die Firma unterhielt Bankkonten in Stockholm, Amsterdam, Basel und Pilsen. Außer den Schauräumen in der Fabrik besaß Elastolin große Ausstellungsräume auch in Leipzig, Hamburg, Nürnberg und Frankfurt am Main. 1931 wurde Blockhouse NY als Importeur für die Vereinigten Staaten angegeben. Der Katalog von 1920 ist in englisch, französisch und spanisch abgefaßt, wobei die spanische Version eher für Importeure in Südamerika gedacht war als für Spanien. Die Verkaufszahlen müssen enorm gewesen sein.

Die zahlreichen neuen Figuren, vor allem die NS-Serien, die im Katalog von 1935 enthalten sind, lassen darauf schließen, daß bereits vor dem Umzug 1936 und dem Schließen der alten Fabrik in Ludwigsburg die Produktion in Neustadt bei Coburg begonnen hatte. Dieser Umzug bedeutete das Ende der alten 10 cm großen Militärfiguren und der Reiter, die auf den 10 cm großen Pferde saßen. Die 10 cm großen Zivilfiguren wurden in Neustadt zwar noch weiterhin produziert, aber sie sind in den folgenden Katalogen nicht abgebildet, und so ist es heute praktisch unmöglich festzustellen, was hergestellt wurde und was nicht. Viele der 10 cm großen Figuren von 1920 waren aber noch 1969 und 1972 in deutschen Spielwarenläden erhältlich, und wir kauften einige.

Die Fabrik in Neustadt bei Coburg wurde während des Kriegs nicht zerstört, und es wäre möglich gewesen, nahtlos mit der Produktion fortzufahren. Die Besatzungsmächte hatten allerdings strikte Kontrolle darüber, ob eine Fabrik weiterproduzieren durfte, von einer "siegreichen" Firma übernommen wurde oder schließen mußte. Hausser durfte weiterproduzieren, und das Problem waren nicht fehlende Herstellungsmöglichkeiten, sondern verlorene Absatzmärkte. Das Neubelebung der Firma Hausser, bis sie "an Verbesserungen einging", ist das Thema von Band III dieser Serie.

METHOD OF MANUFACTURE

Composition (*pages 13–14*)

I do not agree that Elastolin is a generic term for almost any composition figure. Collectors are more precise, and Elastolin refers specifically to the products of Hausser.

In the forested area of Europe, woodworking crafts were common and it was a simple transition from filling in a fault in a wood carving with wood powder and animal glue, to moulding a complete figure in the mixture. You can make an Elastolin mixture in your own kitchen, but you will face the major problem that faced anyone trying to make a range of models of consistent size – shrinkage. Furthermore, if you have inserted wire reinforcing into the model that shrinkage will have the effect of stretching and distorting the figure. The animal glue has to be used hot, it hardens when it cools, and any additives that 'bulk up' the mixture, such as plaster, or kaolin, also weaken it considerably. The solution, used by Pfeiffer, was to treat the mixture like terracotta, and cook it. Thus flour and kaolin are both ingredients of Elastolin, but it is still necessary to allow for shrinkage, and as we will see later this is the main headache for fakers.

Elastolin ingredients have changed over the years. The first models were a tough leathery material. They have rectangular bases (see page 23) and have obviously shrunk quite a lot since leaving the mould. I believe there was a higher percentage of glue to wood powder than in the later 10 cm models, when the composition is very light in colour and weight, and it is clear that great pressure has been used to force the mixture into the mould. This material is not so affected by grey mould as is the mixture using more glue, and the framework does not rust as badly, the figures last longer than the later 7 cm models where, to get finer detail, the glue content has been increased. They also suffer less in a damp atmosphere.

Not all models were made in two halves and then joined; only the tricky quadrupeds and those where weight would be a problem. Some models like the rearing Indian horse 6902 (ridden by a cowboy!) on page 15 of the 1939 catalogue were made in one piece, except for one leg. The front left leg of this model is often missing, and it seems to have gone from one of the three shown later in this book. The leg was made

HERSTELLUNGSMETHODEN

Zusammensetzung (*Seiten 13–14*)

Ich bin nicht der Meinung, daß Elastolin ein Oberbegriff für praktisch alle Figuren aus Mischmaterial ist. Sammler sind sehr korrekt in ihrer Ausdrucksweise, und Elastolin wird noch immer mit den Hausser-Produktion gleichgesetzt.

In den bewaldeten Regionen Europas war das Bearbeiten von Holz ein altes Handwerk, und Fehler in einer geschnitzten Figur wurden häufig mit Sägemehl und Tierleim ausgebessert. Von da war es kein allzu großer Schritt, ganze Figuren aus dieser Mischung zu fertigen. Sie können eine Elastolinmasse ganz leicht selber herstellen, aber Sie werden dem gleichen Problem begegnen wie andere, die eine Reihe von Figuren gleicher Größe herstellen wollen – sie schrumpfen. Wenn das Modell mit Draht verstärkt wird, schrumpft es nicht nur, sondern dehnt und verzieht sich dabei. Der Tierleim muß heiß verarbeitet werden, weil er beim Abkühlen hart wird, und Zusätze, die der Mischung mehr Substanz verleihen, etwa Gips oder Kaolin, schwächen sie zu sehr. Die Lösung, auf die Pfeiffer verfiel, war, die Mischung wie Terracotta zu behandeln und sie zu erhitzen. Elastolin enthält also Sägemehl und Kaolin, aber dem Schwund muß nach wie vor Rechnung getragen werden. Das ist auch das große Problem, dem sich Fälscher gegenübersehen.

Die Zutaten für Elastolin haben sich im Laufe der Jahre verändert. Die ersten Figuren bestanden aus einem zähen, lederartigen Material. Der Sockel ist rechteckig (siehe Seite 16) und ist offensichtlich stark geschrumpft, seitdem er aus der Form genommen wurden. Ich nehme an, daß hier ein höherer Prozentsatz von Leim zu Sägemehl verwendet wurde als bei den späteren 10 cm Figuren, bei denen die Masse hellfarbig und leicht ist; zudem kann man erkennen, daß die Mischung unter sehr großem Druck in die Form gepreßt wurde. Dieses Material ist weniger für Grauschimmel anfällig als die Masse, die mehr Leim enthält, und der Rahmen rostet nicht so leicht. Die Figuren haben eine längere Lebensdauer als die späteren 7 cm Modelle, für die der Leimanteil vergrößert wurde, damit mehr Details herausgearbeitet werden konnten. Feuchte Luft setzt ihnen auch weniger zu.

Nicht alle Modelle wurden in zwei Hälften hergestellt und dann zusammengesetzt, sondern nur die problematischen Vierfüsser und Figuren, bei denen sich zu großes Gewicht nachteilig ausgewirkt hätte. Einige Modelle wie das sich aufbäumende Indianerpferd 6902 (von einem Cowboy geritten!) auf Seite 15 im Katalog von 1939 wurden in einem Stück hergestellt – bis auf ein Bein. Deshalb fehlt das vordere linke Bein häufig bei diesen Figuren, und es scheint einem der drei,

separately and simply pushed on when the material was still wet. You can actually pull the leg off a model quite easily.

Painting (*pages 13–14*)

Reggie Polaine skips over the painting. I don't blame him. This is a very difficult subject. Elastolin of the 1930s and immediate post-war period has a distinctive, resinous smell. If you keep models in, say, a shoe box for some time and then open it the smell wafts up for a moment. It is unmistakeable. For years I could not decide whether the smell was in the composition or the paintwork. I believe it is the paint.

I wrote to Elastolin, consulted an industrial chemist and an experienced German antique picture restorer, but no-one can identify the source of that unique Elastolin smell. Elastolin stopped using that kind of paint in the early 1960s, but I was surprised that there was no record of the ingredients available. A worn figure can be brought up quite easily by using a fine brush dipped in surgical spirit or methylated spirit to rework the worn areas. The paint dissolves immediately, indicating that a spirit-based paint was used, possibly with a binding agent such as white shellac and a resin of the family of Collophonium which gives it that distinctive smell and glaze. Care should be taken with the black and the burnt sienna because it dissolves so quickly it might spread to surrounding areas.

The colour pallette used for the paintwork is the basic pallette of the artist, umbers, siennas, the three blues, and the basic yellows and reds. Flesh colours are mixed as if one is painting a portrait – white, yellow, ochre, vermilion. Over the years I have been delighted to discover that providing I have mixed up two Elastolin colours correctly then I can get a third spot on, by mixing them, as done by Elastolin. I'm afraid that restoration is an art that needs to be learned by the Elastolin collector, who will then find that no figure is beyond repair.

Framework

The wire framework is usually the main cause of deterioration, especially in the 7 cm models. 'Filleting' a figure is sometimes necessary. PVA glue is best for repairs since it binds with the water-based composition and makes a permanent bond. Mix PVA with wood powder to make a filler for bad cracks. Ordinary sawdust was not an ingredient of Elastolin. It is

die später in diesem Buch zu sehen sind, abhanden gekommen zu sein. Das Bein wurde getrennt hergestellt und einfach angesetzt, solange das Material noch naß war. Man kann es sehr leicht wieder abnehmen.

Bemalung (*Seiten 13–14*)

Reggie Polaine übergeht die Bemalung, und ich verdenke es ihm nicht, denn das Thema ist sehr schwierig. Das Elastolin der 30er Jahre und der ersten Nachkriegszeit roch sehr prägnant nach Harz. Wenn Modelle längere Zeit in einem Schuhkarton aufbewahrt werden, der plötzlich geöffnet wird, steigt dieser Geruch kurz auf. Er ist unverkennbar. Jahrelang konnte ich nicht entscheiden, ob es das Mischmaterial oder die Farbe war, die so roch. Ich glaube, es ist die Farbe. Ich schrieb an Elastolin, befragte einen Industriechemiker und einen erfahrenen deutschen Restaurator alter Gemälde, aber niemand kann den unverkennbaren Elastolingeruch identifizieren. Ab Anfang der 60er Jahre verwendete Elastolin diese Art Farbe nicht mehr, aber ich war doch überrascht zu erfahren, daß die verwendeten Zutaten nie schriftlich festgehalten wurden. Mann kann eine abgetragene Figur leicht aufbessern, indem die fraglichen Stellen mit einem Pinsel, der in vergällten Spiritus getaucht wurde, bearbeitet wird. Die Farbe löst sich sofort auf, was darauf hindeutet, daß eine auf Lösungsmittel aufgebaute Farbe verwendet wurde, eventuell mit einem Bindemittel wie weißem Schellack und einem Harz der Familie Colophonium, der für den typischen Geruch verantwortlich ist, und Glasur. Vorsicht bei Schwarz und Siena – diese Farben lösen sich schnell auf und verlaufen leicht in andere Stellen.

Die Farben, die zur Bemalung verwendet werden, sind die gleichen, die alle Künstler einsetzen: Braun, Ocker, die drei Blau und die üblichen Gelb- und Rottöne. Hautfarben werden wir für ein Portrait gemischt: Weiß, Ockergelb und Grün. Im Laufe der Jahre war ich entzückt festzustellen, daß ich eine dritte Elastolinfarbe erhalte, wenn ich zwei vermische – vorausgesetzt, ich habe sie absolut korrekt gemischt. Elastolin verfuhr auf die gleiche Weise. Das Restaurieren ist eine Kunst, die leider jeder Elastolinsammler selbst erlernen muß – aber dann stellt er fest, daß praktisch keine Figur irreparabel ist.

Drahtverstärkung (*Seiten 13–14*)

Meist lösen sich die Figuren aufgrund der Drahtverstärkung auf, vor allem jene im 7 cm Format. Manchmal ist es notwendig, sie zu ''filieren''. Ein Klebstoff mit Polyvinylacetat eignet sich am besten für Reparaturen, weil er mit dem wasserlöslichen Mischmaterial eine dauerhafte Bindung eingeht. PVA, mit Sägemehl vermischt, ist ein

coarse and lumpy. Fine wood powder was used. I have often wondered if the use of metal spikes in the saddles of horses (to hold the riders in place), the metal lances, and the wire rifles would have contravened the safety regulations that governed children's toy importation in recent years. It must have been a problem, because the swords of the last composition figures are made of very thin, very flexible wire, as were the lances of the Frederick the Great officer and NCO, but the plastic Swiss army still had stiff wire poles for even the late cloth flags.

There must have been a serious problem involved in making moulded rifles for Elastolin's marching figures. Why were they not able to overcome this? I can see no reason why the rifle could not have been part of the mould, or why a moulded metal rifle could not have been used as with the eighteenth century figures. The action figures have composition rifles, but the figure falling after being shot has a moulded metal rifle, with a metal hand. It is incongruous to look at a quality, well-modelled figure and yet have to imagine that a piece of wire is a Mausser.

The castles shown on page 13 indicate that the photograph was taken before 1972, when we visited the showroom. In 1972, all the castles displayed were vacuum-formed except one. It was beautiful, but on enquiring, we were told it was no longer available. Some of the castles shown are the old wood and composition models, but they appear to be on vacuum-formed bases – an interesting transition. The vacuum-formed castle with a moat is shown, top left. The games on the shelf at the back are exactly as shown in the 1967 catalogue, so I would guess that 1967/8 is the date of the photograph. The wall shelves on the right are where the model figures were displayed – what a tantalising photograph!

HISTORICAL REVIEW (*pages 15–22*)

Page 15 The absence of archive material is not due to the events of the Second World War. Who would have thought in, say, 1960, that anyone would ever want to know about the past production models of any toy soldier firm? Why keep masses of paperwork relating to what is over and done with? But as it happened the archives containing the actual models did exist, as I have already explained. Nothing was lost or destroyed during the war, except by internal tidying up. The

guter Füller für große Risse. Gewöhnliches Sägemehl wurde für Elastolin nicht verwendet, weil es zu grob und klumpig ist; stattdessen wurde feines Holzpulver benutzt.

Ich habe mich oft gewundert, ob die Metallstifte in den Pferdesätteln (die die Reiter im Sattel halten), die Metall-Lanzen und die Drahtgewehre nicht die Sicherheitsvorschriften, denen importiertes Kinderspielzeug später unterlag, verletzt hätten. Es muß ein Problem gewesen sein, denn das Schwert der letzten Massefiguren besteht aus sehr dünnem, biegsamen Draht, wie die Lanze des Offiziers von Friedrich dem Großen und des Unteroffiziers, aber die Schweizer Armee aus Plastik hatte noch steife Drahtstangen, selbst für die spätere Fahne aus Stoff.

Es muß ein großes Problem gewesen sein, modellierte Gewehre für die marschierenden Elastolinfiguren herzustellen. Warum konnte es nicht gelöst werden? Ich sehe keinen Grund, warum das Gewehr nicht Teil der Form sein konnte, oder warum kein modelliertes Metallgewehr wie bei den Figuren aus dem 18. Jahrundert verwendet wurde. Die Aktionsfiguren haben Gewehre aus Mischmaterial, aber die fallende Figur hat ein modelliertes Metallgewehr mit einer Hand aus Metall. Es ist sehr unbefriedigend, eine schöne, gut modellierte Figur anzusehen und sich dann vorstellen zu müssen, daß ein Stück Draht eine Mauser darstellt.

Den auf dieser Seite abgebildeten Burgen kann man entnehmen, daß die Aufnahme vor 1972 entstand, als wir den Ausstellungsraum besichtigten. 1972 waren alle ausgestellten Burgen, bis auf eine, vakuum-gezogen. Diese wollten wir haben, aber uns wurde gesagt, daß sie nicht mehr erhältlich war. Einige der abgebildeten Burgen sind die alten Modelle aus Holz und Mischmaterial, aber es hat den Anschein, als sei der Sockel vakuum-gezogen. Die vakuum-gezogene Burg mit dem Graben ist oben links zu sehen. Die Spiele auf dem Regal im Hintergrund sind die gleichen wie im Katalog von 1967, deshalb nehme ich an, daß die Aufnahme 1967 oder 68 entstand. Am Wandregal rechts wurden die Modellfiguren ausgestellt – es ist eine Aufnahme, die zum Träumen verleitet.

HISTORISCHE BETRACHTUNG (*Seiten 15–22*)

Seite 15 Die Ursache dafür, daß Archivmaterial fehlt, liegt nicht an den Vorgängen im Zweiten Weltkrieg. Aber wer hätte sich 1960 vorstellen können, daß später einmal jemand etwas über die früheren Produktionsmodelle einer beliebigen Spielzeugsoldaten-Firma wissen wollte? Warum sollte man stapelweise Dokumente aufbewahren, die

1920 Catalogue F actually has 76 pages! Only ten of these are devoted to model soldiers and horse drawn military items in 10 cm size (including horse drawn telescope wagon). The rest of the catalogue shows an incredible range of civilian items, zoo and farm animals, farm buildings, wooden railway buildings, castles, wooden motor lorries, wooden locomotives with wooden carriages, crib scenes with crib figures, trees, fences, doll's houses, a Noah's Ark and a superb schoolroom with desk, table, chair, wardrobe, easel, blackboard, flower pot, three maps, 10 benches, one teacher and 16 children. One child is standing up with his arm raised.

Page 16 The 1931/2 Catalogue F actually has nineteen pages devoted to soldiers and vehicles (not ten as printed)

Page 17 The Pfeiffer connection has been missed by most people interested in Hausser, including myself. I discovered the link too late to derive any information of much use. The Pfeiffer family continued as directors of 'Tipple Topple' until that firm became bankrupt at exactly the same time as Hausser, in July 1983, after which the Pfeiffers moved to West Germany to live. All I know is that, although Pfeiffer had their own range of composition models, they also distributed Elastolin models in Austria, and all the later plastic models were sold in Austria with 'Tipple Topple' on the base. I have some ancient Pfeiffer figures, and one of their features was that the figure stood up without a base. As you would expect, Pfeiffer penetrated the South East Europe market, and especially the territories of the old Austro-Hungarian Empire. I should imagine the opening up of Eastern Europe will unlock many treasures, and there must be many attics in the old buildings in Prague and Budapest with boxes of ancient Pfeiffer models. Pfeiffer-'Tipple Topple' is a subject waiting for a keen researcher, and I am certain the findings would make a fascinating book.

Mr Küentzle told me that the rather wizened brownish Elastolin figures which are inferior to the usual product were made in Czechoslovakia.

Again the firm of Durolin is waiting for a researcher, and I am sure there will be interesting revelations. Durolin did not cease manufacture with the annexation of Czechoslovakia. Durolin figures bear the 'Germany' stamp, and it continued as it was a Sudetenland concern. Mr Küentzle said that Elastolin was never made in France.

sich mit Vergangenem befaßten? Wie ich bereits sagte, gab es durchaus ein Archiv mit den Modellen, und nichts wurde während des Kriegs zerstört oder ging verloren, höchstens durch interne Aufräumarbeiten. Der Katalog F von 1920 hatte 76 Seiten! Nur zehn dieser Seiten sind gefüllt mit Soldaten und militärischen Objekten, die von Pferden gezogen werden (selbst ein pferdebespannter Teleskopwagen). Der restliche Katalog zeigt eine unendliche Vielfalt von zivilen Gegenständen, Zoo- und Haustiere, Bauernhöfe mit Außengebäuden, Bahngebäude aus Holz, Burgen, Lastkraftwagen aus Holz, hölzerne Lokomotiven mit Holzwaggons, Krippenszenen mit Krippenfiguren, Bäume, Zäune, Puppenhäuser, eine Arche Noah und ein wunderbares Klassenzimmer mit Schreibtisch, Tisch, Stuhl, Schrank und Stativ, Tafel, Blumentopf, drei Landkarten, einem Lehrer und 16 Schulkinder. Ein Kind steht mit erhobenem Zeigefinger.

Seite 16 Im Katalog F von 1931/32 werden (nicht 10 sondern 19 Seiten von Soldaten und Fahrzeugen eingenommen).

Seite 17 Die Verbindung mit Pfeiffer wurde von den Leuten, die an Hausser interessiert sind, meistens übersehen. Mir wurde diese Verbindung aber zu spät klar, als daß sie noch von großem Wert hätte sein können. Die Familie Pfeiffer blieb weiterhin Inhaberin von 'Tipple Topple', bis die Firma genau zur gleichen Zeit wie Hausser im Juli 1983 bankrott machte. Anschließend zogen die Pfeiffers in die BRD. Ich weiß lediglich, daß Pfeiffer zwar ihre eigene Reihe von Massemodellen hatte, in Österreich aber auch Elastolinmodelle vertrieb; bei allen späteren Plastikmodellen, die in Österreich verkauft wurden, stand auf dem Sockel "Tipple Topple". Ich besitze einige alte Pfeiffer-Figuren, und eines ihrer Kennzeichen ist, daß sie ohne Sockel standen. Wie zu erwarten, belieferte Pfeiffer den Markt im Südosten Europas, vor allem die Staaten des früheren Kaiserreichs. Ich denke, daß die Öffnung von Osteuropa viele Schätze zu Tage bringen wird, und in vielen Dachböden in den alten Häusern von Prag und Budapest müssen Kisten voll uralter Pfeiffer-Modelle stehen. Pfeiffer/"Tipple Topple" ist ein Thema, das einem Forscher sehr viel Freude bereiten könnte und das sicher ein faszinierendes Buch ergeben würde.

Herr Küentzle erzählte mir, daß die runzeligen bräunlichen Elastolinfiguren, die den gewöhnlichen Figuren qualitätsmäßig unterlegen sind, in der Tschechoslowakei hergestellt wurden.

Auch die Firma Durolin sollte untersucht werden, wobei viel Interessantes zu Tage treten würde. Durolin stellte die Produktion mit dem 'Anschluß' der Tschechoslowakei übrigens nicht ein, aber die Figuren trugen von dem Zeitpunkt ab den Stempel 'Germany'. Die

Page 18 I disagree with the phrase whereby a toy firm 'actively discourages' its production of certain figure sizes. Civilian 10 cm figures continued to be produced until the late 1960s, just as they always had been. Only the military 10 cm was abandoned with the Ludwigsburg site. It is not the 1936 catalogue that shows the shift in emphasis, but the 1935 one. The cover shows a boy looking wistfully at a tinplate minenwerfer; underneath is the working morse code set and group, while above a camouflaged lorry is towing a 10 cm field kitchen which has been adapted with all metal wheels to match the lorry. It bears the inscription 'Was sich die Hausser–Jugend wünscht!'

Page 18 Regarding Polaine's remark about musicians' arms being made of light metal alloy; this is true of very few arms, in fact you will probably never find one.

Page 19 There was official encouragement of the production of Nazi figures and the link with the Nuremberg rallies would have made it a very profitable connection with great publicity value.

With regard to 'official clearance' Elastolin never made the 88 mm Flak gun – Lineol did. Elastolin's gun is an earlier, obsolete version, but similar in appearance.

I do not understand the remarks about the NSDAP and the Stahlhelm. The NSDAP was not another political group, it *was* the Nazi party. Elastolin only made groups with Nazi associations, never the 'Red Front', and there was no need to 'officially forbid' the manufacture of figures who in real life ended up in concentration camps.

The remark about the 'Reichsbanner . . . an organisation of the Social Democratic Party of Germany' is unintelligible, but it does lead to an interesting explanation of Elastolin tinplate flags. The flag of the Hohenzollern Empire formed by a union of the German states in 1870 was black, white and red. With the Weimar Republic a tricolor flag of black, gold and red, in horizonal bands, was chosen. These were the colours of a democratic anti-Prussian movement of 1848. When the Nazis became the state in 1933 they made reality of one of their old marching songs calling for a return to 'Schwarz, Weiss, Rot' and they changed the national flag to a black, white and red tricolor, flying it alongside their own black, white and red

Fabrik war im Sudetenland. Herr Küentzle sagte auch, daß Elastolin in Frankreich nie hergestellt wurde.

Seite 18 Ich frage mich, wie eine Spielzeugfirma die Produktion bestimmter Figurgrößen "vermeiden" kann. Dies bezieht sich natürlich nicht auf die 10 cm hohen Zivilfiguren, die unverändert bis Ende der 60er Jahre gefertigt wurden. Mit dem Standort Ludwigsburg wurden lediglich die militärischen 10 cm Figuren aufgegeben. Der neue Stil machte sich auch nicht im Katalog von 1936 bemerkbar, sondern in dem von 1935. Auf dem Umschlag ist ein Junge abgebildet, der sehnsüchtig auf einen Minenwerfer aus Blech blickt; darunter ist die funktionierende Funkergruppe abgebildet, und darüber ein Lastwagen in Tarnfarbe, der eine 10 cm große Feldküche transportiert. Die Küche wurde mit Metallrädern ausgestattet, um sie dem Lastwagen anzupassen. Darauf steht "Was sich die Hausser-Jugend wünscht!"

Seite 18 Um auf Polaines Bemerkung zurückzukommen, daß die Arme von Musikern aus einer Leichtmetall-Legierung hergestellt wurden – dies ist bei außerordentlich wenigen Figuren der Fall, und vermutlich werden Sie nie welche zu Gesicht bekommen.

Seite 19 Die Produktion der NS-Figuren wurde natürlich öffentlich unterstützt, und die Verbindung mit den Nürnberger Parteitagen erwies sich als sehr profitabel und war zudem äußerst werbewirksam.

Was die 'offizielle Erlaubnis' betrifft, so stellte Elastolin, im Gegensatz zu Lineol, die 88 mm Flak nicht her. Die Waffe von Elastolin ist eine frühere, hinfällige Version, sieht aber ähnlich aus.

In diesem Zusammenhang sind einige Anmerkungen über Elastolins Blechflaggen interessant. Die Fahne des Hohenzollern-Reichs, das durch den Zusammenschluß deutscher Staaten 1871 gegründet wurde, war schwarz-weiß-rot. Nach der Niederlage von 1918 wurde sie in der Weimarer Republik mit den Farben schwarz-rot-gold ersetzt, und zwar in horizontalen Streifen: die Farben der demokratischen anti-preußischen Bewegung 1848. Als die Nationalsozialisten 1933 an die Macht kamen, setzten sie die Worte eines ihrer alten Marschierlieder in die Wirklichkeit um und setzten als Nationalflagge wieder die schwarz-weiß-rot Fahne ein, die neben ihrer eigenen schwarz-weiß-roten Hakenkreuzfahne wehte. 1935 wurde die Trikolore offiziell abgeschafft, und die NS-Flagge wurde zusammen mit dem Adler und dem Hakenkreuz zum nationalen Abzeichen Deutschlands. 1945 übernahm Deutschland wieder die schwarz-rotgoldene Fahne Weimars, und 1948 fügte die DDR Hammer und Zirkel hinzu. Die Fahne des vereinten Deutschland ist die gleiche wie die der Weimarer Republik.

Hakenkreuz flag. In 1935, the tricolor was officially abolished, and the Nazi flag together with the eagle and swastika became the national emblems of Germany. In 1945, Germany returned to the black, gold and red of Weimar, and in 1948, East Germany added a small communist symbol to the centre of their tricolor. This is now being removed and the flag of a newly re-united Germany will be the same as that of the Weimar Republic.

Thus a black, gold and red tinplate Elastolin flag is either pre-1933 or post-1946. The only way of telling is by checking the original wire pole, if it is extant. The early ones have a pressed, gold-painted spear top. These were probably quite dangerous for children, and in real life the flagpoles were used as weapons by Nazi street fighters who inflicted terrible wounds with them. Such a pole is shown in the middle of the four-colour double spread on pages 80–81. I don't know the year in which they were discontinued, but it was pre-war. The tin flags were used up to 1983.

The black, white and red flag dates from 1933 to 1935, and the Nazi standard from 1933 onwards. A flag with black and white squares, or two horizontal bands is Prussian, and red and white horizontal bands is Austrian. The tinplate flags were lithographed, not hand-painted (except for the Prussian and Austrian ones), while the composition flags were of course, hand-painted, with the basic moulding showing the design of the flag. Do not confuse the vertical black, gold and red of Belgium with Germany's horizontal tricolor.

Page 19 There is no evidence of a decline in sales of Nazi figures in the late 1930s, in fact quite the reverse, since at that time they began to appear in countries with strong Fascist parties like Hungary and Romania. My old history tutor from 1949, Neville Masterman, told me that he bought a set in 1938 when he was a young lecturer at Budapest University, but left them behind in 1939 during his haste to get away while he could.

Page 20 It is not true that SS models, HJ and BDM were 'on the way up' after 1934. The range was complete in the 1935 catalogue and stayed that way.

Wenn Sie also eine Blechflagge von Elastolin haben, die schwarz-rot-gold ist, stammt sie entweder aus den Jahren vor 1933 oder nach 1946. Dies kann nur anhand der Fahnenstange überprüft werden – die ursprüngliche besteht aus Draht. An den frühen Stangen ist oben ein gepreßter goldener Speer, der für Kinder gefährlich ist; er wurde tatsächlich von den faschistischen Straßenkämpfern als Waffe eingesetzt, die damit schlimme Verletzungen verursachten. Diese Stange ist in der Mitte von Doppelseite 73/74 abgebildet. Ich bin mir nicht sicher, ab wann sie nicht mehr hergestellt wurden, aber es war vor dem Krieg. Die Blechflaggen wurden bis 1983 verwendet.

Die schwarz-weißrote Fahne ist von 1933 bis 1935, und die NS-Standardflagge ab dem Jahr 1933. Die Flagge mit schwarzen und weißen Quadraten oder zwei horizontalen Streifen ist die preußische, rote und weiße horizontale Streifen ist die österreichische. Die Blechflaggen wurden lithographiert, nicht von Hand bemalt (außer der preußischen und österreichischen), aber die Flaggen aus Mischmaterial wurden natürlich von Hand bemalt, wobei die Form bereits das Muster der Fahne zeigte. Die vertikalen schwarz-gold-roten Streifen der belgischen Flagge könnten eventuell mit der deutschen Fahne verwechselt werden.

Seite 19 Nichts deutet darauf hin, daß der Verkauf von NS-Figuren Ende der 30er Jahre nachließ – ganz im Gegenteil, denn zu der Zeit begannen sie, in Ländern mit starken faschistischen Parteien wie Ungarn und Rumänien aufzutauchen. Mein Geschichtslehrer, der mich 1949 unterrichtete, Neville Masterman, sagte mir, daß er 1938 einen Satz kaufte, als er als junger Assistent an der Universität Budapest unterrichtete. Er ließ sie 1939 in seiner Eile, das Land zu verlassen, solange es noch möglich war, zurück.

Seite 20 Die Hausser-Kataloge wurden jährlich produziert, nicht alle zwei Jahre, und zwar jeweils im Frühjahr. Ich habe zwar keinen Katalog zwischen 1931/2 und 1935/6 gesehen, aber ich bin mir sicher, daß er existiert. Der restliche Abschnitt sollte am besten ignoriert werden. Der Anteil an SA-Modellen bleibt gleich.

Traditionelle österreichische Soldaten und Fahnen wurden schon immer hergestellt; die Verbindung mit Pfeiffer steigerte den Verkauf nur noch.

Die abessinischen Kriegsfiguren wurden in Haussers Katalogen nicht angeführt – wie zahlreiche andere Modelle. Hausser stellte häufig Nebenkataloge bestimmter Serien her, wie etwa für historische Figuren und die Karl May Serie in der 70er Jahren. (Ich frage mich, ob die NS-Serie 1939/40 nicht in eine eigenen Katalog verlegt wurde, so sie

The Hausser catalogues were produced every year, not every two years, from spring to spring. I haven't seen a catalogue between 1931/2 and 1935/6, but I have no doubt someone has one. The rest of the paragraph is best ignored. The numbers of SA models remains the same. There are a few 1955 catalogues available, but it is true that no-one has yet produced a copy of an earlier post-war version.

Traditional Austrian soldiers and flags had always been made, the Pfeiffer connection boosted this.

Page 20 Along with very many other models, Abyssinian/ Ethiopian War figures do not appear in Hausser's catalogues. Hausser frequently produced supplementary 'sub-catalogues' of specialist lines, such as the historical figures, and the Karl May series of the 1970s (it is possible that the Nazi range had been removed to a special supplementary sheet in 1939/40 where they could then be illustrated in full). The best source of information would be a dealers' price list and order sheet from the late 1930s like the ones I have from the post-war period.

Page 21 I'm not sure what Polaine is trying to say about 'Decals'. There were paper decals stuck on some figures before and after the war, and I thought they were rather clumsy and unnecessary, being out of scale with the model. They come off easily and are rarely found.

Page 22 The remark about wheels is misleading. Tin wheels continued until the end, but rubber tyres were discontinued, and a new pressed tin wheel simulated rubber tyres. Reproduction wheels are on the market to help restore old vehicles, perhaps there has been confusion with these.

I have seen no evidence to back up Polaine's last paragraph in this section and to my knowledge the quality remained unchanged until production stopped altogether. However, there is controversy on this point. Some German collectors insist that there were two grades of figures, like Britains, and they only collect 'Grade I' figures. Elastolin introduced two grades in the 1970s, so perhaps it was true of the 1930s, although there is no documentary evidence of this except for one entry in the Collectors' Guide on page 126 which reads "00/29/12. Man marching, simple version". These figures probably led Polaine to his conclusion about late wartime figures.

ganz abgebildet werden konnte.) Die beste Informationsquelle wären hier die Preisliste und das Bestellformular von Ende der 30er Jahre, wie diejenigen, die ich von der Nachkriegszeit besitze (siehe Band III).

Seite 21 Ich bin mir nicht sicher, was Reggie mit den "Decals" sagen möchte. Manchmal wurden sie vor und nach dem Krieg auf einige Figuren geklebt, und ich fand sie plump und überflüssig, und in der Proportion paßten sie nicht zu den Modellen. Sie lösen sich leicht und sind nur selten zu finden.

Seite 22 Die Bemerkung über die Räder ist irreführend. Blechräder wurden bis zum Ende hergestellt, aber Gummireifen wurden von einem neuen gepreßten Blechrad abgelöst, das wie Gummi aussah. Allerdings sind reproduzierte Räder erhältlich, um alte Fahrzeuge zu restaurieren.

Ich kenne nichts, das Reggie Polaines letzten Abschnitt in diesem Kapitel unterstützt, und meines Wissens blieb die Qualität gleich, bis die Produktion ganz eingestellt wurde. Dies ist ein kontroverser Punkt. Einige deutsche Sammler sind davon überzeugt, daß es zwei Grade von Figuren gibt, und daß sie ausschließlich Figuren von "Grad I" sammeln. Elastolin tat dies in den 70er Jahren, also könnte es auch in den 30er Jahren geschehen sein, aber es gibt keinerlei Belege dafür, bis auf einen Eintrag in der Vergleichsliste auf Seite 150 vielleicht, wo steht: "00/29/12. Mann im Marsch, einfache Ausführung". Diese Figuren veranlaßten Polaine vermutlich dazu, seine Schlußfolgerungen über die späten Kriegsfiguren zu ziehen.

PERSONALITY FIGURES (*pages 92–101*)

In 1935 the following 15 6½ cm portrait figures were made in addition to the eight mentioned by Reggie Polaine. These form a distinct group and continued in production alongside the later larger figures.

29/15	Hitler sitting for cars
29/20	Hitler standing with movable arm (page 96)
29/24	Hitler standing in civilian coat (page 97)
30/22	Hitler walking, with fixed arm (page 93)
30/25	Hitler walking, fixed arm of greeting (page 93)
30/50/20½	Hitler sitting for cars (not shown)
30/9	Hess in black with movable arm (page 99)
30/13	Goebbels standing with movable arm (page 93)
30/15	Goering, Luftwaffe with movable arm
30/16	Goering SA with movable arm (both pages 96 and 100)
30/50/7	Baldur von Schirach with movable arm (page 96)
0650/9	von Blomberg (page 95) not listed
0/650/1	von Mackensen (page 95)
0/650/2	Ludendorff (page 99)
0/649	Hindenburg in uniform (page 99)
0/648	Hindenburg in civilian clothes (not shown)

I have discussed all these characters elsewhere. The first catalogue of 1935 describes Hitler by name. In later catalogues he is simply Der Führer.

Frederick the Great (Model No. 0/720) was a considerable nuisance to everyone, not least his own Prussian people, waging war throughout his reign, mainly against Austria. He also fought the Russians and was saved from disaster at the very last moment during the Seven Years War when the Czarina died and her son changed sides immediately. 'Alte Fritz' and his generals later became folk heroes even in England. One of Hitler's favourite books was the British historian Carlyle's *History of Frederick the Great* and he liked to have it read to him during his last dark days.

The model of 'Alte Fritz' portrays him in a dark blue coat with red cuffs, grey trousers and black boots. He has a white wig and black tricorn hat. His horse is white, and it is the rare model on a wooden base. General Ziethen wears a bright yellow tunic and a brown Hussar hat. Seydlitz is a similar model to Frederick but wears a bottle green coat. There is also an anonymous 'Hauptmann' who wears a red tunic and tricorn hat. He has often been mistaken for the equestrian

PERSÖNLICHKEITSFIGUREN (*Seiten 92–100*)

1935 wurden außer den acht von Reggie Polaine erwähnten Portraitfiguren die folgenden 15 in der Größe von 6,5 cm hergestellt. Sie bilden eine eigene Gruppe und wurden neben den späteren größeren Figuren produziert.

29/15	Hitler, sitzend, für Auto passend
29/20	Hitler stehend mit bewegl. Arm (Seite 96)
29/24	Hitler stehend im Mantel (Seite 97)
30/22	Hitler gehend mit bewegl. Arm (Seite 93)
30/25	Hitler gehend mit erhobenem Arm (Seite 93)
30/50/20½	Hitler sitzend, für Auto passend (nicht abgebildet)
30/9	Hess in schwarz mit bewegl. Arm (Seite 99)
30/13	Goebbels stehend mit bewegl. Arm (Seite 93)
30/15	Göring, Luftwaffe mit bewegl. Arm
30/16	Göring SA (beide Seite 96 und 100)
30/50/7	Baldur von Schirach mit bewegl. Arm (Seite 96)
0650/9	von Blomberg (Seite 95)
0/650/1	von Mackensen (Seite 95) nicht angeführt
0/650/2	Ludendorff (Seite 99)
0/649	Hindenburg in Uniform (Seite 99)
0/648	Hindenburg in Zivil (nicht abgebildet).

All diese Figuren habe ich an anderer Stelle besprochen. Der erste Katalog von 1935 nennt Hitler bei seinem Namen. In späteren Katalogen ist er nur noch ''Der Führer''.

Friedrich der Große (Modell Nr. 0/720) legte es sich mit allen an, auch mit seinen eigenen Preußen. Seine ganze Regierungszeit hindurch führte er Kriege, zumeist gegen Österreich. Er kämpfte auch gegen die Russen und wurde während des Siebenjährigen Kriegs in letzter Minute vor einer Katastrophe bewahrt, als die Zarin starb und ihr Sohn zur anderen Seite überging. Der ''Alte Fritz'' und seine Generale wurden später zu volkstümlichen Helden, selbst in England. Eines von Hitlers Lieblingsbüchern war die Geschichte Friedrich des Großen von dem englischen Historiker Carlyle, und während seiner letzten Tage liebte er es, sich daraus vorlesen zu lassen.

Das Modell des ''Alten Fritzen'' zeigt ihn in dunkelblauem Mantel mit roten Stulpen, grauer Hose und schwarzen Stiefeln, dazu eine weiße Perücke und schwarzer Dreispitz. Sein Pferd ist weiß, und es ist das seltene Modell auf einem Holzsockel. General Ziethen trägt einen leuchtendgelben Waffenrock und eine braune Husarenkappe. Seydlitz ist Friedrich II ähnlich, aber sein Mantel ist flaschengrün. Dann gibt es noch einen anonymen Hauptmann, der einen roten Waffenrock und

George Washington since he was re-issued after the war in the brown American tunic.

George Washington hardly needs comment. The model 0/115/643 shown in the 1931 catalogue is identical to the three I bought in Hamleys in 1975. He stands bare-headed in a white wig, his hat in his extended right hand and wears a black cloak over a Prussian blue tunic. He is often wrongly described as Frederick the Great on foot. A similar plastic portrait was introduced in the 1970s, but although it was much more detailed and accurate, it lacks the presence of the older model which was more attractive in its simplicity. The plastic equestrian figure on the other hand is superb. George Washington was, of course, made for the American market.

Page 94 There were only two von Blomberg portraits, not four.

Hindenburg *was* included in the 1940 catalogue!

I suspect that the Belgian King model was a brilliant improvisation, not a specially designed portrait figure. He was probably made from the body of the mounted SS man with the Belgian officer's head, and might go unnoticed in a job lot of figures. I have never seen this model.

The last paragraph is best ignored. Reinhardt was never made, neither was Fritsch; Raeder did not resign until 1943.

Page 97 The Hitler in the podium is by Lineol, while the figure underneath is an Elastolin reproduction, not Leyla. The mounted Hindenburg looks good, but he was not issued on that horse even if he ended up on one. The correct horse is the high stepping one to the left on page 39. The Mussolini on page 101 is not the porcelain headed version.

Page 101 Once again it must be stressed that the General Guisan figure is post-war. His head is an accurate portrait of the man who accepted office in 1939 and kept Switzerland secure (see Volume III). He was never Petain (who did not head the Vichy state until 1940) and he was never King of Italy, although a model of the King of Italy might have been expected in view of his tolerance of Mussolini. My comments about Guisan's body are in the SS section. The unknown character has already been shown on page 95 and correctly identified as von Blomberg!

Dreispitz trägt. Er wird häufig für George Washington zu Pferd gehalten, weil er nach dem Krieg im braunen amerikanischen Rock gefertigt wurde.

George Washington braucht kaum nähere Erläuterungen. Das Modell 0/115/643, das im Katalog von 1931 abgebildet ist, ist identisch mit den drei, die ich 1975 bei Hamleys gekauft habe. Er steht in seiner weißen Perücke da, den Hut in der ausgestreckten Rechten; über dem preußischblauen Waffenrock trägt er einen schwarzen Umhang. Häufig wird er – fälschlicherweise – als Friedrich der Große beschrieben. In den 70er Jahren kam eine ähnliche Portraitfigur in Plastik auf den Markt, die detaillierter und genauer war, aber ihr fehlte der Charakter der alten Figur, die in ihrer Schlichtheit viel ansprechender war. Die berittene Figur aus Kunststoff hingegen ist ausgezeichnet. George Washington wurde natürlich für den amerikanischen Markt hergestellt.

Seite 94 Von von Blomberg gab es nur zwei Portraits, nicht vier.

Hindenburg war im Katalog von 1940 abgebildet!

Ich nehme an, daß das Modell des belgischen Königs eine brillante Improvisation war, keine eigens entworfene Portraitfigur. Es war vermutlich der Körper eines berittenen SS-Mannes mit dem Kopf des belgischen Offiziers, und in einer großen Menge von Figuren könnte er unbemerkt bleiben. Ich habe dieses Modell nie gesehen.

Der letzte Abschnitt wird am besten ignoriert. Reinhardt wurde ebensowenig wie Fritsch hergestellt. Raeder trat erst 1943 zurück.

Seite 97 Die Hitlerfigur auf dem Podium stammt von Lineol, und die Figur darunter ist eine Reproduktion von Elastolin, nicht Leyla. Der berittene Hindenburg sieht gut aus, wurde aber nicht mit dem Pferd verkauft, auch wenn er jetzt darauf sitzt. Das korrekte Pferd ist dasjenige im Schritt links auf Seite 39. Die Mussolinifigur auf Seite 101 ist nicht die Version mit Porzellankopf.

Seite 101 Ich muß noch einmal sagen, daß die Figur von General Guisan erst nach dem Krieg hergestellt wurde. Sein Kopf ist das Portrait des Mannes, der 1939 das Amt annahm und die Sicherheit der Schweiz gewährleistete (siehe Band III). Er war niemals Pétain (der erst 1940 die Führung des Vichy-Regimes übernahm), und er war niemals der König Italiens, obwohl ein Modell des Italienischen Königs zu erwarten gewesen wäre angesichts der Tatsache, daß er Mussolini so wohlwollend gegenüberstand. Meine Bemerkungen über den Körper von Guisan stehen im Abschnitt über die SS. Der nicht personenbezogene Feldmarschall wurde bereits auf Seite 95 gezeigt und als von Blomberg identifiziert!

MODERN FAKES (*pages 102–103*)

This section is fair comment on very poor fakes, or poor honest reproductions, but there are fakes so perfect that they will never be detected. Because of modern materials they will outlast the originals while acquiring the same attractive patina of age.

A fake is dishonest, it implies intent to deceive; a reproduction is sold as such. The problem lies in what the purchaser does with the reproduction. When Mr Gert Duscha's reproduction Lineol figures began appearing a few years ago many of them had been purchased and sent to British auctions before news of Mr Duscha's honest enterprise had circulated. I attended one auction and saw incredible prices being paid for figures which could have been bought for £10 each from the Duscha catalogue.

The remark about moulds and tooling being lost or destroyed is incorrect, and so is that about military museums. Only Nazi memorabilia was outlawed by the allies and then by the Germans themselves. The honourable military history of Germany continued to be represented.

Modern moulding materials are such that a silica rubber mould will reproduce every last detail of the original, and there are various polyester and other materials which will make tough, easily painted models. Silica rubber shrinks slightly, and the model will be slightly smaller than the original. If you use original composition material this will shrink even further, and polyester resin is expensive, takes time to mix and set, and is messy to use. The cleanest and easiest material, used by most 'reproducers', is a gypsum based composition similar to the Bellum used by Durso and other makers like CC of Italy and the original models of Starlux of France. This substance is white and all attempts to colour it will result in failure. Gypsum draws foreign matter in to its interior when it sets, and even if a model comes out of the mould a delightful brown Elastolin colour, it will dry white on the outside. Any additives will seriously weaken the model, and there is no alternative to having a pure white model prior to painting. Genuine Elastolin continues to shrink with time, and always develops cracks, usually around the feet and neck. Brand new models I bought at the factory are now showing signs of age.

MODERNE FÄLSCHUNGEN (*Seiten 102–103*)

Diese Seite befaßt sich mit schlechten Fälschungen, bzw. Reproduktionen, aber es gibt Fälschungen, die so perfekt sind, daß sie nie aufgedeckt werden. Weil sie mit modernen Materialien produziert wurden, werden sie länger halten als die Originale und gleichzeitig die schöne Patina des Alters annehmen.

Eine Fälschung ist unehrlich und wird mit der Absicht zu täuschen produziert. Eine Reproduktion hingegen wird als solche angeboten. Problematisch wird es nur, wenn eine Reproduktion von einem Käufer als "original" weiterverkauft wird. Als vor einigen Jahren Gert Duschas Reproduktionen von Lineolfiguren auf den Markt kamen, waren viele aufgekauft und zu britischen Auktionen geschickt wurden, bevor bekannt wurde, daß Duscha diese ehrlichen Nachahmungen produzierte. Ich war bei einer der Auktionen und sah, daß unglaubliche Preise für Figuren gezahlt wurden, die in Duschas Katalog für zehn Pfund angeboten wurden.

Zu diesem Textabschnitt möchte ich nur anmerken, daß die Bemerkung, sämtliche Formen seien verloren oder zerstört worden, nicht stimmt; ebensowenig die Behauptung über Militärmuseen. Nur die NS-Memorabilien durften nicht an die Öffentlichkeit; die ehrenhafte Militärgeschichte Deutschlands blieb nach wie vor in Museen zugänglich.

Modernes Massematerial ist so gut, daß eine Form aus Silica-Gummi auch das kleinste Detail des Originals wiedergibt; zudem gibt es verschiedene Arten von Polyester und anderen Stoffen, die widerstandsfähige leicht zu bemalende Modelle ergeben. Silica-Gummi schrumpft etwas, so daß das Modell ein wenig kleiner als das Original ist. Wenn originales Mischmaterial verwendet wird, schrumpft die Figur noch mehr, und Polyesterharz ist teuer, zeitaufwendig zu mischen und wird sehr langsam hart, und außerdem läßt sich nicht gut damit arbeiten. Das sauberste und einfachste Material, das auch die meisten "Reproduktionshersteller" verwendet haben, ist ein Mischmaterial, das auf Gips aufbaut und Bellum ähnlich ist, das Durso und andere Hersteller wie CC aus Italien und die ursprünglichen Starlux-Modelle aus Frankreich verwendeten. Es ist weiß und läßt sich mit nichts einfärben. Gips stößt beim Erhärten jeden Fremdkörper ab, und selbst wenn ein Modell in dem schönen Elastolin-Braun aus der Form kommt, trocknet es außen weiß. Sobald Gips aber etwas zugesetzt wird, wird das Modell schwach. Es bleibt nichts übrig, als eine rein weiße Figur zu machen und sie zu bemalen. Echtes Elastolin schrumpft mit der Zeit immer mehr und bekommt unweigerlich Risse, meist an Fuß und Hals.

Personally I have no objection to a good reproduction produced by an artist. My Lineol King Edward VIII is a reproduction – I would have to pay about £400 for an original if I could find it. My model was made in Germany and is exactly like the original. In my opinion you should always now beware of fake Elastolin, but if a model is reasonably priced and you like it, then why not take a chance? Always carry a small torch and a magnifying glass when viewing at auctions, or flea markets. Be suspicious of a figure with no visible cracks – but remember that cracks can be produced by drying a newly moulded figure too quickly in the oven – check the weight in your hand, and there should be something about the texture of the paint that indicates its originality. If the figure is good and cheap, but subsequently turns out to be a reproduction, then the faker has worked for slave's wages.

I am afraid that it is usually only possible to ascertain the truth about a model after its purchase, and that is by scratching a deep groove in the base. I use an old dentist's drill set in a pencil stub. A few figures I have bought showed a white material after I'd used my drill, although I would have sworn they were original. Use your magnifying glass on original figures as often as you can so that you know the genuine article intimately. In particular, study the way the eyes are painted. As with all types of art, a fake can only be detected through having an expert knowledge of the originals.

There is no doubt that the extensive reproducing of the portrait figures has driven prices down, mostly to about half of what they were in 1980, and this seems to be not so much that people are afraid of paying too much for what might be a fake, but because many of the reproductions are quite acceptable and look as well in the display case as a very expensive and much more delicate original would.

One last 'tip' about reproductions. It is difficult to disguise the mark each side of the base where the two halves of the mould meet, and some filing is usually necessary. Originals have a slightly textured edge to the base which is usually perfect all round. Look for 'making good' on the base, and be especially on your guard in German flea markets, which are the terrain of the experts.

Nagelneue Modelle, die ich selbst in der Fabrik gekauft habe, zeigen mittlerweile Altersspuren.

Ich persönlich habe nichts gegen eine Reproduktion, die von einem Könner hergestellt wurde, einzuwenden. Mein König Eduard VIII von Lineol ist eine Reproduktion – ich müßte rund 400 Pfund für ein Original zahlen, wenn ich es finden könnte. Mein Modell stammt aus Deutschland und sieht genau wie das Original aus. Meiner Meinung nach sollte man sich vor falschem Elastolin hüten, aber wenn der Preis einer Figur stimmt und sie Ihnen gefällt, lohnt sich das Risiko. Nehmen Sie zum Besichtigen bei Auktionen und Flohmärkten immer eine kleine Taschenlampe und eine Lupe mit, und seien Sie vorsichtig bei Figuren, die keine sichtbaren Risse haben. Andererseits können Risse auch erzeugt werden, indem eine neu modellierte Figur zu schnell im Ofen getrocknet wird. Prüfen Sie das Gewicht mit der Hand, und irgendwie sollten Sie anhand der Farbtextur feststellen können, ob die Figur original ist. Wenn eine Figur gut und billig ist und sich später als Reproduktion herausstellt, dann hat der Fälscher zum Hungerlohn gearbeitet.

Ob eine Figur echt ist, kann man leider meist erst feststellen, nachdem man sie gekauft hat, und zwar indem man eine tiefe Furche in den Sockel einritzt. Ich verwende dafür einen alten Zahnarzt-Bohrer, den ich in einen Minenhalter stecke. Bei einigen Figuren hätte ich geschworen, daß sie echt sind, und doch zeigte sich das verräterische weiße Material, als ich den Bohrer ansetzte. Sehen Sie sich Originalfiguren so oft wie möglich mit der Lupe an, damit Sie genau wissen, wie das richtige Objekt aussieht. Studieren Sie vor allem die Art, wie die Augen gemalt sind. Wie ein Kunsthändler können Sie eine Fälschung nur dann entdecken, wenn Sie das Original gut kennen.

Die Tatsache, daß die Portraitfiguren in großem Umfang reproduziert wurden, haben den Preis zweifellos gedrückt, so daß sie heute nur noch rund halb so viel kosten wie 1980 – weniger aus dem Grund, weil Leute nicht zu viel für etwas bezahlen wollen, das sich als eine Fälschung herausstellen könnte, sondern weil viele Reproduktionen recht annehmbar sind und sich im Schaukasten ebensogut ausnehmen wie sehr teure und wesentlich zerbrechlichere Originale.

Ein letzter Ratschlag zu Reproduktionen: Es ist schwierig, die Stelle an beiden Seiten des Sockels zu kaschieren, wo die zwei Hälften der Form aufeinandertreffen, und meist muß sie etwas abgefeilt werden. Originalsockel sind leicht gerändert, sonst aber perfekt. Halten Sie nach dieser 'Korrektur' Ausschau, und nehmen Sie sich auf deutschen Flohmärkten in Acht – dort sind die Experten zu Hause.

This is a very difficult area, and one would almost need a separate book to cover the topic adequately. The existing information is inadequate. One problem is that an army of figures, mostly non-military, were manufactured but never appeared in catalogues, only on dealer's price lists and order forms. Matters are further complicated by the fact that these price lists and order forms usually did not include lines of items made specifically for one foreign market. For instance, I still have my 1972 order form which supposedly includes the whole of Elastolin's production; 12 pages packed with items, even the Noah's Ark still available. But there is no mention of the Swiss Army figures, nor of the 10 cm figures still being exported to Norway, including a superb pair of 10 cm male and female Laplanders with completely blank bases, consisting of just a rim, with no words. These were of hard plastic, but completely hand-painted. On page 15 of the 1939/40 catalogue you will see 6930, a standing Royal Canadian Mounted Policeman. I had no idea that this model was ever made in 10 cm until I paid £30 for one at the Weinheim auction in October 1989. As far as I was concerned such a model did not exist, but it does, and it is an old one. (Incidentally Reggie Polaine's reference to gold on white collar patches probably means that he had a Marine figure, not a one-year-only Feldjaegerkorps, which I doubt were ever issued intentionally.) The problem to be addressed is how to tell exactly when a figure was made. Unfortunately, one can very rarely be certain.

TRADEMARKS

Mould base stamps were an integral part of the mould and stayed with that figure as long as the mould existed. The Reichsheer figures used as Swiss army models in the 1960s have exactly the same base mould stamps as those first issued in the early 1930s. Every figure has its own base stamp, some are quite round and small like the bases on Goebbels and Hess, some are larger and oval, and some are elongated like the porcelain-headed Hitler with opera cloak. But his base mould is the same as that of the Bundeswehr officer striding out on page 108 and wrongly described as Swiss army. That model is post-1956. Some Nazi models have no base stamps, just a rim around a blank centre. The marching HJ figures

Dies ist ein sehr schwieriges Gebiet, und man könnte ein ganzes Buch füllen, um dieses Themen richtig abzuhandeln. Die Information, die bereits gegeben wurde, ist unzureichend, und ein Problem ist, daß zahllose Figuren, vorwiegend nicht militärischer Art, hergestellt wurden und nie in Katalogen erschienen, sondern lediglich auf Preislisten und Bestellformularen für Händler. Diese Listen und Formulare enthielten aber meist nicht Serien, die eigens für einen ausländischen Markt produziert wurden. Ich besitze zum Beispiel noch ein Bestellformular von 1972, das angeblich die gesamte Produktion Elastolins enthält: zwölf Seiten voller Objekte, sogar die Arche Noah wird noch angeboten. Nicht erwähnt werden aber die Schweizer Armeefiguren, auch nicht die 10 cm großen Figuren, die noch nach Norwegen exportiert wurden, einschließlich eines ausgezeichneten Paars von Lappländern mit unbeschriebenem Sockel. Sie bestanden aus Hartplastik, waren aber vollständig von Hand bemalt. Auf Seite 15 des Katalogs von 1939/40 sehen Sie 6930, einen stehenden Royal Canadian Mounted Policeman. Bis ich bei einer Auktion in Weinheim im Oktober 1989 DM 90, – dafür bezahlte, wußte ich nicht, daß dieses Modell jemals hergestellt worden war. Soweit ich wußte, gab es ein solches Modell nicht – aber es gibt es, und es ist ein altes. (Übrigens bedeutet Reggie Polaines Bemerkung über den gold-auf-weißen Kragenbesatz vermutlich, daß er eine Marinefigur hatte, kein Feldjägerkorps, das nur ein Jahr lang hergestellt und vermutlich nie absichtlich verkauft wurde). Die Frage ist nur, woher weiß man genau, wann ein Figur produziert wurde? Die Antwort ist, daß man das nur selten herausfinden kann.

SCHUTZMARKE

Ein Stempel im Sockel war integraler Bestandteil der Form und erschien auf der Figur, solange die Form verwendet wurde. Die Reichsheerfiguren, die in den 60er Jahren als Schweizer Armeefiguren verwendet wurden, haben genau den gleichen Stempel im Sockel wie die Figuren, die Anfang der 30er Jahre erschienen. Jede Figur hat ihren eigenen Sockelstempel – manche der Stempel sind ziemlich rund und klein wie bei Goebbels und Hess, andere sind größer und eher oval, und wieder andere sind länglich, wie bei der Hitlerfigur mit Porzellankopf und Umhang. Aber seine Sockelform ist die gleiche wie die des Bundeswehroffiziers, der auf Seite 108 einherschreitet und fälschlich als Schweizer Armee bezeichnet wird. Das Modell stammt aus der Zeit nach 1956. Einige NS-Modelle haben keinen Sockelstempel, sondern nur einen erhabenen Rand und eine leere Mitte. Die marschierenden HJ-Figuren haben gar keinen Stempel, bis

have completely blank bases except for the Wimpel bearer who just has 'Elastolin' around the top edge of the base. The Jungvolk mostly have complete trademarks, but the BDM models are each different. Many other Nazi figures just have 'Germany', with nothing else. I do not know the reason for this, and all those I have seen are definitely Elastolin. Nevertheless, at the risk of being accused of over-simplification I will try to outline the progression of Elastolin trademarks.

Some early Elastolin have no trademarks. The base of the model looks as if it has been spread over with a palette knife as the mould was filled. This applies to most of the civilian figures in the 1920 catalogue. Possibly they were acquired from Pfeiffer. Some of these figures were still on sale in the early 1970s and they still had the same unmarked bases. The first Elastolin soldier bases were rectangular, like Lineol, and made of plain wood. Later 'Elastolin', or 'Elastolin DRGM' (German registered trademark) was moulded onto a composition base. I do not know why rectangular bases were discontinued, but judging by the later catalogue advice to buy only the figures with oval bases, it could have been due to the arrival of the rectangular-based Lineol figures. The first oval Elastolin bases simply had the three letters 'OHM' with the one letter 'L' underneath. (Otto and Max Hausser, Ludwigsburg.) A collector friend has a superb marching Potsdam Grenadier band, very early, and the bases are a mixture of rectangular composition with the Elastolin impression, and plain wooden bases like the horses. The figures are made of the tough leathery composition quite unlike the later lighter 'woody' material.

There is one school of thought that suggests that the oval bases with 'OMHL' are the earliest ones and that the rectangular ones came later to compete with Lineol. The fact that these have 'Elastolin DRGM' suggests that they are after 1926 when the trademark was registered. I cannot disprove this, but I would think it more likely that the shape of the base changed only once. It is strange however that 'Elastolin' does not appear on the 'OMHL' base.

The simple oval base with 'Elastolin' shown as the first of the three trademarks on page 104 is the later 10 cm base, and is common to all later 10 cm models. None of the 'OMHL' seem

auf den Wimpelträger, bei dem nur ''Elastolin'' an der oberen Kante des Sockels steht. Das Jungvolk hat größtenteils die vollständige Schutzmarke, aber bei den BDM-Modellen sind alle Figuren unterschiedlich. Auf vielen anderen NS-Figuren steht nichts außer ''Germany''. Ich kenne den Grund dafür nicht, und alle Figuren, die ich gesehen haben, stammten eindeutig von Elastolin. Ich werde versuchen, die Entwicklung der Elastolin-Schutzmarke zu umreißen, auch wenn mir vorgeworfen werden könnte, daß ich grob vereinfache.

Einige frühe Elastolinfiguren haben gar keine Schutzmarke. Der Sockel der Modelle sieht aus, als hätte jemand sie mit dem Spatel abgeschabt, nachdem die Form gefüllt worden war. Dies trifft auf die meisten Zivilfiguren im Katalog von 1920 zu. Vielleicht wurden sie von Pfeiffer gekauft? Einige dieser Figuren wurden noch Anfang der 70er Jahre zum Verkauf angeboten, und der Sockel trug noch immer keine Schutzmarke.

Die Sockel der ersten Elastolinsoldaten waren rechteckig, wie bei Lineol, und bestanden aus reinem Holz. Später wurde 'Elastolin' oder 'Elastolin DRGM' in einem Massesockel geprägt. Ich weiß nicht, warum der rechteckige Sockel eingestellt wurde. Da der Katalog später aber den Hinweis erteilt, nur Figuren mit einem ovalen Sockel zu kaufen, liegt der Schluß nahe, daß die Firma sich von Lineol abgrenzen wollte, deren Figuren rechteckige Sockel hatten. Auf den ersten ovalen Sockeln von Elastolin standen lediglich die Buchstaben 'OMH', und darunter der Buchstabe 'L' (Otto und Max Hausser, Ludwigsburg). Ein mir befreundeter Sammler besitzt eine sehr frühe wunderbare marschierende Potsdamer Grenadierkapelle, und die Sockel sind eine Mischung aus rechteckigen Massesockeln mit der Prägung 'Elastolin' und einfachen Holzsockeln wie bei den Pferden. Die Figuren sind aus dem zähen, ledrigen Massematerial, das sich stark von dem späteren leichteren 'holzartigen' Material unterscheidet.

Eine These ist, daß der ovale Sockel mit 'OMHL' der früheste ist, und daß die rechteckigen erst später aufkamen, um mit Lineol zu konkurrieren. Die Tatsache, daß auf diesen 'Elastolin DRGM' steht, läßt darauf schließen, daß sie nach 1926 entstanden, als die Marke gesetzlich geschützt war. Ich kann diese Theorie nicht widerlegen, aber ich halte es für wahrscheinlicher, daß die Form des Sockels nur einmal verändert wurde. Es ist aber doch seltsam, daß 'Elastolin' nicht auf dem Sockel mit 'OMHL' erscheint.

Der einfache ovale Sockel mit 'Elastolin', der als erste der drei Schutzmarken auf Seite 104 angeführt wird, ist der spätere 10 cm Sockel und wurde bei allen späteren 10 cm Modellen verwendet. Keine

to have survived the move to Neustadt bei Coburg, and have not appeared since 1946.

The second trademark this page, labelled 1935–1936, might well have been introduced then but was still used on many models up to the late 1960s, and the same applies to the third trademark which continued to the end of composition, as perhaps the arrow indicates. Unfortunately, at the moment, at least one well-known auction house uses this page to date Elastolin models incorrectly according to the year assigned by Polaine. There are variations of the centre trademark (1935–1936) even on figures in the same set. Some just have 'Germany' in the same place with nothing on top, and some the opposite, with 'Elastolin', and nothing at the bottom of the oval. Exactly the same applies to the last trademark (1936 +). Sometimes one of the two words is omitted. Since this occurs on figures in the same set I do not know the reason for these differences. There are also trademarks that do not conform to any of the patterns shown in this book; the one on the marching soldier with metal rifle slung across chest (page 2, No. 620) for instance; while the sitting heavy Maxim gunner has no trademark at all.

POST-WAR PRODUCTION 1946–1983
(pages 106–125)

Page 107 The first, and serious, misleading remark is that all Hausser models from 1955 onwards have plastic heads. This is completely untrue. The only models to have plastic heads on composition bodies were the very late 1960s Swiss army figures such as the one on the extreme left of page 108. These were awful heads, but they did prove that the military models were made without heads, and that these were fitted later. There would be no gain in removing a good head from each figure and fitting an inferior plastic one. The Guisan portrait head was plastic, not porcelain as is sometimes claimed. I still have a box of about 100 Swiss action figures which I have always intended to 're-head' from a good mould I have, but perhaps at this stage they are best left original.

The second misleading remark is about the type of plastic and paintwork. The hard plastic models were the high quality models that continued to the end. The paint used had an acetone base which stuck firmly to the models and made the

der 'OMHL' scheinen den Umzug nach Neustadt bei Coburg überlebt zu haben und tauchen nach 1946 nicht mehr auf.

Die zweite Schutzmarke auf Seite 104, als 1935–36 beschrieben, mag zu der Zeit eingeführt worden sein, wurde aber noch bis Ende der 60er Jahre bei vielen Modellen verwendet, und das gleiche gilt für die dritte Schutzmarke, die bis zum Ende der Produktion mit Mischmaterial benutzt wurde, was vielleicht durch den Pfeil angedeutet werden soll. Im Augenblick verwendet leider zumindest eines der bekannten Auktionshäuser die Angaben auf dieser Seite, um Elastolinmodelle zeitlich – inkorrekt – einzuordnen, und zwar nach den Jahresangaben, die unter der Schutzmarke auf dieser Seite stehen.

Selbst bei Figuren des gleichen Satzes gibt es Variationen in der mittleren Schutzmarke (1935–36). Bei manchen steht 'Germany' an der gleichen Stelle ohne etwas darüber, und manchmal das Gegenteil, nämlich 'Elastolin' und nichts unten im Oval. Genau das gleiche gilt für die letzte Schutzmarke (1936 +). Manchmal wird eines der zwei Worte ausgelassen. Da dies selbst bei Figuren aus dem gleichen Satz passiert, kann ich keinen Grund für diese Unterschiede erkennen. Es gibt Schutzmarken, die keinem der hier im Buch gezeigten Muster entsprechen, etwa diejenige auf dem marschierenden Soldaten mit dem Metallgewehr über die Brust (Seite 2, Nr. 620); der sitzende Maxim-Schütze hat gar keine Schutzmarke.

NACHKRIEGSPRODUKTION 1946–1983 *(Seiten 106–125)*

Die erste und schwerwiegende irreführende Bemerkung ist, daß alle Haussermodelle von den frühen 50er Jahren an Plastikköpfe haben. Das trifft keineswegs zu. Die einzigen Figuren, bei denen Plastikköpfe auf Körpern aus Mischmaterial saßen, waren die Schweizer Armeefiguren vom Ende der 60er Jahre, wie etwa das Modell ganz links auf Seite 108. Die Köpfe waren entsetzlich, aber sie belegen, daß die Militärfiguren ohne Kopf hergestellt wurden, der später hinzugefügt wurde. Es wäre sinnlos, einen guten Kopf von jeder Figur zu entfernen, um ihn durch einen minderwertigen aus Plastik zu ersetzen. Der Portraitkopf von Guisan war aus Plastik, nicht Porzellan, wie manchmal behauptet wird. Ich habe noch eine Schachtel mit rund 100 Schweizer Aktionsfiguren, die ich mit Hilfe einer guten Form, die ich besitze, immer mit einem neuen Kopf versehen wollte, aber vielleicht sollte ich sie am besten in ihrem ursprünglichen Zustand belassen.

Die zweite irreführende Bemerkung betrifft die Art von Plastik und Bemalung. Die Modelle aus Hartplastik waren stets qualitativ hochwertig und wurden bis zum Ende produziert. Die Farbe, mit der sie

finish hard wearing. There was never any problem with these quality models, and they will not deteriorate with time in the same way that the composition models did. One word of warning however. All modern plastics deteriorate in too much sunlight, and the quality plastic models should not be displayed in direct sunlight. In fact, this applies equally to the composition models. Treat Elastolin as you would a valuable painting. The soft, pliable plastic that Polaine refers to is the non-collectable 5.6 cm 'Weichplastic' range, mostly Wild West and farm items put together in sections of coloured plastic. These were awful, cheap and nasty, and unfortunately, an extensive range of these was produced. German toy shops still had stocks of these in October 1989 when I travelled in Germany, but I could not bring myself to buy any.

Hausser was producing Wehrmacht figures again just before going bankrupt in 1983. They produced a standing band, marching band, and a set of action figures. There were more on the way, but although the bodies were excellent the helmets were inaccurate, and much criticised. Even so these are now starting to fetch good prices as antique Elastolin models. Of course all plastic figures had plastic heads.

SUPPLEMENTARY INFORMATION TO CERTAIN CAPTIONS

Page 26 The top machine gun section is the smaller 6 cm size. The two baggage wagons are not by Elastolin. They are a cheaper German make and the horses were still made in the mid 1980s. The two gun teams on the right are also not Elastolin. The field kitchen unit at the bottom is by Lineol.

Page 27 These American Revolution figures (Infantry Regiment Washington) were shown in the 1935 catalogue and were made up to the late 1960s. I bought some from Hamleys in 1975. They were originally designed as enemies for the Prussians (Potsdam Grenadiers) of Frederick the Great and wore the traditional white uniforms of Austria. They are shown as Austrians in the 1937 catalogue and by then there were two action figures added to the parade figures to match the action Prussians. These are extremely rare. The whole rifle and bayonet was cast metal.

bemalt waren, baute auf Azeton auf, so daß sie gut an den Figuren haftete und dauerhaft war. Diese hochwertigen Modelle stellten nie ein Problem dar, und sie werden sich nicht wie die Modelle aus Mischmaterial im Laufe der Zeit abnützen. Ein Wort der Warnung möchte ich allerdings anmerken. Alle modernen Kunststoffarten sind sonnenempfindlich, und die hochwertigen Plastikmodelle sollten nicht direkt in der Sonne stehen. Sonne schadete auch den Modellen aus Mischmaterial. Gehen Sie mit den Elastolinfiguren um wie mit einem wertvollen Gemälde. Der weiche, leicht verformbare Kunststoff, den Polaine erwähnt, ist die 5,6 cm Weichplastik-Serie, zum Großteil Wild-West- und Bauernhof-Figuren, die aus Buntplastikteilen zusammengestellt sind und sich nicht zu sammeln lohnen. Sie sie unschön und sehr billig, und leider wurden sie in großen Mengen produziert. Deutsche Spielwarenläden hatten noch im Oktober 1989 einige auf Lager, aber ich konnte mich nicht dazu überwinden, sie zu kaufen.

Kurz bevor die Firma Hausser 1983 bankrott machte, erzeugte sie wieder Wehrmachtfiguren – eine stehende Kapelle, eine marschierende Kapelle und ein Satz Aktionsfiguren. Weitere Figuren waren in Vorbereitung. Die Körper waren sehr gut, aber die Helme waren nicht korrekt und wurden vielfach kritisiert. Trotzdem sind sie jetzt als antike Elastolinmodelle relativ teuer. Natürlich hatten alle Plastikfiguren einen Kopf aus Plastik.

NACHTRAG ZU DEN BILDUNTERSCHRIFTEN

Seite 26 Das Maschinengewehr oben ist die kleine 6 cm Größe. Die zwei Bagage-Wagen sind nicht von Elastolin, sondern eine billigere deutsche Marke, und die Pferde wurden bis Mitte der 80er Jahre hergestellt. Die zwei Geschützbedienungen rechts stammen ebenfalls nicht von Elastolin. Die Feldküche unten ist von Lineol.

Seite 27 Die Figuren vom amerikanischen Unabhängigkeitskrieg (Infanterieregiment Washington) wurden im Katalog von 1935 abgebildet und bis Ende der 60er Jahre produziert. Sie wurden ursprünglich als Feinde für die Preußen (Postdamer Grenadiere) von Friedrich II. entworfen und trugen die traditionelle weiße Uniform Österreichs. Im Katalog von 1937 wurden sie als Österreicher dargestellt, zusammen mit zwei neuen Aktionsfiguren, die als Ergänzung zu den preußischen Figuren in Aktion hinzugefügt wurden. Sie sind sehr rar. Gewehr und Bajonett waren aus Gußmetall.

Seite 33 Das Pferd gehörte zu den Figuren von Friedrich dem Großen, wurde aber meines Wissens wirklich mit Indianern verwendet.

Page 33 The horse belongs to the Frederick the Great set, but I believe it was used genuinely with Indian models.

Page 36 The most interesting figures are at the back and are uncatalogued SA men marching with slung rifles. If genuine they are very rare. They are not in the Collectors' Guide.

Page 43 The mortar is the famous Minenwerfer of the Great War. Its missiles were christened 'Whizz Bangs' by the British. The broken wheel and rifles are Lineol model No. 5/124.

Page 44 The BMW motor cycle combination first appears in NSKK guise without a machine gun in the 1935 catalogue. This one is interesting because the driver has a Belgian officer's head which could well be that used for the Belgian King on horseback. The hat has the three vertical gold bars modelled on the front band. This head is also the identical one normally used for the Ethiopian action figures, with a black face and white hat band. The typewriter is cast metal.

Page 48 The marching officer bottom left is the rather portly Zugführer, No. 0/10, a senior officer in charge of a parade. His helmet is always badly modelled.

Page 52 See my earlier comments on Marine models. The bandsmen are non-marine bodies with sailor's heads.

Page 64 The AA gun is a model of one used towards the end of The Great War. This is a rare and valuble item now. It is shown in the 1935 catalogue.

Page 70 I might be wrong, but I do not recognise the mountain gun as Hausser. There was a dismantleable mountain gun shown in the 1931 catalogue (No. 0/723) and there was a boxed set of four 10 cm military mules, three carrying the gun parts, and one with ammunition boxes. There were no figures with the set.

Page 78 The monoplane shown in the background is the delightful clockwork Tipp and Co. plane D-OLAF. Its propeller went around and it dropped bombs. It was based on an early Heinkel used in the Spanish Civil War, and in the Polish campaign.

Page 79 General Guisan is a post-war figure. The portrait head is plastic. See my comments about the body in the earlier SS section. Guisan became Commander-in-Chief of the Swiss army in 1939.

Seite 36 Die interessantesten Figuren stehen leider ganz hinten. Sie sind SA-Männer mit Gewehr am Riemen, die nicht im Katalog verzeichnet sind. Wenn sie echt sind, sind sie sehr selten. Sie sind nicht in der Vergleichsliste für Sammler angeführt.

Seite 43 Der Mörser ist der berühmte Minenwerfer aus dem Ersten Weltkrieg, und die Geschosse wurden von den Briten 'Whizz Bang' genannt. Das gebrochene Rad und Gewehr sind das Lineol-Modell Nr. 5/124.

Seite 44 Das BMW-Krad erschien im Katalog von 1935 ohne Maschinengewehr als Fahrzeug des NSKK. Dieses Modell ist insofern interessant, weil der Fahrer den Kopf eines belgischen Offiziers hat, der sehr wohl der Kopf sein könnte, der für den belgischen König zu Pferd verwendet wurde. Die Mütze hat vorne drei vertikale Goldstreifen. Dieser Kopf wurde auch für die äthiopischen Aktionsfiguren mit schwarzem Gesicht und weißem Mützenband verwendet. Die Schreibmaschine ist aus Gußmetall.

Seite 48 Der marschierende Offizier unten links ist der etwas stämmige Zugführer Nr. 0/10, ein höherer Offizier, der die Parade befehligte. Sein Helm ist stets schlecht modelliert.

Seite 52 Siehe frühere Anmerkungen zu Marine-Modellen. Die Musikkapelle hat eindeutig Körper von Nicht-Seeleuten mit dem Kopf von Matrosen.

Seite 64 Das Graublau hat mit dem spanischen Bürgerkrieg nichts zu tun. Es handelt sich wohl vielmehr um einen antimagnetischen Lack aus der Kriegszeit. Die Flak ist das Modell eines Geschützes, das gegen Ende des Ersten Weltkriegs eingesetzt wurde. Es ist sehr selten und wertvoll; abgebildet im Katalog von 1935.

Seite 70 Ich mag mich täuschen, ober Ich erkenne das Gebirgsgeschütz nicht als eines von Hausser. Es gab im Katalog von 1931 ein montierbares Gebirgsgeschütz, und es gab einen Satz mit vier 10 cm Militärmaultieren, von denen drei die Geschützteile trugen, und das vierte die Munition. Der Satz enthielt keine Figuren.

Seite 78 Der Eindecker im Hintergrund ist das entzückende aufziehbare Tipp und Co. Fluzgeug D-OLAF. Der Propeller drehte sich, und es warf Bomben ab. Es beruhte auf einer frühen Heinkel, die im spanischen Bürgerkrieg und im Polen-Feldzug eingesetzt wurde.

Seite 79 General Guisan ist eine Nachkriegsfigur. Der Portraitkopf ist aus Plastik. Siehe meine Bemerkungen über den Körper im Abschnitt über die SS. Guisan wurde 1939 Oberbefehlshaber der Schweizer Armee (siehe Band III).

HAUSSER

Elastolin

SPIELZEUG

1939-40

PREIS–.10

Elastolin -Miniatur-Soldaten
sind zu Fuß ca. 4 cm, zu Pferd ca. 5,5 cm hoch

Elastolin -Soldaten-Normalgröße
sind zu Fuß ca. 7 cm, zu Pferd ca. 9½ cm hoch.

M 12/0 Offizier im Marsch —.10 | M 12 Infanterie im Marsch m.Torn. -.10 | M 47/1 Trommler im Marsch —.25 | M 47/2 Pfeifer im Marsch . . -.25 | M 47/6 Batl.-Hornist im Marsch . . -.25 | M 51 Fahnenträger im Marsch m.Blechfahne -.25 | M 402 Offizier zu Pferd (nicht abnehmbar) -.50

Normalgröße

—— Infanterie ——

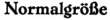       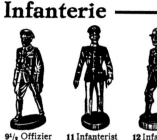   

0/9 Infanterist einf. Ausführ.o.Tornister m.Feldmütze —.10 | 0/12 Infanterist einf. Ausführ.o.Torn.-.10 0/12 T m.Torn.—.15 | 2 Offizier i.neuen Schritt . . —.25 33/2 ⚡ Leibstand. „Ad.Hitler" —.30 | 4 Gebirgsjäger mit Karabiner u.Rucksack. . —.25 | 6 Inf. im neuen Schritt m.Torn. -.25 33/6 ⚡ Leibstand. „Ad. Hitler" —.30 8 Inf. mit abnehm. Tornister . . —.25 | 7 Inf. m. Feldm. m. abn.Tornister —.25 | 9½ Offizier mit Feldmütze —.25 | 11 Infanterist im Ausgeh-Anzug —.20 | 12 Infanterist m.Torn. —.20 33/12 ⚡ Leibstand. „Adolf Hitler" —.20 | 12a Engländ. Khaki - Uniform . —.15 | 12 N Franzose, Belg. od. Italien. —.25 | 23/12 Franzose farbige Unif. m. rot. Hosen —.20 | 13/12 Infanterist im Parademarsch . . . . . . —.30 | 33/13/12 ⚡ Leibstand.„Ad.Hitler" im Parademarsch . . . . . . —.40

Achten Sie auf den **ovalen** Sockel der echten
Elastolin -Figuren mit eingeprägter Marke **Elastolin**
Fast alle Soldaten sind in verschiedenen fremden Nationen erhältlich

33/13/51 ⚡ Leibstand. „Ad.Hitler" Fahnentr. im Parademarsch—.45 | 13/51 Fahnenträger im Parademarsch . —.45 | 50/53 Stabs-Standartenträger stillgestanden —.30 | 51 Fahnentr.Fahne angef.—.30 33/51 ⚡ Leibst.„Ad.Hitler"—.35 51 N Fahnentr. i. n.Schritt -.40 | 51½ Fahnentr. m. Traditionsf. Fahne angefaßt . . . . —.35 | 50/20 Offiz. stillg. m. Deg. grüß. -.30 33/50/20 ⚡ Leibst. „Adolf Hitler"—.35 | 50/12 Infant. stillg. Gewehr über —.20 33/50/12 ⚡ Leibst. „Adolf Hitler"—.35 | 50/61 Infanterist präsent. . —.25 33/50/61 ⚡ Leibst. „Ad. Hitler"—.30 | 50/65 Infant. stillg. Gewehr ab . —.30 33/50/65 ⚡ Leibst. „Ad. Hitler" —.35 | 56/13/72 Rekrut i.Parademarsch Hände auf dem Rücken . —.30 | 56/13/76 Rekrut in Kniebeuge Gewehr aufw.gestreckt—.30 56/394 Rekr.z.Pferd Arme gespreizt -.75 | 551/2 Feldwebel bei Ausbildg. . . . —.25

59 Ehrenw.Gew. üb. -.25 33/59 ⚡ Leibstand. „Ad. Hitler" . . . . . . —.30 | 60 N Wachtp. Mantelkr.hochgeschl.-.30 | 62 Infant. m.Torn. Gew.v.d.Brust—.25 | 64 Inf.m.Torn.Gew. links u.r.abgeschl.-.30 | 550/5 N Off.geh.grüß. m. bewegl. Arm -.40 | 550/6 Off.Karte lesend -.25 | 550/6 N Offiz. Karte les. -.30 | 550/7 N Offiz. mit Dolch . . . -.30 | 650/3 General grüßend —.35 | 650/4 General m.Stahlh. -.40 | 650/7 Gen. stillg. i. Mant.m.Mütze-.40 | 651 Generalst.-Off.m. Degen u.Ferngl.-.30

Führende Persönlichkeiten

30/23 Der Führer, mit Umhang -.65
30/24 Der Führer, stehend grüßend im Mantel .65

30 50/20 N Der Führer im Waffenrock, stillgest. mit beweglichem Arm . . . . -.70

30/15N Der Führer im Mantel, sitz. für Auto passend, mit bewegl. Arm —.70

30/9 Stellv. des Führers, Heß stehend mit bewegl. Arm .40

30/13 Reichsminist Dr. Goebbels stehend mit bewegl. Arm -.40

30/50/7 Reichsjugendf. Bald. v. Schirach m. bewegl. Arm .40

26/21 Generalfeldmarsch. Göring m. Marschallstab und bewegl. Arm — 70
26/30 N dto. im Mantel ohne bew. Arm . . . — .65

14/20 Groß admiral Dr. h. c. Raeder grüßend -.35

650/1 Generalfeldmarschall Mackensen . . . — .40

649 Generalfeldm. v. Hindenburg mit Marschst. -.65
648 v. Hindenburg in Zivil . . . —.30

650/2 Ludendorff im Mantel —.35

18/20 N Generalissimo Franco mit beweglich. Arm . . -.70

25/21 N Der Duce mit bew. Arm -.70

25/406 N Der Duce mit bewegl. Arm auf Standpferd 1.25

im Marsch = 47/—
(stehend = 46/—

— Musik —

47/1 Trommler -.25
46/1 dto. stillgest. . . . . . . —.25

47/2 Pfeifer -.25
46/2 dto. stillgestanden . .25

47/4 Hornist . . . . —.25

47/6 Bataillons-Hornist . . —.25
46/6 dto. stillgestanden . . —.25

47/10 Musikmeister -.25
46/10 dto. stillgest. -.25

47/11 Trompetenbläser . —.25
46/11 dto. stillgestanden . . —.25

47/12 Klarinettenbläser . —.25
46/12 dto. stillgestanden . . —.25

47/13 Bläser m. Tenorhorn -.25
46/13 dto. stillgestanden - 25

47/14 Bläser m. Tuba .25
46/14 dto. stillgest. .25

47/15 Fagottbläser —.25

47/16 Beckenschläger . . . —.25
46/16 dto. stillg. — 25

47/17 Waldhornbl. -.25
46/17 dto. stillgest. .25

47/24 Musiker mit einteiligem Schellenb. —.40

47/26 Musiker mit dreiteiligem Schellenb. —.70
46/26 dto. stillgestanden —.70

47/20 Pauker . . . . —.40

47/21 Pauker mit Zughund . . 1.—

47/22 Lyraträger . . . . —.40

47/28 Posaunenbl. -.40
46/28 dto. stillgest -.40

47/29 Fanfarenbläser . . . —.40

47/30 Fanfarenbläser stehend . . —.30

46/32 Kesselpauker . . . . . —.65

zu Pferd = 445/—

442/11 N Trompeter i. Galopp, Signal blasend . . . . —.85

445/4¹/₂ Musikmeister i. Schritt -.80

445/11¹/₂ Trompetenbläser im Schritt —.80

445/14¹/₂ Bläser mit großem Helikon —.80
445 13¹/₂ Bläser mit kleinem Helikon im Schritt —.80

445/32¹/₂ Kesselpauker, i. Schritt, Pferd geschmückt . . . . 1.—

3

Elastolin

Gefechtsstellungen

574 Handgranaten-werfer stehend ab-ziehend . . . . —.30

575 Handgranaten-werfer mit Trag-tasche . . . . —.30

577 Handgranatenwerfer mit Gasmaske . —.25

579 Handgranaten-werfer i. Sturm -.30
580 kriechend -.30

581 Handgranatenwerfer kniend werfend . . . . -.30
585 Soldat kriechend mit Drahtschere 30

620 Schütze im Sturm . . . . -.25
620 G mit Gas-maske . . . . -.25

621 Offizier im Sturm . . . . . . —.25
621 G mit Gasmaske —.25

621/3 Offizier im Sturm mit Pistole . . . . —.30

622/2 Schütze kriechend mit Pistole . . . . —.30

Richtig schießend!

634 Schütze liegend zum Sturm auf! Marsch, Marsch! . . . . . . —.40

54/624 Schütze liegend —.50

54/626 Schütze kniend . —.50

54/628 Schütze stehend —.50

624 Schütze lieg. schieß. -.25
624 G mit Gasmaske . . -.25

626 Schütze kniend schießend . . . . —.25
626 G m. Gasmaske —.25

628 Schütze stehend schießend . . . —.25
628 G m. Gasm. -.25

630 Schütze stehend nach Flugzeug schießend . . -.30

640 Schütze schla-gend . . . . —.25

642 Hornist i. Sturm blasend . . — .25
642/2 nicht blasend . . . . . . —.30

644½ Fahnenträger im Sturm, neues Modell . . —.40

Maschinengewehr-Bedienung

664/7 Schütze Munition zu-führend -.30

664/9 Richtschütze im An-schlag sitzend am Elastolin SMG. . . . . . —.50

664/10 Richtschütze im Anschlag liegend am Elastolin-SMG. . —.45

664/12 2 Schützen mit SMG 696 aus Me-tall zum Schießen mit Gummigranaten und Amorces 1.25

664/2 Muni-tionsschütze vorgeh. -.25

664/2½ Gewehr-führer mit Spaten vorgehend . -.30

664/5½ Offizier steh. m. Karte und Fernglas . —.30

664/8 Entfernungs-meßmann sitzend . . . . —.30

664/6 Gewehrführer kniend, beobach-tend . . . . . —.25

664/13 N Schütze mit LMG im Sturm . . . . . —.40
664/15 dto., vorgeh. —.35

664/22 Gewehrführer lie-gend beobachtend . —.30

664/48 Pan-zerabwehr-Schütze lie-gend Muni-tion reichend . . . . —.50

664/14 Schütze mit luftgekühltem LMG in Stellung . . . . —.35

664/25 Munitions-Schütze kriechend . . . . . —.25

664/28 Schütze mit LMG auf Dreibein . . . . —.50

664/41 Richt-schütze vorgeh. mit LMG. -.30

664/42 Schütze vorgehend m. Ersatzlauf -.30

664/43 Munit. Schütze vorg. m. Gewehr -.30

664/44 Muni-tionssch. vorg. m. Dreibein -.30

664/46 Panzerab-wehrsch. kniend ladend . —.30

665/1 Entfernungs-mann lieg. am kleinen Entfernungsmess. -.35

665/7 Entfernungs-meßmann stehend Flugzg. anmeß. -.35

4

401 Reiter . . . —.60	**414** Franz. General —.70
402 Offizier . . . —.60	**416** Belg. König —.80
412 Engl. General —.70	**56/394** Rekrut, Arme gespreizt —.75

403 Offizier, mit Steigbügel —.75
404 Reiter mit Karabiner u. Steigbügel (Karabiner abnehmbar) —.75

406 Adjutant, grüßend, mit Steigbügel . . . . —.75

409/401 Reiter . . . . . . —.60
409/406 Adjutant, grüßend, mit Steigbügel . . . . —.70

441 Reiter mit bewegl. Arm im Galopp auf sort. Pferden . . . 1.—
440 N Reiter im Galopp . . —.95

408/403 Standartenträger . —.85

Lagerleben — 550/—

550/2 Soldat auf Bauch liegend . . . . . . —.25

550/1 Soldat, auf Rücken liegend . . . . . . —.25

550/3 Soldat trinkend . . . . —.25.

550/4 Soldat links liegend . . . . . . —.25

550/17 Soldat 2 Eimer trag. -.30

550/18 Soldat Essen fassend — .25
550/19 Soldat Essen ausgeb. —.25

550 20 Soldat mit Ziehharmonika -.30

550/22 Soldat Brot schneidend . . -.25

550/25 Soldat sich abtrocknend —.30

550/26 Soldat sich am Eimer waschend —.30

550/28 Soldat sich rasierend . . . . —.30

550/30 Soldat Stiefel putzend . . . . —.30

550/36/50 Soldat am Tisch, Arme frei, komplett m. Tisch u. Schreibmaschine —.70

550/40 Soldat Uniform waschend —.60

550/10 Gewehrpyramide . . . —.20

6954 Lagerfeuer aus Elastolin, elektrisch beleuchtbar . . . —.75

6958 Kochstelle aus Elastolin, m. 2 Kochtöpfen, elektrisch beleuchtbar . . . —.65

Verwundete und Sanitätspersonal = 656/—

656/8 ½ Sanitätshund, springend . . —.45
656/8 do. stehend —.25

652/15 Toter Soldat -.25

652/4 Verwundeter liegd., mit verbund. Kopf, Arm u. Bein -.30

652/6 Verwundeter rückwärts fallend . . . -.30

652/10 N Verwundeter im Mantel gehend . . —.30

652/12 Verwundeter am Stock gehend . . —.30

652/14 Verwundeter links liegend . . —.25

656/1 N Schwester kniend verbindend —.30

656/2 N Schwester stehend . . . . —.30

656/3 N Schwester mit Eimer . . . . —.30

656/5 N Schwester gehend . . —.30
656/5 Schwester gehend . . —.25

656/11 ½ N 2 Sanitäts-Soldaten mit Bahre aus Draht (Verwundeter abnehmbar) 1.—
656/11 Dasselbe m. Bahre aus Elastolin —.70

656/12 N 2 Sanitäts-Soldaten, Verwundeten tragend -.60

656/14 N Sanitätssoldat Verwundeten tragend —.40

656/22 N Sanitätssoldat gehend, mit Torn. —.30

656/26 N Sanitätssoldat stehend, mit Labefl. —.30

657/1 Sanitätsgruppe m. Arzt . . . —.50

657/10 Arzt im weißen Mantel -.25

5

Nachrichtentruppe = 659 –

659/1 Fernsprecher liegend telefonierend . . . . –.45

659/4 Mann mit Sprachrohr . . –.35

659/5 Fernsprecher Leitung legend . . . . –.30

659/8 Fernsprecher kniend . . . . . –.30

659/9 2 Fernsprecher Kabelrolle tragend . . . . –.70

659/10 2 Fernsprech., kniend telefonier., m. Kabelrolle a. Rück. –.50

659/13 Fernsprecher am Apparat schreibend . . . . –.40

659/15 Funkergruppe am Fernsprechgerät, mit Morsealphabet 1.35
659/15 727 Dieselbe Gruppe, mit Morsealphabet u. Scheinwerf. 727 z. Blinken 1.95
659/18 Dieselbe Gruppe, mit Summer zum Morsen, ohne Scheinwerfer 2.50

659/20 Funkergruppe mit Funksprechgerät aus Elastolin . . – .80
659/19 Aufmachung mit 10 m Kabel und 2 Gruppen 659/18 . . 6.75

659/22 Blinker m. Morsetaster und elektrischem Scheinwerfer . . . . –.85

659/25 Winker –.30

659/30 Nachrichtenmann mit Brieftaubenkäfig u. Hund 1.–

659/32 Meldehund, springend . –.45

659/7 Wegweiser aus Elastolin –.25

659/6 ½ Leitungsmast aus Holz, 20,5 cm . . . . –.25

659/12 Fernsprecher am Mast b. Leitungsbau, beweglich . . –.65

Artillerie = 664 /–

664/1 N Kanonier sitzend am Geschütz . . . . –.30
664/1 Derselbe . . . . . –.25

664/5 ½ Offizier stehend, mit Karte und Fernglas . . . . –.30

664/4 Kanonier kniend, mit beweglich. Arm –.35

664/16 Kanonier stehend, mit 4 Geschoßkörben . . . –.70

664/17 Kanonier kniend, mit Geschoßkorb . . . . . . –.35

664/18 Kanonier kniend, mit Granate –.25

664/19 N Kanonier Granate tragend . . . . . –.35
664/19 Kanonier Granate tragend . . . . . –.30

664/23 Kanonier Granate tragend . . –.35

664/20 Beobachter stehend, mit Scherenfernrohr . . . . –.35

664/50 Kanonier reinigend m. Rohrwischer –.35

664/56 Gruppenführer am Baumstamm liegend, mit beweglichem Arm . . . . –.60

665/3 Mann kniend am Richtkreis . . . –.30

665/5 Entfernungsmeßmann steh., am großen Entfernungsmess. –.45

665/9 Offizier stehend, nach Flugz. seh. –.35

665/11 Offizier liegend, Karte lesend . . . . –.45

654/4 Kleine platzende Granate –.15

654/8 Große platzend. Granate, elektrisch beleuchtbar . . –.95

654/12 Geschoßstabel (12 Granaten) . . –.20

654/3 Granaten- und Geschoßkorbgruppe . . –.35

Pioniere = 662/-

662/5   662/18   662/3   662/13   662/15

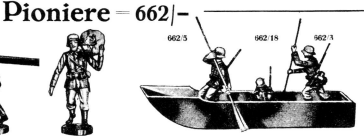

662/16 Pionier, schanz. -.35   **662/17** Pionier hack. -.35   **662/23** Pionier rechts tragend . . . . —.30   **662/25** Pionier links tragend . . —.30   **662/27** Pionier Sandsack tragend . . —.35

662 30 Ponton aus Holz allein, 24 cm lang . . . . —.75
662/3 Pionier stehend steuerbord (rechts) rudernd . —.35
662 5 Pionier stehend backbord (links) rudernd . . —.35
662 18 Pionier sitzend mit Gewehr . . . . —.25

662/32 Schlauchboot a. Holz allein, 16 cm lang —.95
662/36 Schlauchboot a. Holz allein, 22 cm lang 1.50
662/13 Pionier sitzd. steuerbord (rechts) rud. —.35
662/15 Pionier sitzend backbord (links) rud. —.35

13550/1 Pontonbaukasten mit 3 Pontons, Balken und Brettern aus Holz zum Brückenbau, ohne Figuren und ohne Bäume. Schachtelgröße 41× 20,5×4,5 cm . 3.75

13550 Dasselbe kompl. mit Figuren und Bäumen 7.25

13552 Dasselbe, einfache Ausführung, mit 2 Pontons, ohne Figuren usw. . . . 2.25

13560 Brückenbaukasten mit Gitterträgerbrücke aus Metall, auch ohne Gitter zu verwenden, ohne Fahrzeuge, ohne Schlauchboot und ohne Figuren. — Schachtelgröße 34,5×23×5 cm   4.75
683/43 1 Brückenbaukasten 13560, 2 Schlauchboote, 1 Ponton, 12 Pioniere, 3 Krad-Schützen, 2 Reiter, 1 Fahne, 29 Soldaten, Gewehre, Spaten, Sandsäcke . . . . 30.—

Pontonbrücken-Aufmachungen

683/8 1 Pontonbaukasten 13550/1, 7 Pioniere   6.—

683/11 1 Pontonbaukasten 13550/1, 1 Offizier, 8 Pioniere, 1 Soldat kniend schreibend 9.25

683/23¹/₂ 1 Brückenbaukasten 13560, 1 Scheinwerferauto, 2 Krad-Schützen, 2 Schlauchboote, 1 Ponton kompl. m. Besatzung, 1 Fahne, 9 Pioniere 23.45

Panzerwagen-Mannschaften = 19/-

19/50/19 Offizier, salutierend, für Tank pass. – .25

19/12 Mann i. Marsch -.20
19/664/5¹/₂ Offizier mit Karte und Fernglas -.30

19/665/9 Offizier stehend, n. Flugzeug sehend —.35
19/664/13 Mann mit LMG im Sturm . . . . . —.35
19/667/32 Mann sitz. -.20

Krad-Schützen 990/–

Der **Motor**, erprobt im friedlichen Verkehr, hat seinen Siegeszug auch in der Wehrmacht angetreten. Das Kraftrad, mit und ohne Seitenwagen, wird von Meldern, Aufklärern und Krad-Schützen benutzt. **Geländegängige Personenwagen** und **Lastautos** dienen zur Beförderung von Personen und Gerät, sei es als Stabsauto, als Zugmittel für die Pak-, als Pionier- oder Nachrichtenfahrzeug, oder zum Transport ganzer Infanterie- oder MG-Bataillone und Artillerie-Abteilungen. Mit schützendem Panzer umkleidet, tun Kraftwagen als **Panzerspähwagen** gute Dienste. Alle diese Fahrzeuge bewegen sich auf Rädern und sind daher sehr schnell, aber nur beschränkt geländegängig (im Gegensatz zum Kampfwagen, der sich auf Raupen bewegt).

586 Flammenwerfer . . . . —.40
584 Gasalarmschläger . . . . —.35

590 N Krad-Schütze, feste Räder (mit 4 Rollen z. Fahren) 1.—
590¹/₂ Derselb. (ohne Rollen) . . . . —.75

591/2 Krad-Schütze, bewegliche Räder, mit Sozius . . . 1.35

591/4 Krad - Schütze mit Beiwagen, Sozius, Beifahrer und LMG 2.25
591/32 Sozius für Kraftrad allein -.25
591/43 Soldat f. Beiwagen allein —.25

591/5 Krad - Schütze, mit Sozius SMG 0/696 im Seitenwagen 2.25

Elastolin

Flieger = WL 26/–

26/21 Generalfeldmarsch. Göring i. Waffenr., mit Marschallstab u. bewegl. Arm . . . –.70

26/30 N Generalfeldmarsch. Göring im Mantel und Marschallst. –.65

26/9/0 Offiz. im Marsch, mit Feldmütze –.20

26/9 Flieger im Marsch, Gewehr über . . . . –.20

26/11 WN Flieger, mit weiß. Mütze und weißer Hose –.25

26/12 Flieger im Marsch, mit Gew. u. Stahlh. –·20

26/50/61 Flieger präsentierend –.25
26/50/12 Flieger stillgest., Gew. üb. –.20

26/51 Flieger im Marsch, m. Fahne –.30

26/550/6 N Offizier Karte lesend . . –.30
26/550/5 Offiz., geh. grüß., m. bew. Arm –.40

26/550/7 Offizier steh., m. Dolch –.30

26/550/7 ¹⁄₂ General im Mantel . . . . –.30
26/651 Generalstabsoffizier m. Fernglas –.30

26/658/1 Flieger m. Sturzhelm u. Fallschirm im beige-farbig Anzug –.20

Flak-Artillerie = 28/–

28/9/0 Offiz. im Marsch, m. Feldmütze . . . . –.20

28/9 Soldat i. Marsch,. mit Feldmütze, Gew. üb. –.20

28/11 WN Soldat mit weißer Mütze und weißer Hose . . . . –.25

28/12 Soldat im Marsch, m. Gew. u. Stahlhelm –.20

28/63 Soldat i. Marsch, m. Stahlh., Gew. a. Schulter –.25

28/550/5 Offiz., geh, grüß. mit bew. Arm –.40
28/550/6 N Offizier Karte lesend . . . –.30

28/550/7 Offiz., stehend, mit Dolch . . –.30
28/550/7 ¹⁄₂ General im Mantel . . –.30

28/651 Generalstabs - Offizier. mit Ferngl. –.30

28/664/4 Kanonier mit beweglichem Arm . . . . –.35

28/664/5 ¹⁄₂ Offiz. stehend, m. Karte und Fernglas –.30

28/664/8 Entfernungsmeßmann sitzend . . . . . –.30

28/664,17 Kanonier m. Geschoßkorb . . . . –.35

28/51 Fahnenträg. i. Marsch, mit Fahne –.30

        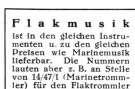

28/664/16 Kanonier stehend, mit 4 Geschoßkörben . –.70

28/664/18 Kanonier knieend, m. Granate . . –.25

28/664/23 Kanonier mit Gran. lad, –.35
28/664/19 N Dasselbe . . . . –.35
28/664/19 Dass. –.30

28/664/28 Kanonier mit Schnellfeuerkanone auf 3-Bein, Flugz.-Abwehr . . –.50

28/664/50 Kanonier reinigend mit Rohrwischer . –.35

28/665/5 Entfernungsmeßmann, steh., am großen Entfernungsmesser . . . . . –.45

28/665/7 Entf.-Meßmann, steh. Flugzeug anmessend –.35

28/665/9 Offiz., steh., n. Flugzeug seh. –.35

28/590 N Flak-Krad-Schütze, feste Räder mit Rollen 1.–
28/590 N/2 Flak - Krad - Schütze, feste Räder mit Roll., Sozius 1.25

Marine = 14/–

14/20 Großadmiral Dr. h. c. Raeder, grüß. –.35

14/10 Offizier im großen Rock . –.35

14/12 ¹⁄₂ Matrose m. lang. Hosen –.25

14/47/1 Trommler . . . –.30

14/47/2 Pfeifer . –.30

14/47/13 Bläser m. Tenorhorn . –.30

14/51 ¹⁄₂ Fahnentr. i. Schr. m. l. Hs. –.40

Gefechtsstellungen

14/578 Handgranatenwerfer –.30
14/620 Matrose im Sturm . –.30
14/621 Marine-Offizier im Sturm . . . . –.30
14/624 Matrose liegend schießend . . . . –.30
14/626 Matros. kniend schießend . . . . –.30
14/628 Matrose steh. schießend . . . . . –.30
14/640 Matrose schlagend . –.30

Marinemusik im Marsch

14/47/4 Hornist . . . . –.30
14/47/6 Bataillonshornist . . . . . –.30
14/47/10 Musikmeister . . . . –.30
14/47/11 Trompetenbläser . . . . . . –.30
14/47/12 Klarinettenbläser . . . . . . –.30
14/47/14 Bläser mit Tuba . . . . . . –.30
14/47/15 Fagottbläser . . . . –.30
14/47/16 Beckenschläger . . . . . . –.30
14/47/17 Waldhornbläser . . . . . . –.30
14/47/20 Pauker . . . . –.40
14/47/22 Lyraträger . . . . –.40
14/47/24 Musik. m. 1 teil. Schellenb. –.40
14/47/26 Musik. m. 3 teil. Schellenb. –.70
14/47/28 Posaunenbläser . . . . . . –.40
14/47/29 Fanfarenbläser . . . . . . –.40

Fliegermusik

ist in den gleichen Instrumenten u. zu den gleichen Preisen wie Marinemusik lieferbar. Die Nummern lauten aber z. B. an Stelle von 14/47/1 (Marinetrommler) für den Fliegertrommler 26/47/1. Es wird also wie bei allen Fliegern die Nummer 26/.... vorgesetzt.

Flakmusik

ist in den gleichen Instrumenten u. zu den gleichen Preisen wie Marinemusik lieferbar. Die Nummern lauten aber z. B. an Stelle von 14/47/1 (Marinetrommler) für den Flaktrommler 28/47/1. Es wird also wie bei allen Flakfiguren die Nummer 28/.... vorgesetzt.

666/10 Schifahrer laufend . –.50
666/12 Schifahrer Schi trag. –.35

8

Infanterie-Paraden im Marsch

70/9 1 Bataillons-Hornist, 8 Spielleute 2.75
72/10 1 Musikmeister, 9 Musiker 3.25
75/8 ½ 1 Hauptmann, 1 Fahne, 6 Soldaten 2.35
75/11 1 Hauptmann, 1 Offizier, 1 Fahne, 8 Soldaten 3.—
75/13 1 Hauptmann, 2 Offiziere, 1 Fahne, 9 Soldaten 3.75
100/12 3 Offiziere, 9 Fahnenträger mit Traditions-
fahnen aus Blech . . . . 4.—

Gebirgsjäger-Parade im Marsch

94/7 7 Gebirgsjäger im Marsch 2.25

Platzmusik

78/8 1 Musikmeister, 1 Notenständer, 6 Musiker stillgestanden 2.50
78 16 1 Musikmeister, 1 Notenständer, 13 Musiker stillgestanden . . . . 5.—

Infanterie-Parade im Marsch

0/75/14 T 1 Hauptmann, 1 Offizier, 1 Fahne, 11 Soldaten mit Tornister 3.50

Wachen

0/69/6 1 Schilderhaus, 1 Offizier, 4 Soldaten 1.25
66/6 1 Schilderhaus, 5 Soldaten präsentierend 1.90

Infanterie-Paraden im Marsch

76/15 1 Hauptm., 1 Offiz., 1 Fahne, 4 Spielleute, 8 Sold. 4.75
76/23 1 Hauptm., 2 Offiz., 1 Fahne, 7 Musiker, 12 Sold. 6.75

Gefechtsaufmachungen

680/8 N 8 Gefechtsstellungen . . . . 3.—
679/13 12 Gefechtsstellungen, 1 Schützengraben . . . . 5.—

Schlauchboot- und Pontonaufmachungen

681/4 1 Schlauchboot, 3 Pioniere 2.50
682/4 1 Ponton, 3 Pioniere 2.25

Nachrichtentrupp

692/7 1 elektr. Blinker, 6 Nachrichtenfiguren 3.25
684/5 ½ 5 Nachrichtenfiguren 2.50

Lazarette

686/7 1 Zelt, 5 Sanitätsfiguren, 1 Hund 2.75
686/5 1 Zelt, 3 Sanitätsfiguren, 1 Hund . . . . 2.—

Artillerie-Aufmachungen

690/5 MG.-Aufmachung, Elastolin SMG, 4 Soldaten getarnt 2.50
698/6 N 1 Amorce-Kanone, 5 Bedienungen . . . . 3.—
698/8 N 1 Amorce-Kanone, 7 Bedienungen 3.75

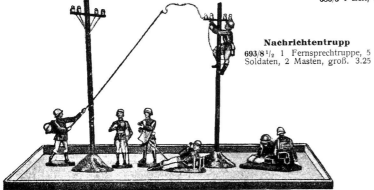

Nachrichtentrupp

693/8 ½ 1 Fernsprechtruppe, 5
Soldaten, 2 Masten, groß. 3.25

Führergruppe

900/8 ½ N mit 8 Figuren 3.80
900/10 N mit 10 Figuren 4.80
898/14 3 Führerfiguren, 11 präsentierende Soldaten . . . . . . 5.—

Biwak-Aufmachung

695/6 5 Lagerfiguren, 1 Brunnen 2.75
695/8 6 Lagerfiguren, 1 Zelt, 1 Gewehrpyramide 2.75

Feldartillerie und Fahrzeuge

aus Metall, fein lackiert,

mit Pferden bespannt, zum Ein- und Ausschirren gerichtet. Stehend eingenäht in rot überzogenen Schachteln.

706/2 Artillerie mit leichter Feldhaubitze und großer Protze. Mit 2 Pferden 5.50
706/4 Mit 4 Pferden . . . . 7.—
706/6 Mit 6 Pferden 8.50
708/2 Artillerie mit leichter Feldhaubitze, mit Höhensteuerung und großer Protze. Mit 2 Pferden 7.25
708/4 Mit 4 Pferden 8.75
708/6 Mit 6 Pferden 10.25

714/2 Artillerie mit Amorce-Kanone. Mit 2 Pferden 3.25
714/4 Mit 4 Pferden . . . . 5.—
714/6 Mit 6 Pferden 6.50

722/2 Mittlerer Minenwerfer auf Fahrgestell, massives Rohr, Minenwerfer abnehmbar. Mit 2 Pferden 5.75
780/2 Munitionswagen. Mit 2 Pferden 3.25

782/2 Kleinfunktrupp mit Summer zum Morsen. Mit 2 Pferden . . . 7.25

788/2 MG. auf Zwillingssockel, mit Protze, drehbar mit Geräusch, Gummiräder. Mit 2 Pferden 6.50

790/2 LMG.-Begleitzug, Maschinengewehr abnehmbar. Mit 2 Pferden 4.25

792/2 SMG.-Halbzug, 2 Maschinengewehre, abnehmbar. Mit 2 Pferden 5.75

770/2 Feldküche, heizbar, mit herausnehmbarem Kessel. Mit 2 Pferden 3.—
770/8 Dieselbe, mit 3 Soldaten (Essen-Ausgabe) . . . . Mit 2 Pferden 4.25
771/2 Dieselbe, größere Ausführung (ohne Soldaten). Mit 2 Pferden 4.75

776/2 Bäckereiwagen. Mit 2 Pferden. 3.25

750/2 Feldwagen mit Plane. Mit 2 Pferden 3.25

750/2½ Feldwagen mit Plane, mit Gummibereifung, Ersatzrad. Mit 2 Pferden 4.25

756/2½ N Sanitätswagen mit Gummibereifung, mit Sanitäter, Verwundetem Mit 2 Pferden 4.50

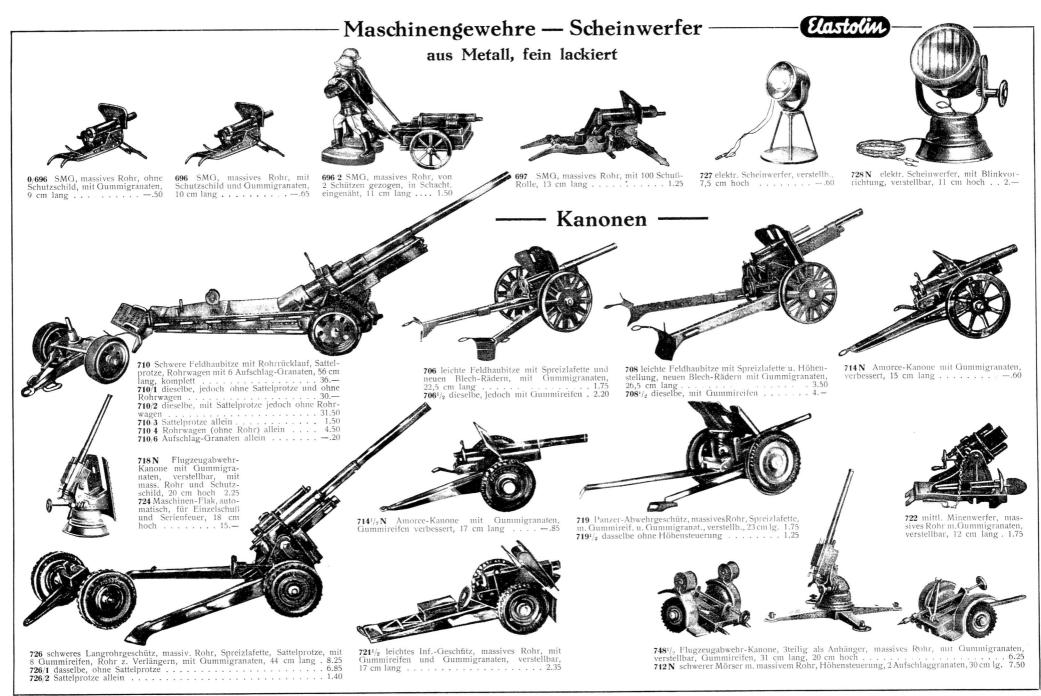

Maschinengewehre — Scheinwerfer

aus Metall, fein lackiert

Elastolin

0/696 SMG, massives Rohr, ohne Schutzschild, mit Gummigranaten, 9 cm lang . . . . —.50

696 SMG, massives Rohr, mit Schutzschild und Gummigranaten, 10 cm lang . . . . —.65

696 2 SMG, massives Rohr, von 2 Schützen gezogen, in Schacht. eingenäht, 11 cm lang 1.50

697 SMG, massives Rohr, mit 100 Schuß-Rolle, 13 cm lang 1.25

727 elektr. Scheinwerfer, verstellb., 7,5 cm hoch . . . . —.60

728 N elektr. Scheinwerfer, mit Blinkvorrichtung, verstellbar, 11 cm hoch . . 2.—

— Kanonen —

710 Schwere Feldhaubitze mit Rohrrücklauf, Sattelprotze, Rohrwagen mit 6 Aufschlag-Granaten, 56 cm lang, komplett . . . . 36.—
710/1 dieselbe, jedoch ohne Sattelprotze und ohne Rohrwagen . . . . 30.—
710/2 dieselbe, mit Sattelprotze jedoch ohne Rohrwagen 31.50
710 3 Sattelprotze allein 1.50
710 4 Rohrwagen (ohne Rohr) allein 4.50
710/6 Aufschlag-Granaten allein . . . . —.20

718 N Flugzeugabwehr-Kanone mit Gummigranaten, verstellbar, mit mass. Rohr und Schutzschild, 20 cm hoch 2.25
724 Maschinen-Flak, automatisch, für Einzelschuß und Serienfeuer, 18 cm hoch . . . . 15.—

706 leichte Feldhaubitze mit Spreizlafette und neuen Blech-Rädern, mit Gummigranaten, 22,5 cm lang 1.75
706 1/2 dieselbe, jedoch mit Gummireifen . 2.20

708 leichte Feldhaubitze mit Spreizlafette u. Höhenstellung, neuen Blech-Rädern mit Gummigranaten, 26,5 cm lang 3.50
708 1/2 dieselbe, mit Gummireifen . . . . . . 4.—

714 N Amorce-Kanone mit Gummigranaten, verbessert, 15 cm lang . . . . —.60

714 1/2 N Amorce-Kanone mit Gummigranaten, Gummireifen verbessert, 17 cm lang . . . . —.85

719 Panzer-Abwehrgeschütz, massives Rohr, Spreizlafette, m. Gummireif. u. Gummigranat., verstellb., 23 cm lg. 1.75
719 1/2 dasselbe ohne Höhensteuerung 1.25

722 mittl. Minenwerfer, massives Rohr m. Gummigranaten, verstellbar, 12 cm lang . 1.75

726 schweres Langrohrgeschütz, massiv. Rohr, Spreizlafette, Sattelprotze, mit 8 Gummireifen, Rohr z. Verlängern, mit Gummigranaten, 44 cm lang . 8.25
726/1 dasselbe, ohne Sattelprotze 6.85
726/2 Sattelprotze allein 1.40

721 1/2 leichtes Inf.-Geschütz, massives Rohr, mit Gummireifen und Gummigranaten, verstellbar, 17 cm lang 2.35

748 1/2 Flugzeugabwehr-Kanone, 3teilig als Anhänger, massives Rohr, mit Gummigranaten, verstellbar, Gummireifen, 31 cm lang, 20 cm hoch 6.25
712 N schwerer Mörser m. massivem Rohr, Höhensteuerung, 2 Aufschlaggranaten, 30 cm lg. 7.50

Kraftfahrzeuge

aus Metall, fein lackiert, mit Uhrwerk, Beleuchtung, gummibereift

733 Kübelwagen. mit 4 Mann Besatzung, 6 Gummireifen, ohne Licht, 22 cm lg. 4.75
733/708½ derselbe m. leichter Feldhaubitze Nr. 708½ 8.75

733/719 Kübelwag. Nr. 733 m. Panzerabwehrgeschütz Nr. 719 . . . . 6.50
733/714½ N ders.m.Amorce-Kanone 714½N 5.60

733½ N Kübelwagen, m. elektrischem Licht, Winker, Verdeck, 4 Mann Besatzung 6 Gummireifen, 23 cm lang 6.50

733/10 Fernsprech-Kraftwagen, mit elektr. Licht, Winker, Verdeck, 2 Mann Besatzung, 6 Gummir., 23 cm lang 6.50

733/12 Nachrichten-Kraftwagen, mit elektr. Licht, Winker, Verdeck, 4 Mann Besatzung, 6 Gummireifen, 25 cm lang . . . . 7.—

730 N Protzkraftwagen, m. elektr. Licht, Winker, Verdeck, 6 Mann Besatzung, 3 achs., mit 9 Gummireifen, 26 cm lang . . . 9.25

730/10 Kleiner, geländegängig. Mannschaftskraftwagen, mit elektr. Licht, Winker, Verdeck, 8 Mann Besatzung, mit Maschinengewehr, 3achsig, 8 Gummireifen, 25 cm lang 8.75

739 N Flak, verstellbar auf Auto, elektr. Licht, Winker, 2 Mann Besatzung, 3achsig, mit 8 Gummireifen, 26 cm lang . . . . 7.—

743 N Scheinwerfer, verstellb. auf Auto, elektr. Licht, Winker, 2 Mann Besatzung, 3achsig, mit 8 Gummireifen, 26 cm lang . 7.—

738 Sanitäts-Kranken-Auto, mit. Verwundetem auf Bahre, elektr. Licht, 5 Mann Besatzung, 4 Gummireifen, 30 cm lang . . . . 7.—

731 geländegäng. Zugmaschine, mit elektrischem Licht, Winker, Verdeck, 4gängig, 11 Mann Besatzung, mit 3 Gummireifen und Gummiraupen, 36 cm lang . . . . 30.—

710/4 Rohrwagen (ohne Rohr) allein 4.50

734 Zugmaschine, mit elektr. Licht, 2 Mann Besatzung, Verdeck, 3achsig, mit 6 Gummireifen, 32 cm lang 5.75
734-726 dieselbe m. schwer. Langrohrgeschütz 726 14.—

726 Schweres Langrohrgeschütz, m. 8 Gummireifen 8.25
771½ Feldküche all., m. 2 Gummireif., 13 cm lg. 2.25
741 N Feldküche, z. Abnehmen auf Kraftwagen, 4 Mann Besatz., 3achs. m. 8 Gummireif., 26 cm lg. 9.75

731 geländegängige Zugmaschine, wie oben . . . . 30.—

710/2 Haubitze 710/2 . . . . siehe Seite 11

744 Panzer-Spähwagen, m. elektr. Licht, Morse- und Blinkvorrichtung, 4gängig, 4achsig, mit 1 Kanone, 1 Maschinengewehr, drehbarer Panzerkuppel mit Fahrer, Antennenmast zum Hochkurbeln, Morse-Alphabet, 8 Gummireifen, 30 cm lang 24.50

745 Leichte Funkstelle, motor., mit elektr. Licht, elektrisch. Summer zum Morsen, Morse-Alphabet, Antennenmast z. Hochkurbeln, abnehmbarem Dach, 4 Mann Besatzung, 4 Gummireifen, 30 cm lang . 9.75

Eisenbahn-Figuren

Normalgröße für Spur 0 oder 1 passend, 7½ cm hoch.　　0/.... für Spur 0 passend 5 cm hoch.　　00/.... für Spur 00 passend 3 cm hoch.

0/6601 Stations-
vorstand . . —.25
00/6600 N 12 ver-
schied. Fig. sort.,
in Karton 2.40

6602 Zugführer
. . . . . —.30
0/6602 . . —.25
00/6602 . . —.20

6604 Reisen-
der im Man-
tel . . —.30
0/6604 . . —.25
00/6604 . . —.20

6605 Zei-
tungsverkäu-
fer . . —.30

6606 Fahr-
dienstleiter
m.Tafel . . —.30
0/6606 . . —.25
00/6606 —.20

6607 Boy m.
Taschen -.30
0/6607 . . —.25

6608 Kellner
. . . . —.30
0/6608 . . —.25

6609 Speisewag.-
Bedienung —.30
00/6609 Bierver-
käufer mit Korb
und Glas   —.20

6610 Keksverkäu-
fer . . . . —.30
0 6610 . . . —.25
00/6610 . . —.20

6611 Hotel-
portier —.30

6612 Gepäck-
träger mit Kof-
fer . . . —.30
0/6612 . —.25

6613 Postbote m.
Paketen 30

6614 Träger mit Ge-
päckkarren . . . —.50
0/6614 . . . . . —.45

6623 Dame mit
Schirm u. Koffer
. . . . —.30
0/6623 . . . —.25
00/6623 . . —.20

6628 Touristin
winkend . —.30

6629 Tourist win-
kend . . . —.30
00/6631 Tour.- 20

6630 Reisender
mit Aktentasche
. . . . . —.30

0/6632 Soldat
grüßend —.25

0/6633 KdF.-
Reisend. — .25

6634 Dienstmann mit
Gepäck . . . . —.30
0/6634 . . . . —.25
00/6634 . . . . —.20

6636 Maschi-
nist mit Öl-
kanne . —.30
0/6636 . . .25

6638 Postbote
mit Sack . —.30
0/6638 . . .25

6649 Schuhputz-
gruppe . . —.50

6641 Elektro-Karren
mit Führer . . —.50

6643 Dame mit
Kind . . . . —.40

6644 Bahnpost-
beamter mit Roll-
karren . . . —.45

6646 Fahrdienst-
leiter mit Tafel,
bewegl. Arm —.40
0/6646 . . . —.30

Sitzende Reise-Figuren (4 cm hoch)

0/6648 Schaff-
ner. m. Knips-
zange . . .25
00/6648 .20

0/6650 Strecken-
arbeit. m. Schau-
fel . . . . —.25

0/6652 Strecken-
arbeiter mit
Hacke . . —.25

6665 Brief-
träger —.30

6667 Portier
i. Mantel —.30

6668 Telegr.-
Bote . . —.30
0/6668 . —.25

0/6672 Schu-
po . . —.25

0/6467 Feuer-
wehrmann
(6,5 cm hoch)
. . . . —.25

6680 Reisen-
der mit Fern-
glas . . —.15

6682 Reisen-
der mit Zy-
linder —.15

6684 Reis. im
Sportanz.-.15
0/6684 . . —.10
00/6685 Reis.
ohn. Hut -.10

6686 Dame
. . . . —.15
0/6686 do -.10
00/6683 do.
m. Pelz -.10

6692 Schul-
knabe -.15
00/6692-.10

6694 Mäd-
chen —.15
00/6694 -.10

00/6620
Bauernfr.
in Tracht
. . —.20

00/6674 Lo-
komotivfüh-
rer . . -.15

00/6676 Hei-
zer —.15

Elastolin-Zugpferde in 9 Größen

1802/6/0 7½ cm Höhe, 8½ cm Länge . . . —.80	**1802/2/0** 13 cm Höhe, 13 cm Länge 1.60
1802/5/0 8 cm Höhe, 9 cm Länge 1.—	**1802/0** 15 cm Höhe, 17 cm Länge 1.90
1802/4/0 10 cm Höhe, 11 cm Länge 1.20	**1802/1** 18 cm Höhe, 19 cm Länge 3.—
1802/3/0 12 cm Höhe, 14 cm Länge 1.40	**1802/2** 20 cm Höhe, 22 cm Länge 3.60
	1802/3 25 cm Höhe, 28 cm Länge 4.—

Wagen mit Elastolin-Zugpferden

Expreßwagen aus Holz mit Kisten, Fässern usw. beladen, erstkl. farbig lack

1824/1 58 cm lang 7.80
1824/2 66 cm lang 9.75
1827/1 Leiterwag. geschlossen, erstkl.
lackiert, 50 cm lang 5.85

1940/3/0 ½ Bierwag. aus Blech m. Fäss.,
Kutscher u. 2 Pferde, 41 cm lang 5.—
1952/3/0 Saatwalze mit 1 Kutscher, mit
1 Pferd, 20 cm lang 2.75

Wagen mit Holzziehtieren
erstklassig, farbig lackiert.

19050/1 Sandkarren, 2 rädrig, 32×14×14 cm . . . . 2.—
19050/2 Sandkarren, 42,5×17×19,5 cm 3.25
19056/1 Kastenwagen, 4 rädrig, 36×11×14 cm 2.50
19056/2 Kastenwagen, 45×13×19,5 cm 3.75

Elastolin -Indianer zu Fuß sind ca. 7 cm hoch
-Indianer zu Pferd sind ca. 9,5 cm hoch

6801 Indianer-Häuptling stehend . —.75
6800 N dasselbe ohne Schild 60

6808 Ind.-Häuptl., stehend mit Friedenspfeife . . —.45

6816 Ind. stürm. mit Tomahawk u. Schild . . . —.45

6790 Siegesmal für Indianer . . . . . —.85

6817 Medizinmann tanzend . . . —.45

6810 Indian., rückwärts fallend —.35

6812 Ind. steh. mit 2 Pistolen . . —.35

6822 N Indianer stehend mit Speer und Schild . . —.45

6824 N Indianer geh. mit Tomahawk und Schild . . . . . —.45

6826 N Indianer späh. mit Gewehr . . —.45

Zu diesen Indianer-Figuren gehören auch Bisons und Bären, ferner Felsen und Bäume. (Siehe Seiten 21, 22 und 23).

6827 Indianer laufend m. Speer und Schild . . —.45

6828 Indianer schleichend. mit Tomahawk . . . . —.35

6840 Indianer steh. schießend . . —.35

6829 Indian. steh. m. Pfeil u. Bogen . —.45

6830 N Ind. kniend m. Pfeil u. Bog. —.45

6834 Indianer kniend schießend, mit Steinbarrikade . . . . —.35

6836 Indianer kriechend mit Tomahawk . . —.35
6838 Indianer rud. —.35

6842 Indianer liegend schießend . . —.35
6979 Kanu mit 1 Indianer . . . . . . 1.—
6980 Kanu mit 2 Indianern 1.35

6804 Indianer sitzend mit Friedenspfeife —.35

6805 Indian.-Kind m. Krug —.25

6806 N Ind.-Weib mit Kind —.50

6832 Indian.-Weib mit Schüss. —.35

6833 Indian.-Weib kniend m. Kind -.45

6835 Indianer sitzend mit Trommel . —.45

6835 ¹/₂ Indianer sitz. m. Speer -.45

6952 Lagerfeuer aus Elastolin mit Bratspieß, 5×11 cm. . . . . —.35
6950 Kleines Lagerfeuer mit Kochtopf, 2×4 cm . . . . —.15

6954 Lagerfeuer elekr. beleuchtbar 6,5×5,4 cm . . . . . . —.75

6958 Lagerfeuer mit 2 Kochtöpfen elektrisch beleuchtbar 4×3,5×3 cm . . . . . . —.65

6944 Ind.-Zelt aus Elastolin, 16×13 cm 1.—
6941 Indianer-Zelt aus Stoff, 14×19 cm —.30
6943 Indianer-Zelt aus Stoff, 15×25 cm —.40

6844 N Indianer zu Pferd mit Tomahawk und Schild . . . . 1.—

6846 N Indianer mit Lasso . . . . . . 1.—

6852 Indian.-Häuptling zu Pferd mit Speer —.75
6845 Indianer zu Pferd mit Gewehr links . —.80
6848 Indianer zu Pferd mit Bogen . . . . —.90
6850 Indianer zu Pferd, Gewehr rechts . . . —.90

6858 Indianer-Weib mit Kind zu Pferd und angehängtem Wickelkind 1.35
6858/1 Dasselbe, jed. ohne angeh. Wickelkind —.90
6858/3 Schlitten mit Wickelkind allein . . . . —.45

6866 N Trapper, steh., schieß. mit Gewehr . . —.45
6866 dasgl. —.35

6867 Trapper, steh. mit Pistole schieß. . . . . —.35

6868N Trapper a. Marterpfahl —.80
6868 einfach. Ausführung . . —.55

6869/2 Abenteurer Hände hoch . . . . . —.45

6869/4 Abenteurer sitz. gefesselt . . . . . —.45

6864 N Trapper, kniend schieß. —.45

6872 Trapper, sitz. mit Gewehr . . —.35

6870 N Trapper stehend, mit 2 Pistolen . . . —.45

6874 Trapper steh. mit Gewehr . —.35

6876 N Trapper stürmend mit Gewehr . . . . —.45

6888 Trapp. Lasso schw. —.35

6863 N Trapper liegend schießend . —.45
6863 einfache Ausführung . . . . —.35

6902 N Trapper zu Pferd, mit Pistole schießend 1.—

6904 N Trapp. z. Pferd, späh. -.80
6904¹/₂ N Trapp. m. Standpferd, spähend . . . . —.90

6878 Trapp. geh., mit Gewehr —.35

6930 Trapper stehend —.30

6936 Trapper zu Pferd . . . —.90

6908 N Trapper z. Pferd, mit Lasso 1.—

6960 Blockhaus mit Palme aus Elastolin 20×19 cm 1.25

6994/2 Präriewag. m. Plane u. Pferdegesp. i. Galopp m. 2 Figur., Sandsack etc. 4.50
6994/4 dasgleiche, jedoch mit Doppelgespann 6.25

6578/10 Büffeljagd m. Felsen, 3 Ind., 1 Ind. zu Pferd., 1 Trapper, 1 Trapper zu Pferd, 1 Büffel, 1 Hund, 1 Baum, 1 Felsen . . . . 7.—

Blockhäuser
aus Holz

13400/12 Fahne mit Stange 42 cm hoch . . . . —.75

13403 Blockhaus-Siedlung mit 2 Hütten, 1 Turm u. 1 Fahne, 6 ×37×22 cm, komplett mit 10 Figuren 17.75

13404 Blockhaus-Siedlung mit 2 Hütten, 2 Türmen, 1 Fahne, 73×42×21 cm, komplett mit 13 Figuren 24.75

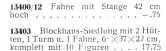 

13400/5 Blockhaus 20×15×12 cm 1.60

13406/6 Blockhaus mit Veranda 22×23×18cm 2.40

13436 Blockhaus mit Turmaufbau 23×15×20 cm 2.75

Palisadenzäune
aus Holz

13400/19 Palisadenturm 14 cm hoch . . 1.—

13400/22¹/₂ Verteidigungsturm 23 cm h. 2.75

13406/15 Palisadenzaun aus Holz 15 cm lang . . . . —.25

13406/25 derselbe 25 cm lang . . . . —.40

13406/25T derselbe 25 cm lang, m. Tür . —.60

Burgen

aus Elastolin und Holz, hochfeine künstlerische Bemalung.

Westwall-Befestigungen

Bunker-Aufmachungen aus Pappe als Packung.

13509 Burg mit Aufgang, Zugbrücke, Hof, Wohnhaus, Türme und Wehrgang, 35×30×25 cm 7.75
13511 Aehnliche Ausführung, Turm abnehmbar, mit Boden 44×25×36 cm . . . . 12.—

13513 Burg mit Aufgang, Zugbrücke, Hof, Türme, Wohnhaus und Wehrgang, 41×34×22 cm 9.50
13517 N Aehnliche Ausführung, jedoch alles abnehmbar, mit elektrischer Beleuchtung, mit Boden 52×47×37 cm . . . . 17.—

690/696/5 mit Maschinengewehr 0/696 und 4 Figuren . . . . 2.—
690/714 1/2/5 mit Amorce-Kanone 714 1/2 N und 4 Figuren 2.50
690/719/5 mit Panzerabwehrkanone 719 und 4 Figuren 3.75

13486 Bunker mit 2 Schieß-Scharten, Dach zum Abnehmen, 48×25×13 cm 6.25

13484/6 Straßensperre mit 6 Balken, 32×26×12 cm 2.50

13518 N Burg mit Aufgang, Zugbrücke, Hof, Türme, Burgfried, Wohnhaus und Wehrgang (alles abnehmbar). Mit Tunnel im Sockel, elektrischer Beleuchtung und Boden 55×52×46 cm 19.75
13520 1/2 Dieselbe reichhaltiger ausgestattet, 65×55×48 cm . . . . . . 27.—

13526 N Burg aus Holz, mit Aufgang, Zugbrücke, Hof, Wohnhaus, Wehrgang, 5 Türme, mit Boden 62×55×46 cm . . . . 14.—
13524 N Aehnliche Ausführung, mit Boden 46×35×41 cm 11.25

Höcker-Hindernisse mit Drahtverhau und Schulterwehr
13484/1 vorne 21 cm, hinten 13 cm, Tiefe 25 cm 1.75
13484/3 gerade, 32×25 cm 2.50
13484/2 vorne 13 cm, hinten 21 cm, Tiefe 25 cm 1.75

Drahtverhaue, Unterstände, Schützengraben aus Holz

Plastische Ausführung

13445/4 Drahtverhau mit Boden 25 cm lang . . . . −.35
13452 Sandsack, gefüllt 3 cm hoch . . . . −.07
13470/1 Graben für kniende und stehende Schützen mit Drahtverhau vorn 19 cm lang . . . . −.80
13470/2 Dasselbe, vorn 10 cm lang . . . . −.80
13470/3 Dasselbe gerade, 32 cm lang 1.40
13470/5 Dasselbe mit Unterstand links, 32 cm lang 1.60
13470/7 Dasselbe mit Wohnunterstand zum Öffnen, 32 cm lang 2.75
13478 Unterstand ohne Laufgraben, 20 cm lang . . . . . −.50

13470/32 Unterstand, bombensicher, mit Laufgraben, 32 cm lang 2.50
13470/30 Minenwerferstand, eingedeckt mit Laufgraben und Drahtverhau, 32 cm lang . . . 2.75
13470/12 Graben mit Schulterwehr u. Verbindungsstück nach rückwärts, 18 cm lang . . . . . . −.90

13466/3 Graben f. kniende u. steh. Schütz.,m.Drahtverhau, 15 cm lang . . . . . −.50

13466/4 Graben für kniende und steh. Schütz., m. Drahtverhau, 25 cm lg. −.75
13464/100/1 Geländestück mit 1 Laufgraben und 1 Ruine, 50 cm lang 7.15

13472/15 Feldlazarett mit abnehmbarer, getarnter Zeltplane, 36 cm lang . . . . 4.—
13473 Erdwerk mit 3 Unterständen, 48 cm lang . . . 6.50
13474/2 Laufgraben, gebogen, 20 cm lang . . . . −.75
13474/3 Laufgraben, Eckstück, 9 cm lang . . . . −.25

Sommer-Spielwaren

Gartengeräte, naturfarbig lackiert, Hartholz

7760 1/4 3 Stück sortiert in Säckchen . . . . −.90
7760/6 Haue . . . . −.25
7760/8 Harke mit 2 Zinken . . . . −.25
7760/12 Stampfer . . . . −.25
7770 Rechen, 60 cm lang . . . . −.75
7772 Schaufel hohl, 77 cm lang . . . . −.75
7780 Sandsieb, 4eckig, Hartholz, gezinkt mit starkem Metallgewebe, 20×20×5 cm . . . . . . 1.—
7790 Wurfsieb mit Ständer, Hartholz, mit starkem Metallgewebe, 50×28,5 cm 1.75

Gartengeräte, naturfarbig lackiert, Hartholz

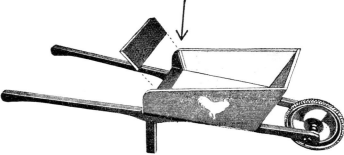

7740 Ia. Holzeimer mit Schaufel, farbig lack., 17×14,5×13 cm 2.15

7760/2 Schaufel hohl . . . . −.30
7760/4 Schaufel flach . . . . −.25
7760/10 Rechen . . . . −.25

19030 Schubkarren, modern lack., gezinkt mit Holzscheibenrand, 15,5 cm ⌀ mit Gummireifen und Brett zum Herausnehmen, 94×25×24,5 cm . . 6.75
19020 Kippwagen mit Deichsel, modern lackiert, 4 Holzräder blau-weiß gefaßt, 10 cm ⌀ 6.75

Zelte aus gutem Zeltstoff

rot eingefaßt, zusammenlegbar

530/2 rund 12×15 cm . . . . −.30
531/4 rund verschließbar. Eingang mit Pappboden 19×15 cm 1.50
532/2 quadratisch 12×12×17 cm . . . . −.35
532/3 dasselbe 15×15×19 cm . . . . −.40
534/3 rechteckig 14×14×10 cm . . . . −.50
534/5 rechteckig 17,5×27×15 cm 1.25
534/10 rechteckig mit Holzboden 36×26×20 cm 2.50

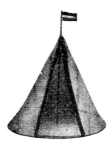

530/1 rund 9×12 cm −.25
530/3 rund 15×16 cm −.40

531/8 rund m. Holzboden, 19×15 cm 2.25

534/4 rechteckig 24×14×17 cm −.75

534/8 rechteckig mit Holzboden 29×20,5× 16,5 cm 1.85

Gehege und Käfige

Elastolin-Tier-Figuren zeichnen sich durch eine besonders natürliche Modellierung aus. — Achten Sie auf die Marke *Elastolin*

Indianer-Waffen

aus Holz

prima farbig lackiert, sehr stabile Ausführung

19360/1	19360/2	19360/3

19360/1 Indianerbeil, sortiert in gebogener und flacher Form 26×14 cm .... —.50
19360/2 Dasselbe größer 34×20 cm .... 1.—
19360/3 Indianer-Dolch 28×4 cm .... —.40

15012 Gehege für Zebra und Strauß mit Tieren, 50×30×32 cm . 12.25
15012/1 Dasselbe ohne Tiere .... 9.—

15050 2 Löwengrotten, 1 Felsen, Drahtumzäunung mit Tieren, 50×34×22 cm . 17.50
15050/1 Dasselbe ohne Tiere 13.25

15031 Gehege für Lama und Känguruh mit Tieren, 47×26×20 cm 10.20
15031/1 Dasselbe ohne Tiere .... 8.—

15060 Tiergartenanlage, bestehend aus 5 Gehegen, Drahtgitterumzäunung, zerlegbar mit Tieren, 75×50×12 cm 24.75
15060/1 Dasselbe ohne Tiere 13.50

Brunnen

7962 Brunnen mit Holzstammtrog 15×5×10 cm . . . —.65
0/7962 Miniatur-Brunnen aus Elastolin 7×3×4 cm . . . . —.20

Tiergitter

aus verzinktem Draht zusammensetzbar zu beliebigen Formen u. Größen, passend zu den Elastolin-Zoo-Tieren Seite 22 und 23

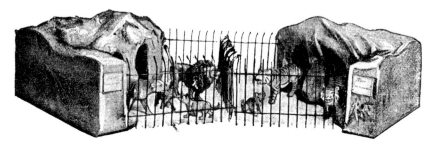

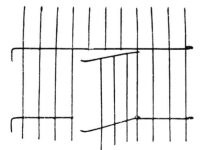

15038 Löwengrotte mit Tieren (links oder rechts) je 28,5×23×15 cm . . . . je 6.10
15038/1 Dasselbe ohne Tiere . . . . je 3.95

7952/15 15 cm lang, 11 cm hoch . . . . . . —.25
7952/25 25 cm lang, 11 cm hoch . . . . —.35
7952/25 T 25 cm lang, 11 cm hoch mit Tor . . . . —.55

Zäune

7956/15 Naturzaun, 15 cm lang . . . . —.10
7956/25 Naturzaun, 25 cm lang . . . . —.15
7956/25 T Naturzaun, 25 cm lang mit Tür . . . . —.30

Elastolin

aus Elastolin und Holz, hochfeine künstlerische Bemalung

Elastolin

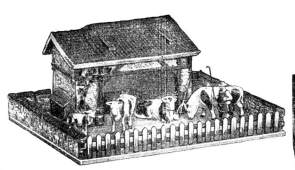

0/16060 Miniatur-Kuhstall mit Mauerumzäunung, 28×22×13 cm, komplett mit 4 Miniatur-Elastolin-Tieren 4.50

0/16066 Tier- und Geflügelstallung, mit Mauerumzäunung, elektr. beleuchtbar, 43×28×14 cm, komplett mit 15 Miniatur-Elastolin-Tieren, 1 Bauer, 1 Baum 9.75

15135 ½ Bauernhof, Wohnhaus mit Dachaufbau, Stallung für Pferde, Kühe und Schweine, Geflügelhaus für Hühner, mit Taubenschlag, Elastolin-Heckenumzäunung, 70×40×23 cm, komplett mit 18 Elastolin-Tieren (Normalgröße), 1 Gänseliesel, 1 Pappel u. 1 Brunnen 27.—

0/16065 Miniatur-Bauernhof, mit 2 Stallungen und Mauerumzäunung, 38×26×15,5 cm, komplett mit 9 Miniatur-Elastolin-Tieren, 1 Hirten und 1 Luffa-Baum **8.75**

0/16062 Miniatur-Bauernhof, mit Wohnhaus und Mauerumzäunung, 33×24×15,5 cm, kompl. m. 10 Miniatur-Elastolin-Tieren u. 1 Hirt. 6.50

0/16070 Miniatur-Bauernhof mit Wohnhaus, Pferdestall, Hundehütte und Mauerumzäunung, 50×32×15 cm, komplett mit 16 Miniatur-Elastolin-Tieren, 1 Hirtenknabe und 1 Baum 12.25

15124 ½ Bauernhof mit Wohnhaus, Stall, Brunnen und Mauerumzäunung, 56×33×25 cm, komplett mit 14 Elastolin-Tieren (Normalgröße), 1 Hirte und 1 Pappel . . . . 19.—

15132 ½ Geflügelhof und Schweinestall, mit Mauerumzäunung, 54,5×33×21 cm, komplett mit 16 Elastolin-Tieren (Normalgröße) und 1 Pappel 16.25

15130 ½ Kleintierfarm, mit Hühner-, Gänse- und Schweinestall, Taubenschlag, mit Mauerumzäunung, 64×35×30 cm, komplett mit 18 Elastolin-Tieren (Normalgröße), 1 Gänseliesel, 1 Pappel und 1 Brunnen 22.50

15190 Bauernhof a. Holz, Wohnhaus u. Scheune, Mauerumzäunung, 55×37×24 cm, komplett mit 11 Elastolin-Tieren (Normalgröße) und 1 Gänseliesel 12.25

15194 Bauernhof aus Holz, Wohnhaus und Scheune, mit Stallung und Mauerumzäunung, 74×36,5×24 cm, komplett mit 18 Elastolin-Tieren (Normalgröße) und 1 Gänseliesel 17.65

0/16210 Bauernhaus auf Sockel, ohne Umzäunung und ohne Figuren, 26×17×22 cm . . . . 5.—

0/16200 Miniatur-Bauernhaus, auf Sockel, ohne Umzäunung und ohne Figuren, 20×14×15 cm 3.50

Die Abbildungen sind etwa ⅓ natürlicher Größe.

Miniaturtiere = O/ . . . Die Abbildungen sind etwa natürlicher Größe.

4001	Kuh weidend . . . . . —.50	4002	Ochse . . . . —.50	4010	Pferd stehend . . . . . . —.50	4013	Pferd steh. (schw. Schlag) . . —.60
0/4001	Kuh weidend . . . . . . —.35	4007	Kuh liegend . . . . —.50	0/4010	Pferd stehend . . . . . —.35	4014 N	Füllen stehend . . . . . . —.45
4004	Kuh brüllend . . . . . —.50	0/4007	Kuh liegend . . . . . . —.25	4011	Pferd wiehernd . . . . . —.50	0/4014	Füllen stehend . . . . . —.20
4005	Kuh stehend . . . . . —.50	4008	Kalb stehend . . . . . —.40	4012	Pferd weidend . . . . . —.50	4014½	Füllen liegend . . . . . . —.40
0/4005	Kuh stehend . . . . . —.35	0/4008	Kalb stehend . . . . . —.20	4012½	Pferd liegend . . . . . . —.50	4015	Shetlandpony . . . . —.45
		4009	Kalb liegend . . . . . . —.40				

4016	Esel . . . . —.40	4018	Ziege . . . . —.40
0/4016	Esel . . . . —.20	0/4018	Ziege . . . . . —.20
4017	Maulesel . . . . —.45	4018/1	Zicklein hüpfend . . . —.25
		4018/2	Zicklein gehend . . . —.25

4020	Widder stehend —.25	4026	Schwein stehend —.35	4031	Hofhund . . . . —.35	4044	Katze steh. und	
4019	Widder ostfries. —.45	0/4026	Schwein stehend —.15	0/4031	Hofhund . . . . —.20		sitzend . . . . . —.30	
4021	Lamm stehend —.25	4027	Schwein sitzend —.35	4034	Meerschwein . . —.15	0/4044	dto. . . . —.15	
0/4021	Lamm stehend —.15	4030	Schwein jg., sort. —.20	4035	Kaninchen sort. —.20	4045	Katze fress. —.30	
4022	Lamm weidend —.25	0/4030	Schwein jung . . —.10	0/4035	Kaninchen sort. —.10	4046	Katze m.1 Jg. —.35	
0/4022	Lamm weidend —.15							
4023	Lamm liegend —.25							
0/4023	Lamm liegend —.15							
0/4024	Lamm m. Jungem —.15							
4025	Lamm jung, sort. —.20							
0/4025	Lamm jung, sort. —.10							

4050	Hahn . . —.30	4051	Hühner sort.	4055	Enten, sort.	4058	Gänse, sort.	4067 Tauben sort.	4087 Rabe . . —.25
0/4050	Hahn . . —.05		. . . . —.25		. . . . —.25		. . . . —.30		
4053	Huhn sitzend mit	0/4051	dto. . . —.05	4055½	Ente	0/4060	Maus —.05	0/4067 dto. . —.05	
	Kücken . . . . —.25	4052	Kücken sort.		schwimmend —.25	4063	Schnecke —.25	4068 Pfauent. —.25	
4054	Huhn auf Korb		. . . . . . —.10	4056	Enten jung,				
	sitzend . . . . . —.35	0/4052	dto. . . —.05		sortiert . . . —.10				

> Achten Sie auf die eingeprägte Marke **Elastolin**. Erstklassige Ausführung! — Giftfrei — Abwaschbar. — Fast unzerbrechlich. — **Elastolin**-Tiere-Figuren zeichnen sich durch naturgetreue Modellierung aus.

4071	Gänseliesel . . —.50	4080	Pfau . . . . —.70	4081	Pfau, Rad schla-	4082	Truthahn —.60	4084	Truthenne —.45
0/4071	dto. . . . . —.25				gend . . . . —.75	0/4082	dto. . . —.10	0/4084	dto. . . —.05
4069	Frau mit Kiepe —.60							4086	Perlhuhn —.30
4074	Schäfer . . . . —.60								
4075	Schäfer i. Mantel —.70								

4088	Schwan . . . . —.45	4092 Storch mit Nest und Jungen . —.70	4097 Kakadu auf Holzständer —.75
		4090 Storch . —.45	4096 Papagei auf Drahtständer —.75
			4098 Kakadu auf Drahtständer —.75

4070 Hirtenkn. —.50
0/4070 dto. —.25

Weitere **Elastolin**-Haustier-Figuren

4037	Widder . . . . —.35	4041	Lamm jung, sortiert . . . —.20
4037½	Widder lasiert . . . . . . —.40	4041½	Lamm jung, sort. lasiert . —.20
4038	Lamm stehend . . . . . . —.35	4076	Mann mit Sense . . . . . —.75
4038½	Lamm stehend lasiert . . —.40	4077	Mann mit Heugabel . . . —.75
4039	Lamm weidend . . . . —.35	4078	Mann mit Schubkarren . —.95
4039½	Lamm weidend lasiert . . —.40	4079	Mädchen mit Rechen . . . —.85
4040	Lamm liegend . . . . . . —.35	4146	Melkerin sitzend . . . . . —.50
4040½	Lamm liegend lasiert . . —.40		

4120	Foxterrier —.35	4121	Schäferhund . . —.45
4122	Colly . . —.50	4125	Pudel . . . . . —.35
4124	Bulldogge —.35	4126	Dogge . . . . . —.50

4123	Drahtfox . . —.25
4127	Windhund . . —.50

4129	Neufundländer . . —.50	4128	Bernhardiner . . —.50
4130	Dogge, sprungbereit —.55		

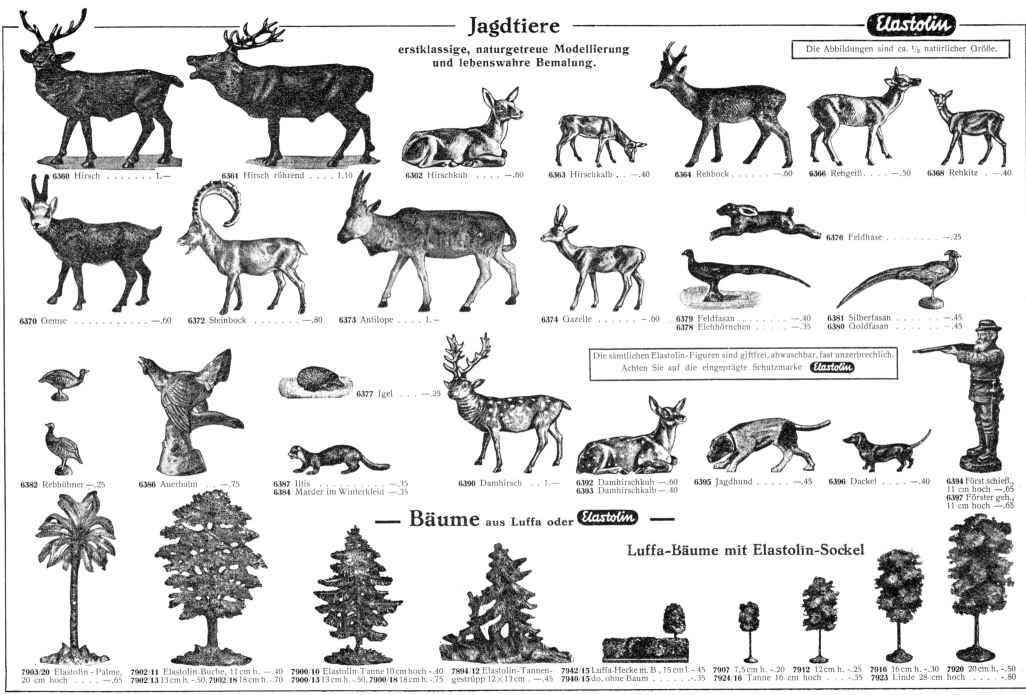

Jagdtiere

erstklassige, naturgetreue Modellierung und lebenswahre Bemalung.

Die Abbildungen sind ca. ⅛ natürlicher Größe.

6360 Hirsch . . . . 1.—   **6361** Hirsch röhrend . . . . 1.10   **6362** Hirschkuh . . . . —.60   **6363** Hirschkalb . . —.40   **6364** Rehbock . . . . . . —.60   **6366** Rehgeiß 50   **6368** Rehkitz . —.40

6370 Gemse . . . . —.60   **6372** Steinbock . . . . —.80   **6373** Antilope . . . . 1.—   **6374** Gazelle . . . . . . —.60

6376 Feldhase . . . . —.25

6379 Feldfasan . . . . —.40   **6381** Silberfasan . . . . . . —.45
6378 Eichhörnchen . . . . . —.35   **6380** Goldfasan . . . . . . —.45

Die sämtlichen Elastolin-Figuren sind giftfrei, abwaschbar, fast unzerbrechlich. Achten Sie auf die eingeprägte Schutzmarke *Elastolin*

6377 Igel . . . —.25

6382 Rebhühner —.25   **6386** Auerhahn . . —.75   **6387** Iltis . . . . —.35   **6390** Damhirsch . . 1.—   **6392** Damhirschkuh —.60   **6395** Jagdhund . . . . . —.45   **6396** Dackel . . . . —.40   **6394** Först.schieß., 11 cm hoch —.65
6384 Marder im Winterkleid —.35   **6393** Damhirschkalb —.40   **6397** Förster geh., 11 cm hoch —.65

— Bäume aus Luffa oder *Elastolin* —

Luffa-Bäume mit Elastolin-Sockel

7903/20 Elastolin - Palme, 20 cm hoch . . . . —.65   **7902/11** Elastolin-Buche, 11 cm h. —.40   **7902/13** 13 cm h. -.50, **7902/18** 18 cm h. -.70   **7900/10** Elastolin-Tanne 10 cm hoch -.40   **7900/13** 13 cm h. -.50, **7900/18** 18 cm h. -.75   **7894/12** Elastolin-Tannen-gestrüpp 12×13 cm . —.45   **7942/15** Luffa-Hecke m. B., 15 cm l. -.45   **7940/15** do. ohne Baum . . . . . . -.35   **7907** 7,5 cm h. -.20   **7924/16** Tanne 16 cm hoch . . . -.35   **7912** 12 cm h. -.25   **7916** 16 cm h. -.30   **7923** Linde 28 cm hoch   **7920** 20 cm h. -.50   . . . -.80

 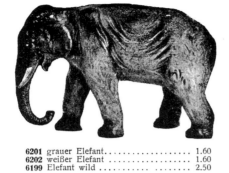 

Elastolin — Zoo-Tiere

Erstklassige, naturgetreue Modellierung. Die Abbildungen sind ca. $\frac{1}{3}$ natürlicher Größe.

6207 Giraffe .... 1.—	**6201** grauer Elefant 1.60	**6206** junger, grauer Elefant .... —.65
6208 Giraffe jung .... —.60	**6202** weißer Elefant 1.60	**6205** junger, wilder Elefant .... —.80
	6199 Elefant wild 2.50	

6210 Löwe stehend .... —.90	**6214** Löwin stehend .... —.60
6211 Löwe liegend .... —.90	**6213** Löwe im Sprung .... —.90
6212 Löwe sitzend .... —.65	**6216** junge Löwen stehend u. sitzend . —.30

      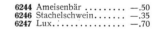

6218 Königstiger stehend .... —.90	**6226** Gepard .... —.80	**6230** brauner Bär stehend -.50	**6239** braune Bären jung, sort. —.30
6218½ Tiger brüllend .... —.90	**6222** schwarzer Panther ..... —.60	**6231** braun. Bär a. Hinterf. —.60	**6236** Bambusbär (Su-lin alt) . —.60
6219 Tiger im Sprung .... 1.—	**6224** Leopard .... —.80	**6232** malayisch. Bär sitz. -.50	**6237** Waschbär .... —.50
6220 Tiger jung .... —.35	**6228** Puma .... —.80	**6235** Lippenbär .... -.55	**6238** Bambusbär (Su-lin jung) —.35

6240 Eisbär .... —.55	**6244** Ameisenbär .... —.50
6241 Eisbär auf Hinterfüßen stehend .... —.95	**6246** Stachelschwein ...... —.35
6243 Eisbären jung ... —.30	**6247** Lux .... —.70

6245 Wolf .... —.40	**6249** gestreifte Hyäne —.40	**6250** Eber .... —.50	**6252** Tapir .... —.50
	6248 gefleckte Hyäne —.40	**6251** Hirscheber ... —.45	**6268** Mantelpavian .... —.55
			6269 Mandrill .... —.60

6258 Fuchs ... —.35	**6260** Affe gehend ..... -.35	**6262** Affe kratz. -.40
6259 Polarfuchs —.35	**6261** Affe sitz. fress. -.40	**6264** Affe klett. -.55
	6261½ Aff. m. Spieg. -.60	**6265** Affe jung . -.30

6263 Affe m. Jung. -.50
6266 Schimp. steh. -.50
6267 Schimp. sitz. -.50

  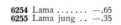    

6278 Orang-Utan .... —.90	**6254** Lama .... —.65	**6256** Zebra .... —.95	**6280** Dromedar 1.10	**6283** Kamel 2 höckerig 1.10	**6290** Nashorn 1.10
6277 Gorilla .... —.90	**6255** Lama jung .. —.35	**6257** Zebra jung .... —.45	**6285** Tragkamel 1.50	**6284** Kamel jung .... —.50	**6279** Faultier .... —.70

Elastolin

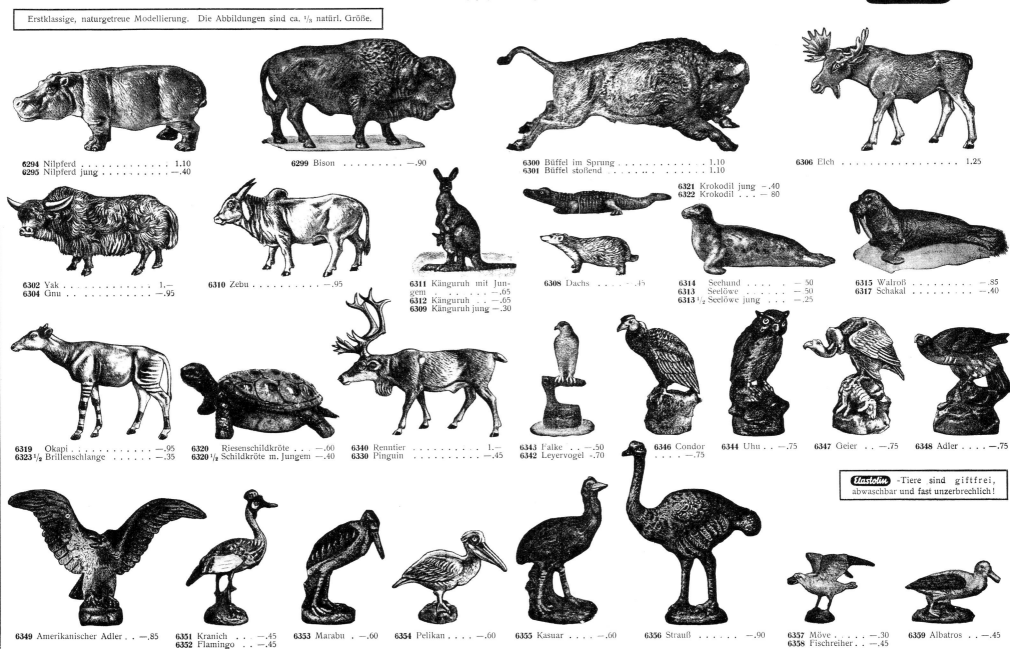

Erstklassige, naturgetreue Modellierung. Die Abbildungen sind ca. ¹/₃ natürl. Größe.

6294 Nilpferd 1.10
6295 Nilpferd jung . . . . —.40

6299 Bison . . . . —.90

6300 Büffel im Sprung 1.10
6301 Büffel stoßend 1.10

6306 Elch 1.25

6302 Yak . . . . 1.—
6304 Gnu . . . . —.95

6310 Zebu . . . . —.95

6311 Känguruh mit Jungem . . . . —.65
6312 Känguruh . . —.65
6309 Känguruh jung —.30

6321 Krokodil jung —.40
6322 Krokodil . . . — 80

6308 Dachs 45

6314 Seehund . . . . . — 50
6313 Seelöwe . . . . . — 50
6313¹/₂ Seelöwe jung . . . —.25

6315 Walroß . . . . —.85
6317 Schakal . . . . —.40

6319 Okapi . . . . —.95
6323¹/₂ Brillenschlange . . . . . . —.35

6320 Riesenschildkröte . . . —.60
6320¹/₂ Schildkröte m. Jungem —.40

6340 Renntier . . . . 1.—
6330 Pinguin . . . . —.45

6343 Falke . . —.50
6342 Leyervogel -.70

6346 Condor . . . . —.75

6344 Uhu . . —.75

6347 Geier . . —.75

6348 Adler . . . . —.75

Elastolin -Tiere sind giftfrei, abwaschbar und fast unzerbrechlich!

6349 Amerikanischer Adler . . —.85

6351 Kranich . . . —.45
6352 Flamingo . . —.45

6353 Marabu . —.60

6354 Pelikan . . . . —.60

6355 Kasuar . . . . —.60

6356 Strauß . . . . . . —.90

6357 Möve . . . . . —.30
6358 Fischreiher . . —.45

6359 Albatros . . —.45

Holzziehtiere

Elastolin

aus Hartholz, rund gefräst, naturgetreu prima lackiert, mit farbiger Kordel, stabile Ausführung

19068/8 Katze . . . . . . −.25	**19068/14** Hund . . . . . −.25	**19068/16** Pferd . . . . . . −.25
19070/8 Katze . . . . −.60	**19070/14** Hund . . . . . −.60	**19070/16** Pferd . . . . . . −.60

19068/18 Kuh . . . . −.25
19070/18 Kuh . . . . −.60

19068/24 Ente schwimmend −.25
19070/24 Ente schwimmend −.60

19068/27 Kücken . . . . −.25
19070/27 Kücken . . . . . . −.60

19068/30 Hahn . . . . −.25
19068/32 Huhn . . . . −.25
19070/30 Hahn . . . . −.60

19068/42 Hase . . . . −.25
19070/42 Hase . . . . −.60
19080/42 Hase 1.20

19070/12 Dackel . . . . −.60

19070/26 Entenkücken −.60

19110/24 Ente beweglich 1.80
19110/30 Hahn beweglich 1.80

19110/42 Hase beweglich . 1.80

19120/8 Katzenpaar beweglich . 2.—
19120/14 Hundepaar beweglich . 2.—

19120/16 Pferdepaar beweglich 2.—
19120/42 Hasenpaar beweglich 2.—

19087 Hase m. jung. Has. im Ei als Anhäng. 1.20
19086 Hase mit Schubkarren und Ei . . . 1.20

19080/8 Katze 1.20

19080/14 Hund 1.20
19090/14 Hund 2.25

19080/16 Pferd 1.20

19080/25 Ente stehend 1.20

19080/30 Hahn 1.20
19090/30 Hahn 2.25

19090/8 Katze 2.25

19090/16 Pferd 2.25

Größen der Holzziehtiere:
Serie 19068/. . . . Höhe ca. 7 cm
Serie 19070/. . . . Höhe ca. 12 cm
Serie 19080/. . . . Höhe ca. 19 cm
Serie 19090/. . . . Höhe ca. 26 cm
Serie 19110/. . . . Höhe ca. 14 cm
Serie 19120/. . . . Höhe ca. 15 cm

19090/18 Kuh 2.25
19080/18 Kuh 1.20

19090/24 Ente schwimmend 2.25
19080/24 Ente schwimmend 1.20

ausgesuchtes Hartholz, naturlackiert, stabil, leicht-laufend

aus Metall und Holz

1999 Hausser - Junior.
Gebogene, abnehmbare Lenkstange, Höhe 74 cm, Länge 76 cm, Holzräder 11,5 cm, Continent.-Profil-Gummi, Gewicht 1,530 kg, für 4 bis 8jährige.

2004 Hausser - Tempo.
Gebogene, abnehmbare Lenkstange, Höhe 75 cm, Länge 78 cm, Holzräder 13 cm, rotfarbig mit Kreis, blaue Beschläge, Continental-Profil-Gummi, mit gutem Gleitlager, Gewicht 1,920 kg, für 5 bis 10jährige 3.25

2005 Hausser Blitz.
Gebogene, abnehmbare Lenkstange, Höhe 84 cm, Länge 88 cm, Metallscheibenräder 13,5 cm, rotfarbig mit Kreis, blaue Beschläge, Continent.-Profil-Gummi, Rollenlagerung, Gewicht 2,960 kg, für 5 bis 10jährige 4.50

2007 Hausser Sport.
Gebogene, abnehmbare Lenkstange, Richtungsanzeiger, Höhe 83 cm, Länge 92 cm, Metallscheibenräd. 13,5 cm, rotfarbig mit Kreis, blaue Beschläge, Continent.-Prof.-Gummi, Rollenlagerung, Aufstellbügel, Schutzblech, Gewicht 3,150 kg, für 5 bis 10jährige 5.25

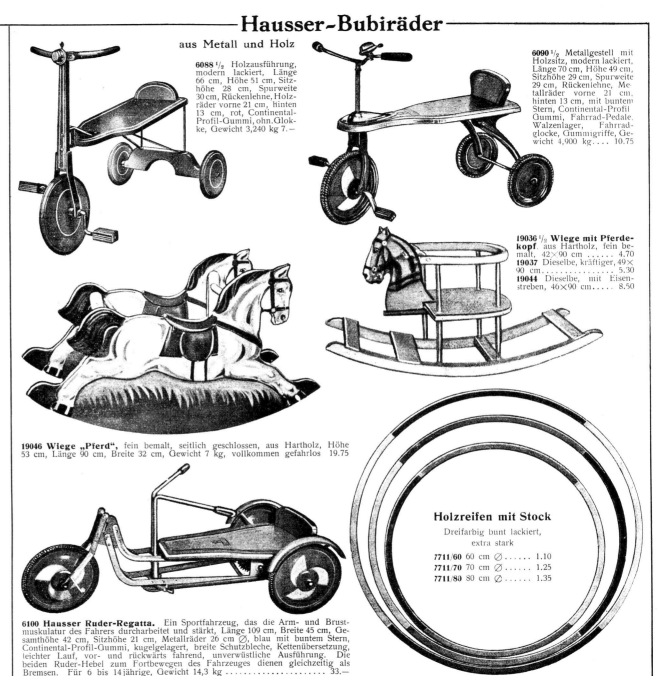

6088 ¹/₂ Holzausführung, modern lackiert, Länge 66 cm, Höhe 51 cm, Sitzhöhe 28 cm, Spurweite 30 cm, Rückenlehne, Holzräder vorne 21 cm, hinten 13 cm, rot, Continental-Profil-Gummi, ohn. Glokke, Gewicht 3,240 kg 7.—

6090 ¹/₂ Metallgestell mit Holzsitz, modern lackiert, Länge 70 cm, Höhe 49 cm, Sitzhöhe 29 cm, Spurweite 29 cm, Rückenlehne, Metallräder vorne 21 cm, hinten 13 cm, mit buntem Stern, Continental-Profil-Gummi, Fahrrad-Pedale, Walzenlager, Fahrradglocke, Gummigriffe, Gewicht 4,900 kg. . . . 10.75

19036 ¹/₂ Wiege mit Pferdekopf, aus Hartholz, fein bemalt, 42×90 cm 4.70
19037 Dieselbe, kräftiger, 49× 90 cm. 5.30
19044 Dieselbe, mit Eisenstreben, 46×90 cm. 8.50

19046 Wiege „Pferd", fein bemalt, seitlich geschlossen, aus Hartholz, Höhe 53 cm, Länge 90 cm, Breite 32 cm, Gewicht 7 kg, vollkommen gefahrlos 19.75

Holzreifen mit Stock
Dreifarbig bunt lackiert, extra stark

7711/60 60 cm ⌀ 1.10
7711/70 70 cm ⌀ 1.25
7711/80 80 cm ⌀ 1.35

6100 Hausser Ruder-Regatta. Ein Sportfahrzeug, das die Arm- und Brustmuskulatur des Fahrers durcharbeitet und stärkt, Länge 109 cm, Breite 45 cm, Gesamthöhe 42 cm, Sitzhöhe 21 cm, Metallräder 26 cm ⌀, blau mit buntem Stern, Continental-Profil-Gummi, kugelgelagert, breite Schutzbleche, Kettenübersetzung, leichter Lauf, vor- und rückwärts fahrend, unverwüstliche Ausführung. Die beiden Ruder-Hebel zum Fortbewegen des Fahrzeuges dienen gleichzeitig als Bremsen. Für 6 bis 14jährige, Gewicht 14,3 kg . . . . 33.—

Welthandel. Deutsche Wert-Erzeugnisse sind gegen notwendige ausländische Rohmaterialien einzutauschen. Stürme, Nebelbänke, Maschinenschad. usw. behind. zuweilen unsere Weltfahrten. — Ein außerordentl. kurzweil., interess. und vor allem belehrendes Gesellschaftsspiel für 2—4 Personen.
103 46×35,5×3,5 cm 4.75

Paß auf! Original-Ausgabe. Wichtig für Fußgänger und Fahrer. — Lehrreiches, unterhaltendes Gesellschaftsspiel für alt und jung. Für 2—6 Spieler.
23/2 Mit 6 Zinnfiguren, 26×37×3 cm . . . . . . 2.—
23/3 Mit 6 Zinnfiguren, 34×44×3,5 cm 3.50

Auf der Reichsautobahn durch Großdeutschland! Das zeitgemäße Reisespiel auf den Straßen Adolf Hitlers, interess., belehr. u. außerord. unterhalt. Für 2—8 Spieler.
154 Mit 8 Zinnfiguren, 37×27,5×3 cm 2.75

Der Nürburgring. Ein neues Autorennen, ein zeitgemäßes Würfelspiel, für welches als Rennbahn eine Abbildung des in allen sportliebend. Kreisen bekannten Nürburgringes aus der Vogelschau gewählt wurde. Für 2—6 Spieler
153/2 Mit 6 Zinnfiguren, Würfel usw., 39,5×28×4,5 cm 2.—

Fahrt ins Blaue. Das neuzeitliche Reisespiel, welches unsere Kinder überall hinführt. Ein unterhaltendes und interessantes Würfelspiel mit vielen Überraschungen. — Für 2—6 Spieler mit 6 Figuren und 1 Würfel.
60/1 22×30,5×2,5 cm . . . . 1.—

Schulkameraden. Der Weg zur Schule. Ein schönes Würfelspiel mit Abbildungen sämtlicher Begebenheiten, die auf dem Schulweg eintreten. — Für 2—6 Spieler mit 6 Holzfiguren und 1 Würfel. —
26/1 N 35×25×3 cm 1.25

Mensch bleibe ruhig! Ein bekanntes, außerordentlich beliebtes, anregendes Gesellschafts- u. Familienspiel, das überall mit groß. Ausdauer gespielt wird. Für 3—6 Spiel.
143/6 18,5×37×3 cm . . . . 1.—

Mit Farb und Zahl, würfle mal. Schöne Bildkarten sind nach den Angab. des Farben- u. des Zahlenwürfels mit rund Marken zu bedeck., wofür auf d. Karten weiße Feld.off. sind.
53/2 Mit 6 Karten, 33×25×3,5 cm . . . . 2.—

Jungvolk auf Fahrt. Würfelspiel mit buntem Plan, auf dem in vielen schönen Bildern eine Fahrt des Jungvolks vom Antreten bis zum Wegtreten dargestellt ist. - Für 2—6 Spieler. Unterhaltend, mit 6 Figuren und 1 Würfel.
4/1 31×22,5×2,5 cm . . . . 1.—

Flieger und Flak. Ein ganz neuart. Würfelspiel, bei welch. die „Flieger" gezwungen sind, die „feindlichen Batterien" anzugreifen, um sie zu vernicht. Natürl. sind die Flieger selbst von den Batterien bedroht und können von denselb. im Verlaufe des Spiels abgeschossen werden.
12/1 N 24×34×2,5 cm 1.25

Panzerkampfwagen vor. Das zeitgemäße, interessante Würfelspiel für 2—6 Spieler mit Spielplan und 6 Figuren und Würfel.
10/1 N Größe 35×25×3 cm 1.25

Unsere Wehrmacht im Manöver. Rot gegen Blau. — Das schöne, spannende Spiel erfordert etwas Geschicklichkeit im Zielen. Bildmarken mit Soldaten und Waffen werden auf einem Plan mit Manöverlandschaft gegeneinander geknipst. Wer die meisten Marken trifft, ist Gewinner.
6/1 ½ 36,5×25×3 cm 1.50

Volk ans Gewehr, das moderne Spiel der Kriegskunst. Unentbehrlich zur Vorbereitung auf Geländeübungen! Belehrend und unterhaltend. Für 2 Parteien.
7/2 29×39×3 cm 2.50
7/3 30×41×4 cm . . . . 4.—
7/B 36×46×4 cm 11.50

Propeller frei. Der Kampf zwischen Bombern und Jagdfliegern wird von den beiden Spielern in einer außerordentlich interessanten Weise auf dem Spielbrett gegeneinander geführt. Jeder versucht den Gegner abzuschießen. Geschicktes Ziehen ist wichtig. Auf den Spielsteinen ist angegeben um wieviele Felder die einzelnen Figuren rücken können. — Ein hochinteressantes neues Spiel für Jung und Alt.
14 37,5×27,5×3,5 cm 2.50

Elf gegen Elf. Das erste Fußball - Turnier - Spiel, dessen Spielweise auf den Figuren (Steinen) abzulesen ist. Die Regeln sind den internationalen Vorschriften entnommen. — Ein wirklich interessantes und doch einfaches Brettspiel für unsere Fußball - Freunde. — Dieses Fußball-Spiel fürs Heim begeistert Jung und Alt.
15 39×27,5×3,5 cm 2.75

Heimspiele. Das Magazin enthält neben einigen Spezialplänen und den erforderlichen Figuren einen Universalplan. Ein umfangreiches Heft mit Beschreibungen der Spiele wird jeder Schachtel beigegeben. Unter den Spielen befinden sich alle bekannten Gesellschaftsspiele wie Mühle. Dame, Halma, Wettrennen usw.
994 Mit 33 Heimspielen, 39,5×26×3,5 cm 3.25
996 Mit 44 Heimspielen, 32×43,5×3,5 cm 4.75
998 Mit 50 Heimspielen, 49,5×37,5×3,5 cm 9.75

Stecke die 5 nebeneinander! Interessantes und unterhaltendes Familienbrettspiel. Es erfordert große Aufmerksamkeit, 5 Stecker in einer Richtung unterzubringen, wenn man von den Mitspielern dauernd daran gehindert wird. Für 2-4 Spieler.
226/1 Mit 60 gebeizten Steckern, 30,5×22,5×2,5 cm . . . . 1.—
226/2 Mit 100 polierten Steckern, 34×26,5×3,5 cm . . . . 2.—

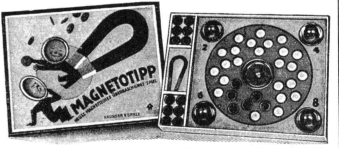

Auf zum Sturm! Neueste Ausgabe vom Belagerungsspiel. Kleine Ausgabe mit 2 Verteidigern und 24 Angreifern, große Ausgabe mit 3 Verteidigern u. 50 Angreifern. Für 2 Spieler.
272/1 24,5×34×3 cm 1.25
272/1½ 35×25×3 cm 1.60

Go - Spiel. Das berühmteste, vielseitigste Brettspiel, genannt „Kaiser der Spiele", ältestes Brettspiel der Welt. —
66/3 Mit 360 Pappmarken 26×23×4 cm 2.75
66/4 Mit 360 Galalithmarken, 26×23 ×4 cm 4.50

Ratefix. Originalausg., ges. gesch. Ein interessantes, lustiges Unterhaltungssp. für große Gesellschaften. In flottem Tempo wird aufgerufen und geraten.
239 19,5×13,5×3 cm . . . . 1.—
240 33×25×3 cm . . . . 2.—

Die Wunderhölzchen. (Streichholzspiel). Etw. z. Denk. u. Raten. Äußerst unterhaltendes Spiel für Jung u. Alt. Mit 32 farbigen Stäbchen und 1 Heft, enthaltend Aufgaben und Lösungen.
1496 17,5×12,5×2,5 cm . . . . . —.80

Magnetotipp. Ges. gesch. Magnetische Ueberraschungen. Verbesserte Spielw. „Lustige Sieben". Mit 1 Magnet, 30 vernickelten Tellerchen u. drehbarem Plan.
546 33×25×3,5 cm 2.25

Hexenwerk. genannt Zankeisen. —
1490 Mit 6 Geduldspielen. 17,5×12,5×3 cm . . . . 1.—
1492 Mit 9 Geduldsp., 1×17,5×3,5cm 1.50
1493 Mit 12 G., 21×27,5×3,5 cm . . 2.—

Scherenschnitte (Silhouettenschn.) zum Selbstherstellen von Postkarten. Mit 12 gummierten Bildern zum Ausschneiden, 12 Postkarten u. 1 Schere.
1098 16×28×3 cm 1.25

Zwillingsseifenblasen. Ges. gesch. Berühren u. vereinigen sich zu großen Kugeln. An beiden unteren Enden bilden sich gleichzeitig Seifenbl., dann entstehen um diese herum größ. Seifenbl.
1252 24,5×17,5×4 cm 1.25
Seifenblasen mit 2 Tonpfeifen, 4 Strohhalmen u. 9 Stück Seife.
1249 19,5×13,5×3 cm . . . . —.50

Als Klebespiel bin ich erdacht, weil's jedem Kinde Freude macht! Mit 8 Postk., zahlreich. gumm. Klebeteilen aus Glanzpap., Vorl. u. Pinzette.
1109 30×15,5×3 cm 1.10
Bilder-Kubus (Würfel-Kubus) mit farbenfr. kindl. Bild., stab. hochf. Ausf.
2186/5 5 ineinanderpassende Teile, 11×11×10 cm 2.75
2186/7 7 ineinanderpassende Teile, 15×15×14 cm 4.50

Lerne die Blumen kennen, lern' sie beim Namen nennen! Neuartiges Blumenlotto mit prächtigen Bildern von Else Wenz-Viëtor. — Mit 6 Karten und vielen Deckkärtchen. Für 2-6 Spieler.
286 37,5 × 27,5 × 3 cm 2.75

Technisches Wissen und Können. Frage- und Antwort-Spiel mit Bildern und Texten von Auto, Luftschiff, Flugzeug, Panzerwagen usw. Für 2-6 Spieler.
288/1 Mit 4 Karten, 28 × 21,5 × 3 cm 1.—
288/2 Mit 6 Karten, 35 × 26,5 × 3 cm 2.—

Weißt Du es? Ein lehrreiches Frage- und Antwortspiel mit schönen Reimen. —
290/1¹/₂ Mit 3 Bildkart., 31 × 23 × 3,5 cm 1.50
290/2 Mit 6 Bildkarten, 35 × 26,5 × 3 cm 2.—

Deutschland braucht Kolonien. Ein lehrreiches, geographisches Frage- und Antwortspiel mit 6 Landkarten unserer ehemaligen Kolonien und 6 farbigen Deckkarten. Für 2—6 Spieler.
294 29,5 × 41 × 3,5 cm 3.50

Unser Deutschland. Das zeitgemäße geographische Spiel mit den Reichsautobahnen. Alles Wissenswerte ist in Fragen und Antworten enthalten. Für 6 Spieler mit 6 Landkarten, 120 Markierungsnadeln, und Fragekärtchen.
296¹/₂ 31,5 × 23,5 × 3 cm 2.25

Rechne richtig — lache tüchtig! Ein Vexierrechenlotto. Lustiges Addieren, Dividieren, Multiplizieren und Subtrahieren. Das Auflegen der Deckkarten ergibt die drolligsten Bilder in stets wechselnder Zusammenstellung. Mit 6 Bildkarten und zahlreichen Deckkarten.
49 33 × 25 × 3,5 cm . . . . 2.—

Bilderstecken. Ges. gesch. Ein neues Mosaik. Das Aussetzen der Vorlagen mit den bunten Steckern ergibt schöne, plastische Bilder.
1123 1 Mit 1 Löcherplan, etwa 100 Steck. u. 3 Vorlag., 18,5 × 25,3 × 3 cm 1.—
1123/2 Mit 1 Löcherplan, etwa 200 Steck. u. 6 Vorlagen, 31 × 22 × 4,2 cm 2.—

Das erste Spiel für unseren Liebling. Ein Bilderlotto f. uns. Kleinen m. den schönsten Tierbild. Mit Farbenwürfel f. diejenig., die noch nicht zählen können, mit Zahlenwürfel f. die etwas weiter Vorgeschritt. Mit 6 Bildkart.best. a. 36 Einzelk.
50 18,5 × 25,5 × 3 cm . 1.50

Märchen 1×1. Eines der beliebtesten Spiele mit neuen künstlerisch wertvollen Märchenbildern und reizenden Versen. Die Kinder lernen spielend rechnen.
91/0 N mit 3 Karten, 19,5 × 29,5 × 2,5 cm . -.60
91/1 N mit 4 Karten, 25 × 35 × 3 cm . . . 1.25
91/2 mit 6 Karten, 36,5 × 26,5 × 3 cm . . 2.—
51/1 Lustiges 1×1 mit 4 Karten, 28 × 21,5 × 3 cm . . . . 1.—

Bilder-Lotto. Ein Spiel mit dem sich auch das alleinspielende Kind gern beschäftigt. Die Karten und Deckkärtchen sind mit prächtigen Bildern von Else Wenz-Viëtor ausgestattet. Für 3—7-jährige Kinder.
90/0 N mit 4 Karten, 19,5 × 25 × 2 cm . . . . . —.50
90/1¹/₂ mit 6 Karten, 31 × 23 × 3,5 cm 1.50
90/2¹/₂ mit 6 großen Karten, 38 × 27,5 × 4,5 cm 2.75

Neues Zählbilder-Lotto. Bilderlotto mit kindlichen Bildern, bei dessen Benutzung die Kinder spielend das Zählen bis 5 lernen. Für Kinder, die noch nicht schulpflichtig sind, besonders geeignet.
92/1 Mit 6 kleinen Karten, 28,5 × 21 × 2,5 cm . 1.—
92/2 Mit 6 großen Karten, 37 × 27 × 4 cm . . . . 2.—

A-B-C und Lesespiel. Ein wertvolles Hilfsmittel für ABC-Schützen. Entwürfe von der bekannten Bilderbuchzeichnerin Else Wenz-Viëtor.
1560 Große Ausgabe mit 1 Tafelständer, 5 Vorlagen mit Bildern, zahlreichen Buchstaben in Block- und Sütterlinschrift, 33 × 25 × 4 cm . . 2.50

Aus Stoff u. Band f. Kinderhand. Ges. gesch. Reizende Stoffschalen und Behälter werden mit farbigen Bändchen umnäht. Die leichte Arbeit ergibt nützliche Geschenke.
1238/2 33×25×3,5 cm . . . . 2.—
1238/10 Kl. Ausg.i.Celloph., 28×21 cm —.50

Buntes auf Leinen. — Ges. geschützt. — Ein schöner Kasten mit praktischen Dingen aus Leinen, die durch leichte Näharbeit zu vervollständigen sind.
1234 33×25×3,5 cm . . . . 2.—
1234/10 Kleine Ausgabe in Cellophan, 28×21 cm . . . . 1.—

Taschentücher für unsere Mädels. Dieser Beschäftigungskasten enthält eine Anzahl Taschentücher, sehr guter Qualität, die von den Mädels zu besticken sind. Ein praktischer Behälter, der nach genauen Anweisungen sehr leicht fertiggestellt werden kann, liegt bei.
1242 29×21×3,5 cm 2.75

Mit Wolle geschickt wird alles bestickt! Ein reichhaltiger Beschäftigungskasten, bestehend aus verschiedenen Gegenst., die mit Wolle ganz neuart. best. w.
1220/1 21×28×2,8 cm . . . . 1.—
1220/2 25×33×3,5 cm . . . . 2.—

Neue Perl- und Wollarbeiten. Ganz entzückend sind die bunten Dinge, welche diese Ausgabe enthält. — Die kleinen Mädels können an Hand der Vorlagen mit den Perlen und der Wolle ganz reizende Geschenke anfertigen.
1222/1 21×28×2,8 cm 1.50
1222/2 25×33×3,5 cm . . . . 2.—

„Filzblumen". eine neue, moderne Beschäftigung. Die Blumen sind so vorgearbeitet, daß mit wenig Mühe künstlerisch wirkende Filzblumen entstehen, die von Klein und Groß an jedem Kleidungsstück getragen w. Eine besonders klare Beschreibung erleichtert diese kunstgewerbliche Arbeit außerordentlich.
1160/2 21×28×4 cm . . . . 2.—
1160/3 37,5×27,5×4 cm 3.50

Für frohe Feste. Mit dem Inhalt dies. Beschäftigungsspiels können Kinder im Alter von 6—14 Jahren den Tisch festlich decken. Die Papierservietten werd. mittels Schablonen mit Namen und farbiger Kante versehen, ebenso die Tischkärtch. Geschmackv. Serviettenringe vervollständ. die Dekoration.
1458 26,5×21×3,5 cm . . . . 2.—

Mit Leder u. Bast wird eingefaßt. Eine reizende Beschäftig. f. Kinderh. Korkscheiben werden mit Leder und Bast umnäht u. verziert, sodaß n. kurzer Zeit prakt. Gebrauchsgegenst. entsteh.
1142/1 18×25×3 cm . . . . 1.—
1142/2 23,5×31,5×3 cm . . . . 2.—
1142/10 Kleine Ausgabe in Cellophan, 28×21 cm . . . . —.60

Baumschmuck mit Glimmer im Kerzenschimmer. — Viel Freude bereitet den Kindern das Selbstanfertigen von Christbaumschmuck. — Hier wird eine praktische Anleitung für l. Arb. gegeben, die festl. aussehen.
1090/2 32×23,5×3 cm . . . . . . 2.—

Erste Anleitung für Holzmalerei. Auf überraschend leichte Weise fertigt die Jugend selbst überaus farbenfrohe und reizende Gegenstände und Geschenkartikel an. Mit 5 gedrehten praktischen Holzteilen, 2 Pinseln, Temperafarben und 1 Flasche Lack.
1452 25×33×5 cm 3.25

Lederarbeiten. Anleitung zur Herstellung praktischer Geschenke. Mit zahlreichen vorgelochten echten Rindlederstücken ausgestattet. Die schönen Etuis und Taschen werden mit farbenfrohen Lederriemchen auf verschiedene einfache Weisen zusammengenäht.
1146 28,5×21,5×4 cm . . . . 3.—
1148 38×27,5×3,5 cm . . . . 5.—
1146/10 Kl. Ausg. in Celloph., 28×21 cm 1.—

Praktische Sachen, die Freude machen. Dieses Spiel enthält eine geschmackvolle Sammel-Ausgabe der beliebtesten Beschäftigungen aus Leder, Holzperlen. Aufnäh-Arbeiten usw. — Die von den Mädels herzustellenden Gegenstände sind praktischer Art und werden überall gern verwendet.
1300 38×28×3,5 cm 3.50

Holzperlen-Beschäftigung. Die farbigen polierten Perlen werden auf Fäden aufgereiht, die mit Oesen versehen sind. Auf rasche und einfache Weise lassen sich schöne bunte Ketten anfertigen.
1165/1 M. etw. 75 Holzp. 15,5×20,5×2 cm 1.—
1165/2 M. etw. 150 Holzp. 21,7×21,7×3 cm 2.—

Perlenschmuck. Eine beliebte Beschäftigung für unsere Kleinen. An schönen selbstgefertigten Kettchen und Armbändchen haben alle Kinder die größte Freude.
1406/0 19,5×19,5×2 cm . . . . —.65
1406/1 22,5×22,5×3 cm . . . . 1.—

Perlarbeiten. Neue Ausgabe. Beliebte Beschäftig. z. Anf. schön. Untersetzer u. Deckch.
1408 Mit 300 Walzentonperlen usw. 24×18,5 ×2,5 cm 1.25
1412/1 Mit 440 Walzenglasperlen usw., 23,7×31×3 cm 1.75
1412/2 Mit 580 Walzenglasperlen usw. 26,5×20,5 ×3 cm 2.25
1412/3 Mit 600 Walzenglasperlen 31×21,5× 3 cm . . . . 3.—

Klopf-Klopf. Mit Hammer u. Nagel. Ein n. Beschäftigungsbaukast. Das Nageln erweckt größte Begeisterung bei allen Kindern. Die aufgenagelten Holzteile k. von der Platte leicht entf. u. wied. benützt w.

18/1	34 ×21,5×3 cm	1.—
18/1½	35 ×23 ×3,5 cm	1.50
18/2	36,5×25 ×3,5 cm	2.—
18/3	39,5×28 ×3,8 cm	3.—

Nagelmeisterlein. Ges. gesch. Ein neues Geduld-, Lege- u. Nagelspiel. Das beliebte Aufnageln von Holzteilen auf Platten ist in dies. Spiel sow. vervollkommnet, daß vollständige Bilder wie bei Geduldspielen zusammengesetzt u. dann aufgenagelt werden.
20 37×25×3,5 cm 2.75

Knipsen und Perlennähen. Perlenausnähspiel mit Knipszange, 8 bunten Karten, etwa 600 Perlen, 1 Nadel und 1 Garnstern. Die auf den Karten vorgedruckten Kreise werden mit der Zange ausgelocht u. dann mit Perlen ausgenäht, wodurch schöne, plastische Bilder entstehen.
1080 28,5×21,5×3,5 cm . . . . 2.—

Buntes Bilderknipsen. Das begehrteste Beschäftigungsspiel für die Jugend. Enthält 10 bunte gummierte Karten, Glanzpapier und 1 Zange mit Dreiecklochung. Damit können zusammenhängende Flächen ausgelocht und unterklebt werden.
1082 32×24×3 cm 1.50

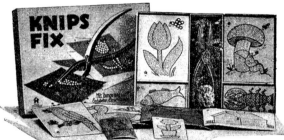

Knipsfix. Ges. gesch. Mit Zange und mit Buntpapier entstehn die schönsten Bilder hier! Beschäftigungsspiel mit einer neuartigen Knipszange, die von den Kindern mit Vorliebe benützt wird.
1084 Mit 6 kleinen gummierten Karten, 6 Blatt Buntpapier und 1 Zange, 25,5×18,5×3 cm 1.35
1086 Mit 6 großen und 4 kleinen gummierten Karten, 14 Blatt Buntpapier, 1 Zange und 1 Schwamm 33×25×3,5 cm 2.50

Buntes Bilder-Basteln. Ein reizendes Beschäftigungsspiel zum Ausschneiden und Kleben, aber ohne Klebstoff! Die durchscheinenden fertigen Bilder werden an d. Fenster gehängt und bereiten viel Freude.
1092 23,5×31,5×3,5 cm 2.25

Wollig, luftig, schön und duftig. Gefahrloses Ausnähen ohne Nadel. Beim Ausnähen der schönen bunten Karten können sich Kinder nicht verletzen, denn die Wollfäden sind mit Oesen versehen.
1244/1 Mit 4 großen vorgelochten Ausnähkarten und Dochtwolle mit Oesen, 20×26,5×2,5 cm 1.35
1244/2 Mit 8 großen und 6 kleinen vorgelochten Ausnähkarten und Dochtwolle mit Oesen, 23,5×31,5×2,5 cm 2.25

Nähen ohne Nadel. Ges. gesch. Das beliebte Ausnähspiel ist schon für die kleinsten Kinder zu verwenden, weil sich dabei niemand verletzen kann. Inhalt 8 vorgedr. und gel. Karten.
1226 30,5×22,5×2,5 cm . . . . 2.—

Die Wunderscheibe. Ein wirklich interessantes Zeichenspiel für den Anfangsunterricht. Durch die Scheibe sehend, zeichnet man die dabei sichtbaren Schatten nach. Auf diese spielend leichte Art kann das Kind jedes beliebige Bild selbst abzeichnen.
1200 18,5×25,5×2,5 cm 1.25

Tischtennisspiele

Elegante Ausstattung in ff. rot überzogenen Kartons. Nach den neuesten Erfordernissen zusammengestellt. Hausser-Tisch-Tennis-Spiele gibt es von der einfachsten bis zur besten Ausführung.

1705 Schläger, einf. Sperrholz, mittelgroß, ohne Auflage, 2 Bälle, Pfosten mit Klemmschrauben, Netz 110×14 cm, Schachtel 30,5×23×4 cm . . 2.—

1712 Schläger einf. Sperrholz, mittelgroß, doppels. Kork, 2 Bälle, Pfosten mit Klemmschrauben, Netz 110×14 cm, Schachtel 30,5×23×4 cm . . 2.50

1722½ Schläger einf. Sperrholz, extra groß, doppels. Kork, 4 Bälle, verstellbare Pfosten mit Klemmschrauben, Netz 110×14 cm, Schachtel 35,5×25,5×4 cm . . . . 4.—

1726½ 2 Schläger einf. Sperrholz, extra groß, doppels. Kork, 4 Bälle, Pfosten mit Klemmschr., Netz 110×14 cm, Schachtel 35×25,5×4,5 cm 6.75

1752 2 Schläger aus Sperrholz, extra groß, doppels. Kork, 6 Bälle, Pfosten mit Klemmschrauben, Netz 185×17 cm, Schachtel 41×29×4,5 cm . . 6.—

1756 2 Schläger aus Sperrholz, extra groß, mit Gummiplatten, 6 Bälle, Pfosten mit Klemmschr., Netz 185×17 cm (Turnierausg.), Schacht. 41×29×4,5 cm 8.50

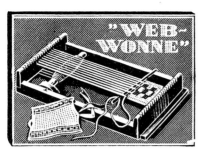

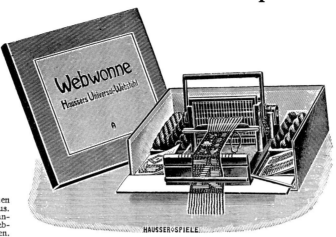

HAUSSER-Webwonne. Ges. gesch. Die Webstühle mit dem Namen „Hausser-Webwonne" zeichnen sich durch prakt. Konstruktion besonders aus. Schon kleine Mädch. können schöne Krawatten, Decken, Schals usw. rasch anfertigen; aber unbegrenzt ist die Verwendungsmöglichkeit, wenn die Webstühle von Damen zur Herstellung ganzer Kleidungsstücke benutzt werden.

1360 Einfacher Webstuhl, 21,5×12,5×3,5 cm, mit angefangener Arbeit, 1 Flechtnadel und Vorlagen, 22,5×13,5×4 cm . . . . —.65

1361 Einfacher Webstuhl, 25×14,5×4,2 cm, mit angefangener Arbeit, 1 Flechtnadel, 1 Strang Wolle und Vorlagen, 33×16×5 cm . . . . 1.—

1361½N derselbe Webstuhl, verstellbar mit Keil 1.30

1362 Besserer Webstuhl zur Anfertigung beliebig langer Stücke, 26×14,5×4,5 cm, mit angefangener Arbeit, 2 Strang Wolle, 1 Flechtnadel, 1 Klemmschraube und Vorlagen, 35,5×21×5 cm . . . . 2.—

1364 Besserer Webstuhl (wie 1362), mit angefangener Arbeit, 4 Strang Wolle, 2 Flechtnadeln, 1 Kamm, 1 Klemmschraube und Vorlagen, 36,5×25×6 cm . . . . 3.—

HAUSSER-Universal-Webstühle für Damen zur Anfertigung beliebig langer Stücke. Gesetzlich geschützt.

1366 Großer mechanischer Universalwebstuhl, 33,5×17×11 cm, mit angefangener Arbeit, 6 Strang Wolle, 2 Flechtnadeln, 2 Spulen, 1 Kamm, 1 Klemmschraube und Vorlagen, 34,5×34,5×11,5 cm 8.25

1372 Webstuhl mit eingespanntem Kamm, 25,5×14×7 cm, mit angefang. Arbeit, 1 Flechtnadel, 2 Spulen, 2 Strang Wolle, 1 Klemmschraube und Vorlagen, 33×16×7,5 cm 3.50

1374 Webstuhl mit eingespanntem Kamm, 34,5×16×7,5 cm, mit angefangener Arbeit, 2 Flechtnadeln, 2 Spulen, 3 Strang Wolle, 1 Klemmschraube und Vorlagen, 35×25,5×9 cm . . . . 5.—
Genaue Beschreibung und Vorlage ist überall beigegeben.

Strickmütterchen. Kleide dein Püppchen in Wolle. Beliebtes großes Beschäftigungsspiel mit genauer, mit vielen Abbildungen versehener Anleitung und schöner Zelluloidpuppe zum Ankleiden.

1332 32×24×6 cm 3.50

Pfropfenstricken (Waschseilstricken). Die altbekannte, beliebte Beschäftigung.

1342 16×10×4,5 cm . . . . 1.—

1345 Waschseilpfropfen mit Stichel (ohne Wolle) 17 cm lang . . . . —.50

1347 Pfropfenstricken für Wäscheleinen mit Schnur, 15×15×4 cm 1.25

Frühjahrs- und Sommerspiele

Der kleine Gärtner. Leichte Beschäftigung für die Jugend. Aufziehen lebender Pflanzen. Bei diesem Spiel liegt der Reiz darin, daß man die mit Erde und Samen eingefüllten Töpfchen nur zu gießen braucht, und schon nach 24 Stunden beginnen die Pflanzen zu keimen. Mit 4 gefüllten Blumentöpfchen, Holzsockel, Gießkanne, Glasglocke und Säckchen mit Samen.

1424 22,5×14,5×6,5 cm . . . . 2.—

Mein Blumengarten. Der Inhalt dient zum Aufziehen blühender Blumen, die in Gärten, auf Balkons usw. fortwachsen.

1425 Mit 3 Blumentöpfchen, 3 Untersetzern, 3 Tüten mit Samen und 1 Gießkanne, 31×22,5×6 cm 1.75

HAUSSER-Gewächshäuser. Gesetzlich geschützt. Aus Glas mit lakkierten Blechbänken. — Die Arbeit im eigenen Gewächshaus bereitet allen Kindern die größte Freude. — Genaue Beschreibung liegt bei.

1428/2 Inhalt: 1 Bank, 1 Gießkanne, 2 Tüten mit Samen, 4 Töpfe, Größe 22×9,5×13,5 cm . . . . 4.—

1428/4 Inhalt: 2 Bänke, 1 Gießkanne, 4 Tüten mit Samen, 6 Töpfe, Größe 28×16×14 cm 6.25

Quartett- und Familienkartenspiele

feinste Spielkartenqualität

605 Blum.-Quartett. Die wichtigsten und schönsten Blumenarten. 48 Karten . . . . . . 2.—

615 Pilz-Quartett. Abbildungen von den wichtigsten eßbaren u. giftigen Pilzen. 48 Karten . . 1.25

638 Die Schweiz. Reise durch das landschaftlich schönste Land Europas. 48 Karten 1.25

645 Sprachen-Quartett. Zur Erlernung der französischen und englischen Sprache. 48 Karten 2.—

682 Eisenb.-Quartett. Lehrreiche und hübsche Bilder von der Eisenbahn. 48 Karten 1.25

686 Die Schönheiten der Welt enthält Abbildungen aller groß. Städte der Welt. 48 Karten 2.—

710 Alte Meister. Gemälde-Quartett nach Originalen berühmter Künstler. 48 Karten . . . . 1.—

Schwarzer Peter.
94/3 mit 33 Karten 1.75
94/2 mit 31 Karten 1.—
94/1 mit 25 Karten —.75
94/0 mit 25 Karten —.50

> Sollte Ihr Spielwarenhändler mit einem der in diesem Katalog abgebildeten Artikel bereits ausverkauft sein, dann wählen Sie sich doch bitte etwas Ähnliches aus unserer reichhaltigen Kollektion. Wir können in diesem Jahr keine neuen Aufträge mehr annehmen.
> O. & M. HAUSSER.

598/1 Im Märchenland. Die schönsten und bekanntesten Märchen. 32 Karten 1.25

598/4 Stolze Burgen. Die schönsten und interessantesten Burgen. 32 Karten 1.25

598/6 Städtebilder-Quart. Schöne Bild. aus vielen Städten Deutschl. 32 Kart. 1.25

598/9 Vogel-Quart. Farbenprächt. Karten all. bekannten Vögel. 32 Karten 1.25

598/10 Die Blumenwelt. Alle Blumenarten in schönen, buntfarbig. Bildern. 32 Karten 1.25

598/12 Buntes Allerlei. Hübsche Bilder v. Garten, Hof, Haus, Schule usw. 32 Karten 1.25

598/13 Tiere - Quartett. Künstler, naturgetreue Abbildung. bekannter Tiere. 32 Karten 1.25

598/20 Kinderlieder-Quart. Beliebte u. bek. Kinderlied. mit schönen Bildern. 32 Karten 1.25

Schnipp-Schnapp. Beliebtes u. bekanntes Kinderkartenspiel. Künstlerisch gearbeitete Bilder.
104/2¹⁄₂ N mit 96 Karten 2.25
104/2 N mit 64 Karten 1.60
104/1 N mit 48 Karten 1.—
104/0¹⁄₂ mit 32 Karten —.50

Ⓗ

Achten Sie auf diese Schutzmarke.

Das Neckteufelchen. Ein kurzweiliges und anregendes Spiel für Kinder von 6—10 Jahren. Viele künstlerisch ausgeführte farbige Kärtchen u. 1 Drehscheibe zaubern Fröhlichkeit hervor. **242** 22×30,5×2,5 cm 1.50

690 Rennen, Rennfahrer, Rekorde. Künstlerisch ausgeführte Quartettkarten erzählen von den bedeutendsten Männern des Rennsportes. 48 Karten . . . . 2.—

688 Vom Weltkrieg zum 3. Reich. Interessante geschichtliche Begebenheiten von 1871 bis zum Münchener Abkommen 1938. 48 Karten . . . . 2.—

Reiß aus! Ges. gesch. Lust. Fangspiel. **231** in Schachtel mit Blechbecher. 4 Holzfiguren u. 1 Würfel, 10×25×4 cm —.60 **232** do., jedoch mit 6 Holzfiguren, 13× 31×5 cm . . . . 1.— **230/1** in Bakelitbecher 9×7×5 cm . . 1.—

598/8 Vaterländisches Jugendlied.-Quartett. Bekannte und beliebte Jugendlieder mit Noten u. Bild. 32 Karten 1.25

598/14 Deutschlands Wehr u. Waffen. Ein Quartettspiel von unserer neuen Wehrmacht. 32 Karten 1.25

Elfer raus! Meistgespieltes Familienkartenspiel. Für Jung und Alt interessant. 210/0 mit 40 Karten 7×11,5×3,5 cm 1.25 210 mit 80 Karten 11×14×3 cm . . 1.75

Collectors' Check List

The following pages give a checklist for collectors of principal military and political figures available between 1936/37 and 1939/40.

SERVICE COLOUR GUIDE

ARMY   Infantry = White
      Cavalry = Yellow
      Artillery = Red
      Motorised & Tank Troops = Pink
      Pioneers = Black
      Signals = Bright Yellow

LUFTWAFFE Airmen = Yellow
      Signals = Brown
      Flak Artillery = Red

14/ = MARINES

19/ = PANZERWAGEN-MANNSCHAFTEN

26/ = LUFTWAFFE – AIRMEN

28/ = LUFTWAFFE – FLAK ARTILLERY

29/ = POLITICAL FIGURES IN BROWNSHIRTS

30/ = POLITICAL FIGURES IN TUNICS

33/ = SS-LEIBSTANDARTE ADOLF HITLER

34/ = LABOUR SERVICE – RAD

36/ = HITLER YOUTH – HJ

37/ = JUNGVOLK – JV

39/ = BUND DEUTSCHER MADCHEN – BDM
   ARMY AND OTHER FIGURES

0/9	Infantryman marching, in field-cap, shouldered rifle, without pack.
0/12	Infantryman marching, steel helmet, shouldered rifle, without pack.
0/12T	Infantryman marching, steel helmet, shouldered rifle, pack.
2	Officer striding, steel helmet & drawn sword.
4	Mountain soldier striding, rifle slung on right shoulder & rucksack.
6	Infantryman striding, pack & shouldered rifle.
7	Infantryman marching, in field-cap, small pack & shouldered rifle.
8	Infantryman marching, in steel helmet, small pack & shouldered rifle.
9½	Officer marching, in peak-cap.
10	Platoon commander, marching, steel helmet.
11	Infantryman marching, in walking-out dress.
12	Infantryman marching, in steel helmet pack & shouldered rifle.
12/0	Same as fig. 12, but with open collar to tunic.
13/12	Infantryman goose-stepping, pack & shouldered rifle.
/51	Flag-bearer goose-stepping, tin flag.

14/10	MARINES
/12	Officer marching in coat, drawn sword.
	Marine marching in blue or white uniform, shouldered rifle.
/12½	Marine marching in full-length trousers, shouldered rifle.
/20	RAEDER standing at attention, saluting.
/47/1	Bandsman marching, playing side-drum.
/47/2	Bandsman marching, playing fife.
/47/4	Bandsman marching, playing bugle.
/47/6	Drum-major marching.
/47/10	Conductor marching.
/47/11	Bandsman marching, playing trumpet.
/47/12	Bandsman marching, playing clarinet.
/47/13	Bandsman marching, playing small tuba.
/47/14	Bandsman marching, playing large tuba.
/47/15	Bandsman marching, playing bassoon.
/47/16	Bandsman marching, playing cymbals.
/47/17	Bandsman marching, playing French horn.
/47/20	Bandsman marching, playing bass drum.
/47/22	Bandsman marching, playing glockenspiel.

/47/24	Bandsman marching, one-tier schellenbaum.
/47/26	Bandsman marching, three-tier schellenbaum.
/47/28	Bandsman marching, playing trombone.
/47/29	Fanfare-trumpeter marching.
/51	Flag-bearer marching, in parade dress, tin flag.
/51½	Flag-bearer striding, in full-length trousers, tin flag.
/578	Marine throwing grenade.
/620	Marine charging with rifle.
/621	Officer running with drawn sword.
/624	Marine lying firing rifle.
/626	Marine kneeling firing rifle.
/628	Marine standing firing rifle
/640	Marine clubbing with rifle.
18/20N	FRANCO standing saluting.

	PANZERGRENADIERS
19/12	Man marching.
/50/19	Officer standing at attention, saluting.
/578	Man throwing grenade.
/621/3	Officer running, firing pistol.
/664/5½	Officer standing, holding map & binoculars.
/664/13	Man running, carrying LMG.
/664/32	Man seated for vehicle.
/665/9	Officer looking upward through binoculars.
25/21N	MUSSOLINI walking, movable arm.
/406	MUSSOLINI on standing horse, movable arm.

	LUFTWAFFE – AIRMEN
26/9	Man marching in field-cap, shouldered rifle.
/9/0	Officer marching in field-cap.
/11	Man marching in blue peak-cap.
/11W	Man marching in white peak-cap.
/11½	Man marching in field-cap.
/12	Man marching, steel helmet, shouldered rifle.
/21	GOERING walking in tunic, holding baton, movable arm.
/30N	GOERING standing in greatcoat, holding baton, left hand on hip.
/47/1	Bandsman marching, playing side-drum.
/47/2	Bandsman marching, playing fife.
/47/4	Bandsman marching, playing bugle.
/47/6	Drum-major marching.
/47/10	Conductor marching.
/47/11	Bandsman marching, playing trumpet.
/47/12	Bandsman marching, playing clarinet.

/47/13	Bandsman marching, playing small tuba.
/47/14	Bandsman marching, playing large tuba.
/47/15	Bandsman marching, playing bassoon.
/47/16	Bandsman marching, playing cymbals.
/47/17	Bandsman marching, playing French horn.
/47/20	Bandsman marching, playing bass drum.
/47/22	Bandsman marching, playing glockenspiel.
/47/24	Bandsman marching, with one-tier schellenbaum.
/47/26	Bandsman marching, with three-tier schellenbaum.
/47/28	Bandsman marching, playing trombone.
/47/29	Fanfare-trumpeter, marching.
/50/12	Man standing at attention, in steel helmet.
/50/49	Flag-bearer at attention; Elastolin flag.
/50/61	Man standing at attention presenting arms.
/51	Flag-bearer marching, tin flag.
/550/5	Officer walking, saluting, movable arm.
/550/6N	Officer standing looking at map.
/550/7	Officer standing, dagger & binoculars.
/550/7½	General standing in greatcoat, sword.
/651	Staff-Officer standing with sword & binoculars round neck.
/658/1	Pilot walking, in flying-suit, carrying crash-helmet.
/658/3	Pilot walking, carrying propeller.
/658/14	Man marching in crash helmet.

LUFTWAFFE – FLAK ARTILLERY

28/9	Man marching in field-cap, shouldered rifle.
/9/0	Officer marching in field-cap.
/11	Man marching in blue peak-cap.
/11W	Man marching in white peak-cap.
/11½	Man marching in field-cap.
/12	Man marching in steel helmet, shouldered rifle.
/47/1	Bandsman marching, playing side-drum.
/47/2	Bandsman marching, playing fife.
/47/4	Bandsman marching, playing bugle.
/47/6	Drum-major marching.
/47/10	Conductor marching.
/47/11	Bandsman marching, playing trumpet.
/47/12	Bandsman marching, playing clarinet.
/47/13	Bandsman marching, playing small tuba.
/47/14	Bandsman marching, playing large tuba.
/47/15	Bandsman marching, playing bassoon.
/47/16	Bandsman marching, playing cymbals.
/47/17	Bandsman marching, playing French horn.
/47/20	Bandsman marching, playing bass drum.
/47/22	Bandsman marching, playing glockenspiel.
/47/24	Bandsman marching, with one-tier schellenbaum.
/47/26	Bandsman marching with three-tier schellenbaum.
/47/28	Bandsman marching, playing trombone.
/47/29	Fanfare-trumpeter, marching.
/51	Flag-bearer marching, tin flag.
/63	Man marching, steel helmet, pack & rifle slung on right shoulder.
/550/5	Officer walking, saluting, movable arm.
/550/6N	Officer standing, looking at map.
/550/7	Officer standing, dagger & binoculars.
/550/7½	General standing in greatcoat, sword.
/590N	Motor-cycle (fixed wheels) rollers.
/590N2	Motor-cycle (fixed wheels) & passenger.

/651	Staff-Officer standing with sword & binoculars round neck.
/658/5	Man standing with loud-hailer.
/664/1	Man sitting at gun (without weapon)
/664/4	Gun commander kneeling, movable arm.
/664/5½	Officer standing holding map & binoculars.
/664/8	Man sitting at rangefinder.
/664/16	Man standing by shell-baskets holding shell.
/664/17	Man kneeling with shell-basket.
/664/18	Man kneeling with shell on left knee.
/664/19	Man walking carrying shell.
/664/19N	Man standing holding shell.
/664/23	Man standing loading shell.
/664/28	Man standing firing anti-aircraft M/G on tripod.
/664/50	Man using ram-rod.
/665/5	Man standing at large rangefinder.
/665/7	Man standing with small rangefinder looking upward.
/665/9	Officer looking upward through binoculars.

FIGURES IN BROWNSHIRTS (POLITICAL)

00/29/12	Man marching, inferior quality.
29/10	Leader marching.
/12	Man marching.
/12T	Man marching with pack.
/15	HITLER seated for vehicle.
/17	Leader marching, saluting.
/18	Man marching, saluting.
/20	HITLER standing, movable arm.
/24	HITLER standing, in civilian clothes & overcoat.
/38	Torch-bearer, right-handed, marching.
/40	Torch-bearer, left-handed, (working light).
/45/1	Drummer, not playing.
/45/4	Bugler, not playing.
/47/1	Bandsman marching, playing side-drum.
/47/2	Bandsman marching, playing fife.
/47/4	Bandsman marching, playing bugle.
/47/6	Drum-major marching.
/47/10	Conductor marching.
/47/11	Bandsman marching, playing trumpet.
/47/12	Bandsman marching, playing clarinet
/47/13	Bandsman marching, playing small tuba.
/47/14	Bandsman marching, playing large tuba.
/47/15	Bandsman marching, playing bassoon.
/47/16	Bandsman marching, playing cymbals.
/47/17	Bandsman marching, playing French horn.
/47/20	Bandsman marching, playing bass drum.
/47/21	Bandsman marching, playing bass drum with dog pulling supporting cart.
/47/22	Bandsman marching, playing glockenspiel.
/47/24	Bandsman marching with one-tier schellenbaum.
/47/26	Bandsman marching with three-tier schellenbaum.
/47/28	Bandsman marching, playing trombone.
/47/29	Fanfare-trumpeter, marching.
/47/30	Fanfare-trumpeter standing, feet apart.
/49	Flag-bearer marching, Elastolin flag.
/50/10	Leader, standing at attention.
/50/12	Man standing at attention.
/50/51	Flag-bearer, standing at attention.

/50/54	Party Standard-bearer, standing at attention.
/51	Flag-bearer marching, tin flag.
/54	Party Standard-bearer marching.
/58	Man in greatcoat, marching.
/58T	Man in greatcoat, marching with pack.
/400	Rider with lance, on walking horse.
/401	Rider without lance, on walking horse.
/402	Leader on walking horse.
/442	Leader on galloping horse.
/550/15	Semaphore signaller.
/580	Driver seated for vehicle.
/588	Motorised SA man, with crash-helmet.
/590	Motorised SA man carrying wheel.
/664/30	Rider for horse.
/664/32	Man seated for vehicle.
/664/34	Leader seated for vehicle.
/669/1	Man standing holding food-label.
/669/4	Man standing serving food.

FIGURES IN TUNICS (POLITICAL)

00/30/12	Man marching, inferior quality.
30/4	Man marching, movable arm.
/4T	Man marching, movable arm & pack.
/9	HESS standing, movable arm.
/10	Leader marching.
/12	Man marching.
/13	GOEBBELS standing at attention, movable arm.
/15	GOERING standing in Luftwaffe uniform, movable arm.
/15N	HITLER in greatcoat, seated for vehicle, movable arm.
/16	GOERING standing in SA uniform, movable arm.
/17	Leader marching, saluting.
/18	Man marching, saluting.
/19	Leader standing, saluting.
/22	HITLER walking, saluting, fixed arm.
/23	HITLER walking in full uniform, cloak & cap, saluting.
/24	HITLER standing in overcoat, saluting.
/25	HITLER walking, fixed arm, not saluting.
/29	Leader standing, movable arm.
/30	GOERING standing in Luftwaffe uniform & greatcoat, hand on hip.
/46/1	Bandsman at attention playing side drum.
/46/2	Bandsman at attention playing fife.
/46/6	Drum-major at attention.
/46/10	Conductor at attention.
/46/11	Bandsman at attention, playing trumpet.
/46/12	Bandsman at attention, playing clarinet.
/46/13	Bandsman at attention, playing small tuba.
/46/14	Bandsman at attention, playing large tuba.
/46/16	Bandsman at attention, playing cymbals.
/46/17	Bandsman at attention, playing French horn.
/46/20	Bandsman at attention, playing bass drum.
/46/28	Bandsman at attention, playing trombone.
/46/32	Bandsman at attention, playing kettledrums.
/46/50	Music stand.
/47/1	Bandsman marching, playing side drum.
/47/2	Bandsman marching, playing fife.

/47/4	Bandsman marching, playing bugle.
/47/6	Drum-major marching.
/47/10	Conductor marching.
/47/11	Bandsman marching, playing trumpet.
/47/12	Bandsman marching, playing clarinet.
/47/13	Bandsman marching, playing small tuba.
/47/14	Bandsman marching, playing large tuba.
/47/15	Bandsman marching, playing bassoon.
/47/16	Bandsman marching, playing cymbals.
/47/17	Bandsman marching, playing French horn.
/47/20	Bandsman marching, playing bass drum.
/47/21	Bandsman marching, playing bass drum, with dog pulling supporting cart.
/47/22	Bandsman marching, playing glockenspiel.
/47/24	Bandsman marching with one-tier schellenbaum.
/47/26	Bandsman marching with three-tier schellenbaum.
/47/28	Bandsman marching, playing trombone.
/50/7	SCHIRACH standing at attention, movable arm.
/50/10	Leader standing at attention.
/50/12	Man standing at attention.
/50/20	HITLER standing at attention, movable arm.
/50/20N	HITLER standing at attention, movable arm, wearing peak-cap.
/50/20½	HITLER seated for vehicle, movable arm.
/50/49	Flag-bearer at attention, Elastolin flag.
/50/51	Flag-bearer at attention, tin flag.
/50/53	Staff Standard-bearer, at attention.
/50/54	Party Standard-bearer, at attention.
/51	Flag-bearer in parade-dress, marching with tin flag.
/52	Flag-bearer marching.
/54	Party Standard-bearer, marching.
/401	Rider on walking horse.
/405	Rider on walking horse, saluting.
/406	Leader on walking horse, saluting.
/445/4	Mounted bandsman playing bugle.
/445/11	Bandsman marching, playing trumpet.
/445/13	Bandsman marching, playing small tuba.
/445/14	Bandsman marching, playing large tuba.
/445/32	Bandsman marching, playing kettledrums.
/550/1	Man lying on back, hands behind head.
/550/2	Man lying on front, resting on elbows.
/550/3	Man lying on right side, drinking.
/550/4	Man lying on left side, resting on elbow.
/550/5	Leader, standing casually.
/550/6	Leader, standing reading map.
/550/8	Leader, standing looking through binoculars.
/550/20	Man sitting, playing accordian.
/550/22	Man sitting, cutting bread.
/585	Motorised SA man, with crash-helmet
/589/51	Motorised SA flag-bearer.
/644	Flag-bearer, running.
/647	Drummer running.
/659/3	Leader standing telephoning.
/659/8	Man kneeling at box writing.
/664/4	Man kneeling, movable arm.
/664/5	Leader standing with binoculars.
/664/6	Leader kneeling looking through binoculars.
/664/36	Driver seated for vehicle.
/664/38	Leader seated at steering-wheel.

/666/10	Skier.
/666/12	Skier carrying skis.
/669/5	Man sitting, eating from dish.

LEIBSTANDARTE ADOLF HITLER

33/2	Officer striding, steel helmet & drawn sword.
/6	Man striding, steel helmet, pack & shouldered rifle.
/12	Man marching, steel helmet, pack & shouldered rifle.
/13/12	Man goose-stepping, steel helmet, pack & shouldered rifle.
/13/51	Flag-bearer goose-stepping, tin flag.
/50/12	Man standing at attention.
/50/20	Officer at attention with drawn sword at side.
/50/49	Flag-bearer at attention with Elastolin Blood Flag.
/50/61	Man at attention, presenting arms.
/50/65	Man at attention with rifle by side.
/51	Flag-bearer marching, tin flag.
/59	Sentry stood at ease, shouldered rifle.

LABOUR SERVICE – RAD

34/4	Man marching, movable arm.
/10	Leader marching.
/12	Man marching.
/20	Leader marching, movable arm.
/40	Torch-bearer marching, working light.
/47/1	Bandsman marching, playing side drum.
/47/2	Bandsman marching, playing fife.
/47/4	Bandsman marching, playing bugle.
/47/6	Drum-major marching.
/47/10	Conductor marching.
/47/11	Bandsman marching, playing trumpet.
/47/12	Bandsman marching, playing clarinet.
/47/13	Bandsman marching, playing small tuba.
/47/14	Bandsman marching, playing large tuba.
/47/15	Bandsman marching, playing bassoon.
/47/16	Bandsman marching, playing cymbals.
/47/17	Bandsman marching, playing French horn.
/47/20	Bandsman marching, playing bass drum.
/47/21	Bandsman marching, playing bass drum, with dog pulling supporting cart.
/47/22	Bandsman marching, playing glockenspiel.
/47/24	Bandsman marching, with one-tier schellenbaum.
/47/26	Bandsman marching, with three-tier schellenbaum.
/47/28	Bandsman marching, playing trombone.
/47/29	Fanfare-trumpeter, marching.
/51	Flag-bearer marching in parade-dress.
/58	Man marching in coat.
/662/11	Man with shovel, marching.
/662/16	Man with rake, marching.
/662/18	Man with pitchfork, marching.
/662/20	Man with pickaxe, marching.
/662/22	Man with spade, marching.
/663/2	Man shovelling.
/663/4	Man hacking with pick.

HITLER YOUTH – HJ

36/10	Leader marching.
/12	Youth in cap marching.

/12½	Youth without cap marching.
/51	Flag-bearer marching, tin flag.
/55	Pennant-carrier in cap, marching.
/55½	Pennant-carrier marching, cap-less.

DEUTSCH JUNGVOLK – JV

37/5½	Boy marching in training clothes.
/12	Boy marching in brown shirt.
/12½	Boy marching in dark jacket.
/12T	Boy marching in brown shirt, with pack.
/12½T	Man marching in dark jacket, with pack.
/47/1	Boy marching in brown shirt, playing drum.
/47/1½	Boy marching in dark jacket, playing drum.
/47/2	Boy marching in brown shirt, playing fife.
/47/2½	Boy marching in dark jacket, playing fife.
/47/6	Drum-major in brown shirt, marching.
/47/6½	Drum-major in dark jacket, marching.
/47/30	Fanfare-trumpeter in brown shirt, marching.
/47/30½	Fanfare-trumpeter in dark jacket, marching.
/52	Flag-bearer in brown shirt, marching.
/52½	Flag-bearer in dark jacket, marching.
/55	Pennant-carrier in brown shirt, marching.
/55½	Pennant-carrier in dark jacket, marching.
/550/1	Boy lying on back, in brown shirt.
/550/1½	Boy lying on back, in dark jacket.
/550/2	Boy lying on front, in brown shirt.
/550/2½	Boy lying on front, in dark jacket.
/550/3	Boy sitting drinking, in brown shirt.
/550/3½	Boy sitting drinking, in dark jacket.
/550/15	Semaphore signaller, in brown shirt.
/550/15½	Semaphore signaller, in dark jacket.
/550/18	Boy carrying bundle of wood, in brown shirt.
/550/18½	Boy carrying bundle of wood, in dark jacket.
/550/20	Boy sitting playing accordian, in brown shirt.
/550/20½	Boy sitting playing accordian, in dark jacket.
/550/21	Boy sitting playing guitar, in brown shirt.
/550/21½	Boy sitting playing guitar, in dark jacket.
/550/22	Boy sitting cutting bread, in brown shirt.
/550/22½	Boy sitting cutting bread, in dark jacket.
/550/24	Boy sitting eating from dish, in brown shirt.
/550/24½	Boy sitting eating from dish, in dark jacket.
/550/28	Boy kneeling cooking, in brown shirt.
/550/28½	Boy kneeling cooking, in dark jacket.
/550/30	Boy kneeling serving food, in brown shirt.
/550/30½	Boy kneeling serving food, in dark jacket.
/654/5	Drum-pyramid, with pennant.
/659/2	Boy kneeling telephoning, in brown shirt.
/659/2½	Boy kneeling telephoning, in dark jacket.

BDM

39/8	Young girl marching.
/12	Girl marching, in white blouse & blue dress.
/12½	Girl marching, in brown dress.
/12N	Girl marching, wearing pig-tails.
/55	Girl marching, carrying pennant.

ARMY & OTHER FIGURES

40	Torch-bearer marching, working light.
46/1	Bandsman at attention, playing side drum.

Ref	Description
/2	Bandsman at attention, playing fife.
/6	Drum-major at attention.
/10	Conductor at attention.
/11	Bandsman at attention, playing trumpet.
/12	Bandsman at attention, playing clarinet.
/13	Bandsman at attention, playing small tuba.
/14	Bandsman at attention, playing large tuba.
/16	Bandsman at attention, playing cymbals.
/17	Bandsman at attention, playing French horn.
/20	Bandsman at attention, playing bass drum.
/22	Bandsman at attention, playing glockenspiel
/24	Bandsman at attention, with one-tier schellenbaum.
/26	Bandsman at attention, with three-tier schellenbaum.
/28	Bandsman at attention, playing trombone.
/32	Bandsman at attention, playing kettledrums.
/50	Music stand.
47/1	Bandsman marching, playing side drum.
/2	Bandsman marching, playing fife.
/4	Bandsman marching, playing bugle.
/6	Drum-major marching.
/10	Conductor marching.
/11	Bandsman marching, playing trumpet.
/12	Bandsman marching, playing clarinet.
/13	Bandsman marching, playing small tuba.
/14	Bandsman marching, playing large tuba.
/15	Bandsman marching, playing bassoon.
/16	Bandsman marching, playing cymbals.
/17	Bandsman marching, playing French horn.
/20	Bandsman marching, playing bass drum.
/21	Bandsman marching, playing bass drum, with dog pulling supporting cart.
/22	Bandsman marching, playing glockenspiel.
/24	Bandsman marching with one-tier schellenbaum.
/26	Bandsman marching with three-tier schellenbaum.
/28	Bandsman marching, playing trombone.
/29	Fanfare-trumpeter, marching.
/30	Fanfare-trumpeter standing.
49	Flag-bearer marching, Elastolin flag.
50/12	Infantryman at attention, pack & shouldered rifle.
/20	Officer at attention, drawn sword by side.
/49	Flag-bearer at attention, Elastolin flag.
/51	Flag-bearer at attention, presenting flag.
/53	Staff Standard-bearer at attention.
/61	Infantryman at attention presenting arms.
/65	Infantryman at attention, rifle by side.
51	Flag-bearer marching, erect tin flag.
51½	Flag-bearer marching, erect tin flag, in traditional colours.
51N	Flag-bearer striding, tin flag.
52	Flag-bearer marching, tin flag resting on shoulder.
54/624	Man lying, firing working rifle.
/626	Man kneeling, firing working rifle.
/628	Man standing, firing working rifle.
56/13/12	Recruit goose-stepping, shouldered rifle.
/13/72	Recruit goose-stepping, hands behind back.
/13/76	Recruit doing knee-bends, rifle above head.
/50/12	Recruit at attention, shouldered rifle.
/50/61	Recruit at attention, presenting arms.
/394	Recruit on horseback, arms held out.
58	Infantryman marching in greatcoat.
59	Sentry stood at ease, shouldered rifle.
60N	Sentry stood in greatcoat, upturned collar.
62	Infantryman marching, pack & rifle across chest.
63	Infantryman marching, pack & rifle slung on right shoulder.
64	Infantryman marching, pack & rifle held high on right shoulder.
401	Cavalryman with carbine, on walking horse.
402	Captain on walking horse.
403	Officer on walking horse, with stirrups.
404	Cavalryman on walking horse, with stirrups & detachable carbine.
405	Adjutant on walking horse, saluting.
406	Adjutant on walking horse, with stirrups.
408/403	Standard-bearer on walking horse.
409/401	Cavalryman on standing horse.
/406	Adjutant on standing horse, with stirrups.
410	HINDENBURG on walking horse.
440	Cavalryman charging with lance.
440N	Cavalryman on galloping horse.
441	Cavalryman with drawn sword & movable arm.
442	Officer charging.
/11N	Bugler on galloping horse.
445/4	Mounted band-leader.
445/4½	Mounted band-leader on walking horse.
/11	Mounted bandsman, playing trumpet.
/11½	Mounted bandsman, playing trumpet on walking horse.
/13	Mounted bandsman, playing small tuba.
/13½	Mounted bandsman, playing small tuba on walking horse.
/14	Mounted bandsman, playing large tuba.
/14½	Mounted bandsman, playing large tuba, on walking horse.
/32	Mounted bandsman, playing kettledrums.
/32½	Mounted bandsman, playing kettledrums on walking horse.
550/1	Man lying on back, hands behind head.
/2	Man lying on front, resting on elbows.
/3	Man lying on right side, drinking.
/4	Man lying on left side, resting on elbow.
/5N	Officer marching, saluting, movable arm.
/6	Officer standing, reading map.
/6N	Officer standing, looking at map.
/7	Same as figure 651.
/7N	Officer standing with dagger, hand on hip.
/7½	General standing in greatcoat, with sword & hand on hip.
/8	Officer standing, looking through binoculars.
/10	Rifle-pyramid.
/15	Semaphore signaller.
/17	Man carrying two buckets.
/18	Same as figure 669/1.
/19	Same as figure 669/4.
/20	Man sitting, playing accordian.
/22	Man sitting, cutting bread.
/23	Man kneeling, with mess-tin.
/25	Man standing, drying with towel.
/26	Man washing over bucket.
/28	Man shaving, holding mirror.
/30	Man standing, polishing boots.
/34/50	Man sitting at table with typewriter, using right hand.
/36/50	Man sitting at table with typewriter, using both hands.
/40	Man in fatigue-dress, standing at table, scrubbing uniform.
574	Man standing priming grenade.
575	Man throwing grenade, & carrying bag of grenades.
576	Man throwing grenade, without gas-mask.
577	Man throwing grenade, with gas-mask.
578	Man throwing grenade, arm raised high.
579	Grenadier running.
580	Grenadier crawling.
582	Trench-mortar, man firing.
584	Man sounding gas-alarm gong.
585	Man crawling, with wire-cutters.
586	Man with flame-thrower.
590	Small motor-cycle, fixed wheels.
590N	Motor-cycle, fixed wheels & rollers.
590½	Motor-cycle, fixed wheels without rollers.
591/1	Motor-cycle, movable wheels.
/2	Motor-cycle, movable wheels & pillion-passenger.
/4	Motor-cycle, movable wheels, pillion passenger & side-car, with LMG & passenger.
/5	Motor-cycle, movable wheels & pillion passenger & side-car carrying HMG No. 696.
/6	Signals motor-cycle, movable wheels, side-car, passenger, aerial, morse-buzzer & searchlight.
/14	Same as 591/4, but with clockwork.
/15	Same as 591/5, but with clockwork.
/32	Pillion-passenger.
/40	Man for side-car.
592	Dog-handler with despatch-dog.
593	Man holding pigeon, standing by cage, with dog.
620	Man charging with rifle.
620G	Man charging with rifle, in gas-mask.
620/2	Man running carrying rifle.
/4	Man walking, rifle under arm.
621	Officer running with drawn sword.
621G	Officer running with drawn sword, in gas-mask.
621/3	Officer running, firing pistol.
624	Man lying, firing rifle.
624G	Man lying, firing rifle, in gas-mask.
625	Man lying with rifle on fore-arm.
626	Man kneeling, firing rifle.
626G	Man kneeling, firing rifle, in gas-mask.
627	Man kneeling with rifle by foot.
628	Man standing, firing rifle.
628G	Man standing, firing rifle, in gas-mask.
630	Man standing, firing rifle into air.
634	Man crouching, about to charge.
640	Man clubbing with rifle.
642	Man running blowing bugle.
642/2	Man running, not blowing bugle.
644	Flag-bearer running forward.

644½	Flag-bearer running forward with rifle & equipment.
647	Man running, playing drum.
648	HINDENBURG walking, in civilian dress.
649	HINDENBURG standing in uniform & greatcoat.
649	HINDENBURG standing in full uniform & peak-cap.
650/1	MACKENSEN standing in hussar uniform.
/2	LUDENDORF standing in greatcoat & cape.
650/3	BLOMBERG standing saluting (later called General saluting).
/4	BLOMBERG walking carrying baton, in steel helmet.
/7	General standing at attention saluting, in greatcoat.
651	Staff-Officer standing with sword & binoculars round neck (= fig. 550/7).
652/2	Wounded man lying against tree-stump.
/4	Wounded man on back, bandaged head arm & foot.
/6	Wounded man falling backwards.
/8	Man sitting back, protecting himself with arm.
/10	Wounded man walking, in greatcoat.
/10N	Wounded man walking, in greatcoat, head bandaged & arm in sling.
/12	Wounded man walking with stick.
/14	Wounded man lying on left side.
/15	Dead soldier.
654/3	Group of shells & shell-baskets.
/4	Small explosion.
/6	Large explosion.
/8	Large explosion, with working light.
/12	Pile of shells.
656/1	Nurse kneeling, giving treatment.
/2	Nurse standing, giving treatment.
/3	Nurse walking, carrying bucket.
/5	Nurse walking, holding bag.
/5N	Nurse walking.
/8	Medical dog.
/8½	Medical dog running.
/11	Two stretcher-bearers, moulded patient & stretcher.
/11½	Two stretcher-bearers, wire stretcher & separate patient.
/12	Two medics carrying wounded man.
/14	Medic carrying wounded man on shoulder.
/15	Medic leading wounded man.
/22	Medic walking with pack on back.
/26	Medic standing, pouring water from flask.
657/1	Doctor attending seated patient.
/10	Doctor standing in white coat.
658/5	Man with loud hailer. (= fig. 659/5)
659/1	Man lying on side, telephoning.
/3	Officer standing, telephoning.

/5	Man hanging telephone cable with rod.
/6	Wooden telegraph pole.
/6½	Wooden telegraph pole, large.
/7	Roadsign, Elastolin.
/8	Man kneeling at box, writing.
/9	Two men carrying cable drum.
/10	Two men kneeling, one telephoning & one with cable drum on back.
/12	Man working up telegraph pole.
/13	Man kneeling at telephone, writing.
/15	Radio group with aerial, morse alphabet & electric morse-key.
/15/727	Same as 659/15, with searchlight 727 for signalling.
659/18	Same as 659/15, but with buzzer for signalling.
/19	Set of two 659/18, with length of cable.
/20	Two operators at radio, with aerial.
/22	Morse signaller, standing at working lamp, (same as fig. 660/1).
/25	Semaphore signaller, standing, legs astride.
/30	Same as fig. 593.
/32	Despatch-dog running.
660/1	Same as fig. 659/22.
662/3	Pioneer standing with starboard oar.
/5	Pioneer standing with port oar.
/11	Pioneer walking with shovel.
/13	Pioneer sitting with starboard paddle.
/15	Pioneer sitting with port paddle.
/16	Same as fig. 663/2.
/17	Same as fig. 663/4.
/18	Man sitting cross-legged, with rifle.
/20	Pioneer walking with pick.
/23	Pioneer carrying girder over right shoulder.
/25	Pioneer carrying girder over left shoulder.
/27	Pioneer carrying sandbag on left shoulder.
/30	Pontoon boat, 24cm. long.
/32	Inflatable boat, 16 cm. long.
/36	Inflatable boat, 22 cm. long.
663/2	Pioneer, shovelling. (Same as fig. 662/16).
/4	Pioneer, hacking. (Same as fig. 662/17).
664/1	Man sitting on box, firing gun (without weapon).
/1N	Man sitting on ground, firing gun (without weapon).
/2	Man walking, carrying ammo box in each hand.
/2½	Rifle-leader walking, carrying spade in left hand & box in right.
/3	Man lying on front, resting on elbows, waiting in readiness.
/4	Gun-commander kneeling, movable arm.
/5½	Officer standing, holding map & binoculars.

/6	Man kneeling looking through binoculars.
/7	Man lying, feeding ammo-belt.
/8	Man sitting at rangefinder.
/9	Man sitting at Elastolin HMG.
/10	Man lying at Elastolin HMG.
/10½	Man lying at HMG with electrical firing device.
/12	Two men carrying metal HMG.
/13	Man running, carrying LMG.
/13N	Man charging, carrying LMG (later model).
/14	Man lying, firing air-cooled LMG.
/15	Man walking, carrying LMG under arm.
/16	Man standing at shell-baskets, holding shell.
/17	Man kneeling with shell-basket.
/18	Man kneeling with shell on left knee.
/19	Man walking, carrying shell.
/19N	Man standing holding shell.
664/20	Observer standing at trench periscope.
/22	Rifle-leader lying, looking through binoculars.
/23	Man standing, about to load shell.
/25	Man lying with ammo boxes.
/28	Man standing, firing LMG on tripod.
/41	Man walking, carrying LMG across back.
/42	Man walking carrying spare barrel on back.
/43	Man walking, carrying rifle on back.
/44	Man walking, carrying tripod on back.
/46	Anti-tank gunner kneeling, loading small shell.
/48	Anti-tank gunner laying on front, handing-out shells from box.
/50	Man using ram-rod.
/56	Section-leader, lying against tree-trunk, movable arm.
665/1	Man lying with small rangefinder.
/3	Man kneeling at direction-finder.
/5	Man standing at large rangefinder.
/7	Man standing with small rangefinder, looking upward.
/9	Officer looking upward through binoculars.
/11	Officer lying on front, looking at map.
666/10	Skier.
/12	Skier carrying skis.
669/1	Man standing, holding food-ladle.
/4	Man standing, serving food.
/5	Man sitting, eating from dish.
696/2	Two men pulling HMG on cart.
6954	Elastolin camp-fire, with working light.
6956	Elastolin camp-fire, w/out working light.
6958	Elastolin cooking-fire, with two pots & working light.

Vergleichsliste für Sammler

Vergleichsliste für Sammler über die hauptsächlichsten
militärischen und politischen Figuren, die zwischen
1936/37 und 1939/40 angeboten wurden.

ERLÄUTERUNGEN ZU DEN WAFFENFARBEN

REICHSHEER   Infanterie = Weiß.
                     Kavallerie = Gelb.
                     Artillerie = Rot.
                     Kraftfahrer und Panzertruppe = Rosa.
                     Pioniere = Schwarz.
                     Nachrichtentruppe = Hellgelb.

LUFTWAFFE   Fliegertruppe = Gelb.
                     Flak-Artillerie = Rot.
                     Luft-Nachrichtentruppe = Braun.

14/ = MARINE

19/ = PANZERWAGEN-MANNSCHAFTEN

26/ = LUFTWAFFE-FLIEGERTRUPPEN

28/ = LUFTWAFFE-FLAK-ARTILLERIE

29/ = POLITISCHE FIGUREN IM BRAUNHEMD

30/ = POLITISCHE FIGUREN IM WAFFENROCK

33/ = SS-LEIBSTANDARTE ADOLF HITLER

34/ = ARBEITSDIENST – RAD

36/ = HITLERJUGEND – HJ

37/ = JUNGVOLK – JV

39/ = BUND DEUTSCHER MÄDEL – BDM

       HEERES- UND ANDERE FIGUREN

0/9	Infanterist einf. Ausführ. o. Torn. m. Feldmütze.
0/12	Infanterist einf. Ausführ. o. Torn.
0/12T	Infanterist einf. Ausführ. m. Torn.
2	Offizier i. neuen Schritt.
4	Gebirgsjäger mit Karabiner u. Rucksack.
6	Inf. im neuen Schritt m. Torn.
7	Infanterist mit Feldmütze und abnehmbarem Tornister.
8	Inf. mit abnehm. Tornister.
9½	Offizier mit Feldmütze.
10	Zugführer.
11	Infanterist im Ausgeh-Anzug.
12	Infanterist m. Torn.
12/0	Infanterist m. Torn. mit off. Kragen.
13/12	Infanterist im Parademarsch.
/51	Fahnenträger im Parademarsch.
	MARINE
14/10	Offizier im großen Rock.
/12	Matrose.
/12½	Matrose m. lang. Hosen.
/20	RAEDER, grüß.
/47/1	Trommler.
/47/2	Pfeifer.
/47/4	Hornist.
/47/6	Bataillonshornist.
/47/10	Musikmeister.
/47/11	Trompetenbläser.
/47/12	Klarinettenbläser.
/47/13	Bläser m. Tenorhorn.
/47/14	Bläser m. Tuba.
/47/15	Fagottbläser.
/47/16	Beckenschläger.
/47/17	Waldhornbläser.
/47/20	Pauker.
/47/22	Lyraträger.
/47/24	Musik. m. 1teil. Schellenbaum.
/47/26	Musik. m. 3teil. Schellenbaum.
/47/28	Posaunenbläser.
/47/29	Fanfarenbläser.
/51	Fahnentr. i. Marsch, in Paradestellung, Blechfahne.
/51½	Fahnentr. i. Schr. mit langer Hose
/578	Handgranatenwerfer.
/620	Matrose im Sturm.
/621	Marine-Offizier im Sturm.
/624	Matrose liegend schießend.
/626	Matrose kniend schießend.
/628	Matrose stehend schießend.
/640	Matros schlagend.
18/20N	FRANCO mit bewegl. Arm.
	PANZERWAGEN-MANNSCHAFTEN
19/12	Mann i. Marsch.
/50/19	Offizier, salutierend, für Tank pass.
/578	Mann Handgranate werfend.
/621/3	Offizier im Sturm mit Pistole.
/664/5½	Offizier mit Karte und Fernglas.
/664/13	Mann mit LMG im Sturm.
19/664/32	Mann sitzend (als Panzerbesatzung).
/665/9	Offizier stehend, n. Flugzeug sehend.
25/21N	MUSSOLINI gehend, mit bew. Arm.
/406	MUSSOLINI auf stehendem Pferd, mit bew. Arm.
	LUFTWAFFE-FLIEGERTRUPPEN
26/9	Flieger im Marsch, Gewehr über.
/9/0	Offizier im Marsch, mit Feldmütze.
/11	Flieger, mit blauer Mütze, im Marsch.
/11W	Flieger im Marsch mit weißer Mütze.
/11½	Flieger im Marsch mit Feldmütze.
/12	Flieger in Marsch mit Gewehr u. Stahlh.
/21	GÖRING i. Waffenr. mit Marschallstab u. bew. Arm.
/30N	GÖRING im Mantel und Marschallst.
/47/1	Trommler.
/47/2	Pfeifer.
/47/4	Hornist.
/47/6	Bataillons-Hornist.
/47/10	Musikmeister.
/47/11	Trompetenbläser.
/12	Klarinettenbläser.
/47/13	Bläser mit Tenorhorn.
/47/14	Bläser mit Tuba.
/47/15	Fagottbläser.
/47/16	Beckenschläger.
/47/17	Waldhornbläser.
/47/20	Pauker.
/47/22	Lyraträger.
/47/24	Musik m. 1teil. Schellenbaum.
/47/26	Musik m. 3teil. Schellenbaum.
/47/28	Posaunenbläser.
/47/29	Fanfarenbläser.

/50/12	Flieger stillgest., Gew. üb.	/664/19	Kanonier Granate tragend.	/580	Fahrer sitzend, für Kfz.
/50/49	Fahnenträger stillgestanden, m. Elastolin-Fahne.	/664/19N	Kanonier stehend mit Granate.	/588	Motorsturm-Mann mit Schutzhelm.
50/61	Flieger präsentierend.	/664/23	Kanonier mit Granate, ladend.	/590	Motorsturm-Kraftfahrer mit Krad.
51	Flieger i. Marsch mit Fahne.	/664/28	Kanon. m. Schnellfeuergewehra. 3 Bein, Flugz. abw.	/664/30	Reiter ohne Pferd.
550/5	Offizier gehend, grüssend, mit bewegl. Arm.			/664/32	Motorsturm-Mann, sitzend, für Kfz.
550/6N	Offizier Karte lesend.	/664/50	Kanonier reinigend mit Rohrwischer.	/664/34	NSKK-Führer, sitzend, für Kfz.
550/7	Offizier stehend mit Dolch.	28/665/5	Entfernungsmeßm. stehend am großen Entfernungsmesser.	/669/1	Mann stehend, Essen fassend.
550/7 ½	General im Mantel.			/669/4	Mann stehend, Essen ausgebend.
651	Generalstabsoffizier stehend mit Fernglas.	/665/7	Entfernungsmeßmann stehend nach Flugzeug sehend.		
658/1	Flieger mit Sturzhelm u. Fallschirm i. beigefarb. Anzug.	/665/9	Offizier stehend nach Flugzeug sehend.		**POLITISCHE FIGUREN IM WAFFENROCK**
658/3	Flieger Propeller tragend.			00/30/12	Mann im Marsch, einfache Ausführung.
658/14	Flieger im Marsch mit Sturzhelm.		**POLITISCHE FIGUREN IM BRAUNHEMD**	/30/4	Mann im Marsch mit bewegl. Arm.
		00/29/12	Mann im Marsch, einfache Ausführung.	/30/4T	Mann im Marsch mit bewegl. Arm. u. Tornister.
	LUFTWAFFE – Flak-Artillerie	/29/10	Sturmführer im Marsch.	/30/9	HEß stehend mit bewegl. Arm.
28/9	Mann i. Marsch mit Feldmütze u. Gewehr über	/29/12	Mann im Marsch, ohne Tornister.	/10	Führer im Marsch.
/9/0	Offizier im Marsch mit Feldmütze.	/29/12T	Mann in Marsch, mit Tornister.	/12	Mann marschierend.
/11	Mann im Marsch mit blauer Dienstmütze.	/29/15	HITLER, sitzend, für Auto passend.	/13	GOEBBELS stehend, mit bewegl. Arm.
/11W	Mann im Marsch mit weisser Hose u. weisser Mütze.	/29/17	Sturmführer, grüssend.	/15	GÖRING in Fliegeruniform mit bewegl. Arm.
		/29/18	Mann im Marsch, grüßend.	/15N	HITLER im Mantel, sitzend, mit bewegl. Arm, für Kfz passend.
/11½	Mann im Marsch mit Feldmütze.	/29/20	HITLER stehend, mit beweglichem Arm.		
/12	Mann im Marsch mit Gewehr u. Stahlhelm.	/29/24	HITLER stehend im Mantel.	/16	GÖRING in SA-Uniform stehend, mit bewegl. Arm.
/47/1	Trommler.	/29/38	Fackelträger im Marsch.	/17	Führer im Marsch, grüßend.
/47/2	Pfeifer.	/29/40	Fackelträger, links tragend, mit funktionierender Beleuchtung.	/30/18	Mann, marschierend, grüßend.
/47/4	Hornist.			/30/19	Führer stehend, grüßend.
/47/6	Tambour-Major im Schritt.	/29/45/1	Trommler.	/30/22	HITLER gehend mit festem Arm, grüßend.
/47/10	Musikmeister.	/29/45/4	Hornist.	/30/23	HITLER mit Umhang.
/47/11	Pistonbläser.	/47/1	Trommler im Marsch.	/30/24	HITLER stehend grüßend, im Mantel.
/47/12	Klarinettenbläser.	/47/2	Pfeifer im Marsch.	/30/25	HITLER gehend, mit festem Arm, nicht grüßend.
/47/13	Bläser mit kleinem Baß.	/47/4	Hornist im Marsch.	/30/29	Führer stehend mit bewegl. Arm.
/47/14	Bläser mit großem Baß.	/47/6	Tambourmajor im Marsch.	/30/30	GÖRING stehend in Luftwaffe-Uniform u. Mantel.
/47/15	Fagottbläser.	/47/10	Musikzugführer im Marsch.		
/47/16	Beckenschläger.	/47/11	Pistonbläser.	30/46/1	Trommler.
/47/17	Waldhornbläser.	/47/12	Klarinettebläser.	/46/2	Pfeifer.
/47/20	Pauker.	/47/13	Bläser mit kleinem Baß.	/46/6	Tambourmajor.
/47/22	Lyraträger.	/47/14	Bläser mit grossem Baß.	/46/10	Musikzugführer.
/47/24	Musiker mit 1teiligem Schellenbaum.	/47/15	Fagottbläser.	/46/11	Pistonbläser.
/47/26	Musiker mit 3teiligem Schellenbaum.	/47/20	Pauker.	/46/12	KlarinetteNbläser.
/47/28	Posaunenbläser.	/47/21	Pauker mit Zughund.	/46/13	Bläser mit kleinem Baß.
/47/29	Fanfarenbläser.	/47/22	Lyraträger.	/46/14	Bläser stillgestanden, mit großem Baß.
/51	Fahnenträger im Marsch mit Blechfahne.	/47/24	Musiker mit einteiligem Schellenbaum.	/46/16	Beckenschläger, stillgestanden.
/63	Mann i. Marsch mit Stahlhelm, Tornister, Gewehr geschultert.	/47/26	Musiker mit dreiteiligem Schellenbaum.	/46/17	Waldhornbläser, stillgestanden.
		/47/28	Posaunenbläser.	/46/20	Pauker, stillgestanden.
/550/5	Offizier gehend grüßend, mit beweglichem Arm.	/47/29	Fanfarenbläser.	/46/28	Posaunenbläser, stillgestanden.
/550/6N	Offizier stehend, Karte lesend.	/47/30	Fanfarenbläser stehend.	/46/32	Kesselpauker mit 2 Pauken.
/550/7	Offizier stehend mit Dolch.	/49	Fahnenträger im Marsch mit Elastolinfahne.	/46/50	Notenständer.
/550/7½	General im Mantel.	/50/10	Führer stillgestanden.		Musik im Marsch.
/590N	Flak-Kraftfahrer, groß, feste Räder mit Rollen.	/50/12	Mann stillgestanden.	30/47/1	Trommler.
/590N2	Flak-Kraftfahrer, groß, feste Räder m. Rollen u. Sozius.	/50/51	Fahnenträger stillgestanden.	/47/2	Pfeifer.
		/50/54	Standartenträger stillgestanden mit Blechstandarte.	/47/4	Hornist.
/651	Generalstabsoffizier stehend mit Fernglas.	/51	Fahnenträger im Marsch mit Blechfahne.	/47/6	Tambourmajor.
/658/5	Soldat mit Sprachrohr.	/54	Standartenträger marschierend.	/47/10	Musikzugführer.
/664/1	Kanonier sitzend am Geschütz.	/58	Mann i. Marsch i. Mantel, ohne Tornister.	/47/11	Pistonbläser.
/664/4	Kanonier kniend mit beweglichem Arm.	/58T	Mann i. Marsch i. Mantel, mit Tornister.	/47/12	Klarinettenbläser.
/664/5½	Offizier stehend mit Karte u. Fernglas.	/400	Reitersturm mit Lanze zu Pferd im Schritt.	/47/13	Bläser mit kleinem Baß.
/664/8	Entfernungsmeßmann sitzend.	/401	Reitersturm ohne Lanze zu Pferd im Schritt.	/47/14	Bläser mit großem Baß.
/664/16	Kanonier stehend mit 4 Geschoßkörben.	/402	Reitersturmführer zu Pferd im Schritt.	/47/15	Fagottbläser.
/664/17	Kanonier kniend mit Geschoßkorb.	/442	Reitersturmführer auf galoppierendem Pferd.	/47/16	Beckenschläger.
/664/18	Kanonier kniend mit Granate.	/550/15	Winker.	/47/17	Waldhornbläser.
				/47/20	Pauker.
				/47/21	Pauker mit Zughund.

/47/22	Lyraträger im Marsch.
/47/24	Musiker m. 1 teil. Schellenbaum i. M.
/47/26	Musiker m. 3 teil. Schellenbaum i. M.
/47/28	Posaunenbläser im Marsch.
/50/7	SCHIRACH stillgestanden m. bewegl. Arm.
/50/10	Sturmführer stillgestanden.
/50/12	Mann stillgestanden.
/50/20	HITLER stillgestanden mit bewegl. Arm.
/50/20N	HITLER im Waffenrock, stillgest. mit bew. Arm.
/50/20½	HITLER sitzend für Fahrzeug, mit bewegl. Arm.
/50/49	Fahnenträger stillgestanden mit Elastolinfahne.
/50/51	Fahnenträger mit Blechfahne stillgest.
/50/53	Stabs-Standartenträger stillgestanden.
/50/54	Standartenträger, stillgestanden.
/51	Fahnenträger m. Blechf. i. Paradest.
/52	Fahnenträger m. Blechf. auf Schulter.
/54	Standartenträger im Schritt.
/401	Reitersturm.
/405	Reitersturm grüßend.
/406	Führer zu Pferd, grüßend.
/445/4	Musikzugführer zu Pferd.
/445/11	Pistonbläser zu Pferd.
/445/13	Bläser m. kleinem Baß zu Pferd.
/445/14	Bläser m. groß. Baß zu Pferd.
/445/32	Kesselpauker zu Pferd.
/550/1	Mann auf Rücken liegend.
/550/2	Mann auf Bauch liegend.
/550/3	Mann rechts liegend, trinkend.
/550/4	Mann links liegend.
/550/5	Sturmführer, bequem stehend.
/550/6	Sturmführer, Karte lesend.
/550/8	Sturmführer, stehend m. Fernglas.
/550/20	Mann mit Ziehharmonika.
/550/22	Mann Brot schneidend.
/585	Motorsturm mit Sturzhelm.
/589/51	Motorsturm-Fahnenträger im Marsch.
/644	Fahnenträger laufend.
/647	Trommler laufend.
/659/3	Sturmführer telefonierend.
/659/8	Telefonist schreibend.
/664/4	Mann kniend mit bewegl. Arm.
/664/5	Sturmführer mit Fernglas.
/664/6	Sturmführer kniend mit Fernglas.
/664/36	Chauffeur sitzend.
/664/38	Sturmführer am Steuer.
/666/10	Schifahrer laufend.
/666/12	Schifahrer Schi trag.
/669/5	Mann essend.

SS-LEIBSTANDARTE ADOLF HITLER

33/2	Offizier schreitend mit Stahlhelm u. gez. Degen.
33/6	Mann schreitend mit Stahlhelm, Tornister u. gesch. Gewehr.
33/13/12	Mann im Paradeschritt mit Stahlhelm, Torn. und gesch. Gewehr.
/13/51	Fahnenträger im Paradeschritt m. Blechfahne.
/50/12	Hitlers Leibwache stillgestanden.
/50/20	Offizier stillgestanden mit gez. Degen.

/50/49	Fahnenträger mit Blutfahne stillgestanden (Elastolin).
/50/61	Hitlers Leibwache präsentierend.
/50/65	Hitlers Leibwache stillgestanden m. gesch. Gewehr.
/51	Fahnenträger im Marsch, mit Blechfahne.
/59	Ehrenwache Gewehr über.

REICHSARBEITSDIENST – RAD

34/4	Mann i. Marsch m. bewegl. Arm.
/10	Feldmeister im Marsch.
/12	Mann im Marsch.
/20	Feldmeister i. Marsch m. bewegl. Arm.
/40	Fackelträger, elektrisch beleuchtbar.
/47/1	Trommler im Marsch.
/47/2	Pfeifer im Marsch.
/47/4	Hornist im Marsch.
/47/6	Tambourmajor im Marsch.
/47/10	Musikzugführer im Marsch.
/47/11	Pistonbläser im Marsch.
/47/12	Klarinettenbläser im Marsch.
/47/13	Bläser m. kleinem Baß im Marsch.
/47/14	Bläser m. großem Baß im Marsch.
/47/15	Fagottbläser im Marsch.
/47/16	Beckenschläger im Marsch.
/47/17	Waldhornbläser im Marsch.
/47/20	Pauker im Marsch.
/47/21	Pauker im Marsch mit Zughund.
/47/22	Lyraträger im Marsch.
/47/24	Musiker m. 1 teil. Schellenbaum i. M.
/47/26	Musiker m. 3 teil. Schellenbaum i. M.
/47/28	Posaunenbläser im Marsch.
/47/29	Fanfarenbläser im Marsch.
/51	Fahnenträger in Paradestellung.
/58	Mann im Marsch im Mantel.
/662/11	Mann im Marsch mit Schaufel.
/662/16	Mann im Marsch mit Rechen.
/662/18	Mann im Marsch mit Heugabel.
/662/20	Mann im Marsch mit Hacke.
/662/22	Mann im Marsch mit Spaten.
/663/2	Mann, schippend.
/663/4	Mann, hackend.

HITLERJUGEND – HJ

36/10	HJ-Führer im Marsch.
/12	HJ im Marsch mit Mütze.
/12½	HJ im Marsch ohne Mütze.
/51	HJ-Fahnenträger im Marsch m. Blechfahne.
/55	HJ-Wimpelträger im Marsch mit Mütze.
/55½	HJ-Wimpelträger im Marsch ohne Mütze.

JUNGVOLK – JV

37/5½	Jungvolk im Marsch in Überfallhose.
/12	Jungvolk im Marsch im Braunhemd.
/12½	Jungvolk im Marsch in dunkler Jacke.
/12T	Jungvolk im Marsch mit Tornister, im Braunhemd.
47/12½T	Jungvolk im Marsch mit Tornister, in dunkler Jacke.
/47/1	Jungvolk-Trommler im Braunhemd.

/1½	Jungvolk-Trommler in dunkler Jacke.
/47/2	Jungvolk-Pfeifer im Braunhemd.
/47/2½	Jungvolk-Pfeifer in dunkler Jacke.
/47/6	Jungvolk-Tambourmajor im Braunhemd.
/47/6½	Jungvolk-Tambourmajor in dunkler Jacke.
/47/30	Jungvolk-Fanfarenbläser im Braunhemd.
/47/30½	Jungvolk-Fanfarenbläser in dunkler Jacke.
/52	Jungvolk-Fahnenträger im Braunhemd.
/52½	Jungvolk-Fahnenträger in dunkler Jacke.
/55	Jungvolk-Wimpelträger im Braunhemd.
/55½	Jungvolk-Wimpelträger in dunkler Jacke.
/550/1	Jungvolk auf Rücken liegend im Braunhemd.
/550/1½	Jungvolk auf Rücken liegend in dunkler Jacke.
/550/2	Jungvolk auf Bauch liegend im Braunhemd.
/550/2½	Jungvolk auf Bauch in dunkler Jacke.
/550/3	Jungvolk sitzend, trinkend, im Braunhemd.
/550/3½	Jungvolk sitzend, trinkend in dunkler Jacke.
/550/15	Jungvolk-Winker im Braunhemd.
/550/15½	Jungvolk-Winker in dunkler Jacke.
/550/18	Jungvolk, Brennholz tragend, im Braunhemd.
/550/18½	Jungvolk, Brennholz tragend in dunkler Jacke.
/550/20	Jungvolk, Ziehharmonika spielend, im Braunhemd.
/550/20½	Jungvolk, Ziehharmonika spielend in dunkler Jacke.
/550/21	Jungvolk, Gitarre spielend, im Braunhemd.
/550/21½	Jungvolk, Gitarre spielend, in dunkler Jacke.
/550/22	Jungvolk, Brot schneidend, im Braunhemd.
/550/22½	Jungvolk, Brot schneidend in dunkler Jacke.
/550/24	Jungvolk, aus Schüssel essend, im Braunhemd.
/550/24½	Jungvolk, aus Schüssel essend in dunkler Jacke.
/550/28	Jungvolk, kniend kochend, im Braunhemd.
/550/28½	Jungvolk, kniend kochend, in dunkler Jacke.
/550/30	Jungvolk knieend, Essen ausg., im Braunhemd.
/550/30½	Jungvolk knieend, Essen ausg. in dunkler Jacke.
/654/6	Trommelpyramide mit Wimpel.
/659/2	Jungvolk, kniend, telefonierend, im Braunhemd.
/659/2½	Jungvolk, kniend, telefonierend in dunkler Jacke.

BUND DEUTSCHER MÄDEL – BDM

39/8	Jungmädel im Marsch.
/12	BDM, weiße Bluse, blauer Rock.
/12½	BDM, braunes Kleid.
/12N	BDM, mit Zöpfen und Kletterweste.
/55	BDM – Wimpelträgerin.

HEERES- UND ANDERE FIGUREN

40	Fackelträger, elektr. beleuchtbar.
	Musik stillgestanden.
46/1	Trommler.
/2	Pfeifer.
/6	Bataillonshornist.
/10	Musikmeister.
/11	Pistonbläser.
/12	Klarinettenbläser.
/13	Bläser mit kleinem Baß.
/14	Bläser mit großem Baß.
/16	Beckenschläger.
/17	Waldhornbläser.
/20	Pauker.

/22	Lyraträger.	404	Reiter mit Karabiner und Steigbügel	582	Minenwerfergruppe mit Richtschütze.
/24	Musiker mit einteiligem Schellenbaum.		(Karabiner abnehmbar).	584	Gasalarmschläger.
/26	Musiker mit dreiteiligem Schellenbaum.	405	Adjutant, grüßend.	585	Soldat kriechend mit Drahtschere.
/28	Posaunenbläser.	406	Adjutant grüßend, mit Steigbügel.	586	Flammenwerfer.
/32	Kesselpauker.	408/403	Standartenträger auf Schrittpferd.	590	Krad-Schütze, feste Räder.
/50	Notenständer.	409/401	Reiter auf Standpferd.	590N	Krad-Schütze, feste Räder, (mit 4 Rollen zum
47/1	Trommler, Musik im Marsch	410	HINDENBURG zu Pferd.		Fahren).
/2	Pfeifer.	440	Reiter zu Pferd, attackierend.	590½	Krad-Schütze, feste Räder, ohne Rollen.
/4	Hornist.	440N	Reiter auf galoppierendem Pferd.	591/1	Kraftradfahrer.
/6	Bataillonshornist.	441	Offizier mit bewegl. Arm auf galoppierend. Pferd,	/2	Kraftradfahrer m. Sozius.
/10	Musikmeister.		gezogenem Degen.	/4	Kraftradfahrer m. Beiwagen, Sozius, Beif. u. LMG.
/11	Pistonbläser.	441/11N	Trompeter auf galoppierendem Pferd,	/5	Kraftradfahrer mit Sozius, SMG 00/696 i. Seitenw.
/12	Klarinettbläser.		signalblasend.	/6	Funker auf Motorrad, mit Beiwagen, Sozius,
/13	Bläser mit kleinem Baß.	442	Offizier zu Pferd, attackierend.		Summer
/14	Bläser mit großem Baß.	445/4	Musikmeister zu Pferd.		z. Morsen und Scheinwerfer zum Blinken.
/15	Fagottbläser.	445/4½	Musikmeister zu Pferd, Schrittpferd.	/14	Kraftradfahrer m. Beiwagen, Sozius, Beif. u. LMG,
/16	Beckenschläger.	445/11	Pistonbläser zu Pferd.		mit Uhrwerk.
/17	Waldhornbläser.	445/11½	Pistonbläser zu Pferd, Schrittpferd.	/15	Kraftradfahrer mit Sozius, SMG. 00/696 i. Seitenw.
/20	Pauker.	445/13	Bläser mit kleinem Helikon, zu Pferd.		mit Uhrwerk.
/21	Pauker mit Zughund.	445/13½	Bläser mit kleinem Helikon, Schrittpferd.	/32	Sozius allein.
/22	Musiker mit Lyra.	445/14	Bläser mit großem Helikon, zu Pferd.	/40	Beiwagenfahrer allein.
/24	Musiker mit einteiligem Schellenbaum.	445/14½	Bläser mit großem Helikon, zu Pferd, Schrittpferd.	592	Hundeführer mit Meldehund.
/26	Musiker mit dreiteiligem Schellenbaum.	445/32	Kesselpauker zu Pferd.	593	Nachrichtenmann mit Brieftauben, Käfig u. Hund.
/28	Posaunenbläser.	445/32½	Kesselpauker zu Pferd, Schrittpferd.	620	Schütze im Sturm.
/29	Fanfarenbläser.	550/1	Soldat auf Rücken liegend.	620G	Schütze im Sturm mit Gasmaske.
/30	Fanfarenbläser stehend.	/2	Soldat auf Bauch liegend.	620/2	Schütze, Gewehr freitragend, im Sprung.
49	Fahnenträger marschierend, mit Elastolinfahne.	/3	Soldat trinkend.	/4	Schütze vorgehend, Gewehr unterm Arm.
50/12	Infant, stillg. Gewehr über.	/4	Soldat links liegend.	621	Offizier im Sprung.
/20	Offizier stillg. m. Degen, grüß.	/5N	Offizier im Schritt, grüß. mit bewegl. Arm.	621G	Offizier im Sprung mit Gasmaske.
/49	Fahnenträger stillgestanden, Elastolinfahne.	/6	Offizier Karte lesend.	621/3	Offizier im Sprung mit Pistole schießend.
/51	Fahnenträger im Parademarsch.	/6N	Offizier Karte lesend.	624	Schütze liegend schießend.
/53	Stabs-Standartenträger stillgestanden.	/7	Die selbe Figur wie Nr. 651.	624G	Schütze liegend schießend, mit Gasmaske.
/61	Infanterist präsent.	/7N	Offizier mit Dolch.	625	Schütze liegend, Gewehr auf Unterarm.
/65	Infant, stillgest. Gewehr ab.	/7½	General im Mantel mit Degen.	626	Schütze kniend schieß.
51	Fahne angef.	/8	Offizier durch Fernglas sehend.	626G	Schütze kniend schieß., mit Gasmaske.
51½	Fahnentr. m. Traditionsf., Fahne angefaßt.	/10	Gewehrpyramide.	627	Schütze kniend mit Gewehr bei Fuß.
51N	Fahnentr. i. n. Schritt.	/15	Winker.	628	Schütze stehend schießend.
52	Fahnentr. m. Blechf. auf Schulter.	/17	Soldat 2 Eimer tragend.	628G	Schütze stehend schießend, m. Gasmaske.
54/624	Schütze liegend.	/18	Soldat Essen fassend. (wie 669/1).	630	Schütze stehend, nach Flugzeug schießend.
/626	Schütze kniend.	/19	Soldat Essen ausgebend. (wie 669/4).	634	Schütze liegend zum Sturm auf! Marsch, Marsch!
/628	Schütze stehend.	/20	Soldat mit Ziehharmonika.	640	Schütze schlagend.
56/13/12	Rekrut im Parademarsch, Gewehr über.	/22	Soldat Brot schneidend.	642	Hornist i. Sturm blasend.
/13/12	Rekrut im Parademarsch, Hände auf d. Rücken.	/23	Soldat kniend mit Kochgeschirr.	642/2	Hornist i. Sturm nicht blasend.
/13/72	Rekrut in Kniebeuge, Gewehr aufwärts	/25	Soldat sich abtrocknend.	644	Fahnenträger im Sturm.
	gestreckt.	/26	Soldat sich am Eimer waschend.	644½	Fahnenträger im Sturm (neues Modell).
/50/12	Rekrut stillgestanden, Gewehr über.	/28	Soldat sich rasierend.	647	Trommler im Sturm.
/50/61	Rekrut stillgestanden, präsentierend.	/30	Soldat Stiefel putzend.	648	HINDENBURG in Zivil.
/394	Rekrut zu Pferd, Arme gespreizt.	/34/50	Soldat an Tisch, rechter Arm frei, komplett mit	649	HINDENBURG stehend in Uniform mit Mantel
58	Infanterist marschierend, im Mantel.		Tisch und Schreibmaschine.		als Generalfeldmarschall.
59	Ehrenwache, Gewehr über.	/36/50	Soldat am Tisch, Arme frei, komplett m. Tisch	649	HINDENBURG stehend in großer Uniform als
60N	Wachposten stehend im Mantel m. hochgeschl.		und Schreibmaschine.		Generalfeldmarschall mit Marschallstab u.
	Kragen.	/40	Soldat Uniform waschend mit Tisch u. Wasbhrett.		Schirmmütze.
62	Infanterist mit Torn., Gewehr vor der Brust.	574	Handgranatenwerfer stehend, abziehend.	650/1	MACKENSEN als Generalfeldmarschall.
63	Infanterist mit Torn., Gewehr auf Schulter.	575	Handgranatenwerfer m. Tragtasche.	/2	LUDENDORFF im Mantel.
64	Infanterist mit Torn., Gewehr links u. rechts	576	Handgranatenwerfer ohne Gasmaske.	/3	BLOMBERG stehend grüßend (später als General
	abgeschl. (sortiert).	577	Handgranatenwerfer mit Gasmaske.		grüßend bez).
401	Reiter.	578	Handgranatenwerfer Arm hoch.	/4	BLOMBERG mit Stahlhelm.
402	Offizier.	579	Handgranatenwerfer im Sprung.	/7	General stillgestanden, grüß. im Mantel mit Mütze.
403	Offizier mit Steigbügel.	580	Handgranatenwerfer kriechend.	651	Generalstabsoffizier mit Degen und Fernglas.

652/2	Verwundeter am Baumstamm liegend.
/4	Verwundeter liegend mit verbundenem Kopf, Arm. Bein.
/6	Verwundeter rückwärts fallend.
/8	Verwundeter sitzend, abwehrend.
/10	Verwundeter im Mantel.
/10N	Verwundeter im Mantel, gehend.
/12	Verwundeter am Stock gehend.
/14	Verwundeter links liegend.
/15	Toter Soldat.
654/3	Granaten- und Geschoßkorbgruppe.
/4	Kleine pl. Granate.
/6	Große pl. Granate, nicht beleuchtbar.
/8	Große pl. Granate, elektr. beleuchtbar.
/12	Geschoßstapel (12 Granaten).
656/1	Schwester knieend, verbind.
/2	Schwester stehend.
/3	Schwester mit Eimer.
/5	Schwester mit Tasche.
/5N	Schwester gehend.
/8	Sanitätshund stehend.
/8½	Sanitätshund.
/11	2 Sanitätssoldaten mit Verwund. auf Bahre aus Draht (Verwundeter abnehmbar. Bahre aus Elastolin).
/11½	2 Sanitätssoldaten mit Verwund. auf Bahre aus Draht (Verwundeter abnehmbar).
/12	2 Sanitätssoldaten Verwund. tragend.
656/14	Sanitätssoldat Verwundeten tragend.
/15	Sanitätssoldat Verwundeten führend.
/22	Sanitätssoldat gehend, mit Tornister.
/26	Sanitätssoldat stehend, mit Labeflasche.
657/1	Sanitätsgruppe mit Arzt.
/10	Arzt im weißen Mantel.
685/5	Man mit Sprachrohr.
659/1	Fernsprecher liegend, telefonierend.
/3	Offizier stehend, telefonierend.
/5	Fernsprecher, Leitung legend.
/6	Leitungsmast aus Holz.
/6½	Leitungsmast aus Holz, gross.
/7	Wegweiser aus Elastolin.
/8	Fernsprecher knieend, schreibend.
/9	Zwei Fernsprecher Kabelrolle tragend.
/10	Zwei Fernsprecher knieend telefonierend, m. Kabelrolle auf Rücken.

/12	Fernsprecher am Mast b. Leitungsbau, beweglich.
/13	Fernsprecher am Apparat, schreibend.
/15	Funkergruppe mit Morsealphabet u. elektr. Morsetaster.
/15/727	wie 659/15 mit Scheinwerfer 727 zum Blinken.
/18	wie 659/15 mit Summer zum Morsen ohne Scheinwerfer.
/19	Aufmachung mit 10 mtr Kabel und 2 Gruppen 659/18.
/20	Funkergruppe mit Funksprechgerät aus Elastolin.
/22	Blinker mit Morsetaster u. elektr. Scheinwerfer.
/25	Winker.
/30	Dasselbe wie 593.
/32	Meldehund, springend.
660/1	Dasselbe wie 659/22.
662/3	Pionier stehend, rechts rudernd.
/5	Pionier stehend, links rudernd.
/11	Pionier gehend mit Schippe.
/13	Pionier sitzend, rechts rudernd.
/15	Pionier sitzend, links rudernd.
/16	dasselbe wie 663/2
/17	dasselbe wie Fig. 663/4.
/18	Pionier sitzend mit Gewehr.
/20	Pionier mit Hacke.
/23	Pionier rechts tragend.
/25	Pionier links tragend.
/27	Pionier Sandsack tragend.
/30	Ponton aus Holz, 24cm lang.
/32	Schlauchboot aus Holz, 16cm lang.
/36	Schlauchboot aus Holz, 22cm lang.
663/2	Pionier, schippend (die gleiche Figur wie 662/16).
/4	Pionier, hackend (die gleiche Figur wie 662/17).
664/1	Kanonier sitzend am Geschütz.
/1N	dieselbe Figur wie 664/1.
/2	Kanonier gehend, Munition transportierend.
/2½	Gewehrführer gehend mit Spaten.
/3	Kanonier auf Ellbogen gestützt liegend, in Bereitschaft.
/4	Kanonier knieend, mit bewegl. Arm.
/5½	Offizier stehend mit Karte u. Fernglas.
/6	Gewehrführer knieend, durch Fernglas beobachtend.
/7	Schütze Munition zuführend.
/8	Entfernungsmeßmann sitzend.

/9	Richtschütze im Anschlag sitzend am Elastolin-SMG
/10	Richtschütze im Anschlag liegend am Elastolin-SMG
/10½	Schütze am SMG, elektrisch, in Stellung.
664/12	2 Schützen mit SMG 696 aus Metall.
/13	Schütze mit LMG im Sturm.
/13N	Schütze mit LMG im Sturm, neues Modell.
/14	Schütze mit luftgekühltem LMG in Stellung.
/15	Schütze mit LMG vorgehend.
/16	Kanonier stehend mit 4 Geschoßkörben.
/17	Kanonier knieend, mit Geschoßkorb.
/18	Kanonier knieend, mit Granate.
/19	Kanonier, Granate tragend.
/19N	Kanonier, Granate haltend.
/20	Beobachter stehend, mit Scherenfernrohr.
/22	Gewehrführer liegend, beobachtend.
/23	Kanonier Granate tragend.
/25	Munitions-Schütze, kriechend.
/28	Schütze mit LMG auf Dreibein.
/41	Richtschütze vorgehend mit LMG
/42	Munitionsschütze im Marsch mit Ersatzlauf.
/43	Munitionsschütze im Marsch mit Gewehr.
/44	Munitionsschütze im Marsch mit Dreibein.
/46	Panzerabwehrschütze knieend, ladend.
/48	Panzerabwehrschütze liegend, Munition reichend.
/50	Kanonier reinigend, mit Rohrwischer.
/56	Gruppenführer, am Baumstamm liegend, mit bewegl. Arm.
665/1	Kanonier liegend, mit kleinem Entfernungsmesser.
/3	Kanonier knieend, am Richtkreis.
/5	Entefernungsmeßman stehend, am großen Entfernungsmesser
/7	Entfernungsmeßmann stehend, aufwärts schauend.
/9	Offizier stehend, nach Flugzeug sehend.
/11	Offizier liegend, Karte lesend.
666/10	Skifahrer, laufend.
/12	Skifahrer, Ski tragend.
669/1	Mann stehend, Essen fassend.
/4	Mann stehend, Essen ausgebend.
/5	Mann sitzend, essend.
696/2	SMG, massives Rohr, von 2 Schützen gezogen.
6954	Lagerfeuer aus Elastolin, elektrisch beleuchtbar.
6956	Lagerfeuer aus Elastolin, ohne elektr. Beleuchtung.
6958	Kochstelle aus Elastolin, mit 2 Kochtöpfen, elektr. beleuchtbar.

Index

Register